C0-AUA-763

勁雨與風

曹家璇◎著

世界知識出版社

ЯРОСЛАВЛЬ 2009
СОВРЕМЕННОЕ
ГОСУДАРСТВО
И ГЛОБАЛЬНАЯ
БЕЗОПАСНОСТЬ
МЕЖДУНАРОДНАЯ
КОНФЕРЕНЦИЯ

写在前面的话

2008年3月，我从国务院领导岗位上退了下来。作为外交战线上的一名老兵，我在继续关心和支持外交事业和外交工作的同时，更多地是利用自己可以自由支配的时间，做一些多年来十分喜爱却又无暇顾及的事情。

在我退下来前后，许多同志热心提议，将我所经历的一些重大外交事件整理出版，以发挥“存史、资政、育人”的作用。有的同志还特别强调，这也是我对国家、对外交事业、对历史应尽的一份责任和义务。

的确，在我四十多年的职业外交生涯期间，特别是从1998年3月担任外交部长至2008年3月卸任国务委员的十年里，国际形势经历了复杂深刻的变化。世纪之交，国际政治、经济格局出现重大调整和变革，中国与世界的关系发生了历史性变化。在这跨世纪的十年间，中国外交在中央的正确领导和直接指挥下，继往开来，与时俱进，开拓进取，不断化挑战为机遇，开创了新局面，取得了辉煌的成就。这一时期的中国外交有许多值得记录和书写的历史。我所亲历的一些重大外交事件时常像过电影一样，一幕又一幕地重现在我脑海中。随着时间的推移和记忆的沉淀，我对往事也有愈来愈深的体会和感悟。

考虑再三，我决定接受大家的建议，编写和出版这本书。因为，这不完全是我个人的事。

在本书中，我选取了11个专题，所涉及的事情都是这十年间中国外交具有重要意义的大事，既反映了中国与世界主要大国关系的发展变化，也包含了中国与发展中国家的对话与合作；既有涉及双边关系的复杂案例，也有中国在多边场合的出色表现；既有事关中国核心利益的难点、热点问题，也有对突发事件的处理和把握。应该说，这11个专题在一定程度上勾画出了这个时期中国外交的主要脉络。

“温故而知新”。我力求站在现实的角度回顾历史，在尊重史实的基础上道出决策者、参与者的意图、思考和经验教训，将事件的本质、关键环节、国家利益点和工作效果尽可能全面地告诉读者。我的想法是，通过这样的写法，使此书尽可能地具有现实参考意义。

囿于篇幅所限，同时考虑到一些事件在外交上的特殊敏感性，还不具备公开发表的条件，本书所选取的只是我所经历的重大外交事件中的一部分。这一点，相信广大读者能够体察和谅解。

我希望本书有助于广大读者了解我国外交的这段历史，为后人留下一些有益的资料，为外交事业薪火相传做点有意义的事。这一点始终是我编写和出版本书的初衷。

回顾十年外交，中国面临的各种挑战层出不穷，有的十分严峻，有的甚至如疾风暴雨般来势汹涌；而中国奉行独立自主的和平外交政策和构建和谐世界的主张，以及我们运用的策略和刚柔相济的做法，如和煦之风，给世界带来和平、友好、合作与发展。书名取《劲雨煦风》，既是对本书内容的大致反映，也是我试图对十年间国际形势以及中国外交政策、理念和风格所做的一个概括。

唐家璇

2009年9月17日

序

唐家璇同志撰写的《劲雨煦风》一书正式出版了。这是一件大事。作为最先读者之一，我对该书问世谨致以热烈祝贺。

唐家璇同志从事外交工作四十余年，经历丰富多彩，是我们大家爱戴和尊敬的外交战线老领导。《劲雨煦风》一书重点介绍了他在1998年3月任职外交部长到2008年3月从国务委员领导岗位上退下来期间所经历的部分重大外交事件与重要国务活动。

1998年至2008年这十年正值世纪之交，我国综合国力和国际影响力不断迈上新台阶。我国从容应对国际风云变幻，妥善处理了一系列重大国际事件，中国同世界的关系发生了历史性变化。

中国与各大国关系全面推进。中美关系虽经历我国驻南联盟使馆被炸和南海撞机等事件造成的波折起伏，终究回到了健康稳定发展的轨道，并不断取得新的进展。中俄战略协作伙伴关系不断加强，两国签署了“睦邻友好合作条约”。中日关系走出了因日本领导人参拜靖国神社而出现的困境，开创了中日战略互惠关系新局面。我国同欧盟及英国、法国、德国等建立了不同形式的战略伙伴关系，并加强了同印度、巴西、南非、墨西哥等发展中大国的协调与合作。我们奉行与邻为善、以邻为伴的周边外交方针，积极开展区域合作；东盟—中国（10+1）、东盟—中日韩（10+3）和东亚峰会合作成果显著；上海合作组织成立，互利合作硕果累累。我国同发展中国家关系迅速发展。中非合作论坛北京峰会成功举办，中阿合作论坛隆重成立，中国同拉美等地区国家互利合作不断深化。我国积极参与多边事务，高举和平、合作、发展的旗帜，为推动建立持久和平、共同繁荣的和谐世界作出了重大贡献。

这十年外交上辉煌成就的取得，归功于党中央、国务院的正确领导、各有关部门的共同努力和全国人民的坚定支持。毫无疑问,也凝聚着时任外交部长和负责外交外事工作的国务委员唐家璇同志的智慧和心血。

唐家璇同志在本书中撷取了外交经历中11件有代表性的大事，以点带面，娓娓道来。叙述中有精彩的议论，议论中有鲜活的实例，体现了理论性与实践性的有机统一。唐家璇同志在应对我国驻南联盟大使馆被炸事件中表现的坚定捍卫国家主权和民族尊严的强烈爱国主义精神，在最终实现双赢结果的中俄、中越边界谈判中原则的坚定性和策略的灵活性相结合的外交艺术，在成功举办中非合作论坛北京峰会过程中坚强有力的统筹协调能力，在积极应对印度、巴基斯坦核试验中表现的高度政治责任感，在推进我国与世界各大国关系稳步发展进程中展示的战略思维以及贯穿全书的解放思想、实事求是、与时俱进的思想作风等等，都是我国外交的宝贵精神财富。一定意义上讲，该书既是唐家璇同志丰富外交实践的真实写照，也是一本富有重要价值的外交文献。

唐家璇同志多年来是我从事外交工作的领导，也是良师益友。唐家璇同志在工作中善于听取大家意见，既作风民主，又决策果断。他平易近人，和蔼可亲，对部下既严格要求，又十分关怀与爱护。在长期外交生涯中，唐家璇同志的领导水平、外交艺术和高度的责任感，给我留下了深刻印象。2003年初，唐家璇同志一个多月内四次赴纽约出席联合国安理会有关外长会议，推动妥善处理伊拉克问题。面对复杂局面，他运筹帷幄，挥洒自如，稳健、务实的外交风格得到各方的称赞。我时任中国驻美国大使，每次在纽约机场上见到唐家璇同志风尘仆仆，为世界和平奔波劳累，深受感动，深得教益。

文以载道。《劲雨煦风》一书内容丰富，思想深刻，对我们做好今天和明天的外交工作都有着重要的启迪和指导意义。我深信，在我们即将迎来新中国外交60周年的喜庆时刻，唐家璇同志《劲雨煦风》一书，不仅能让广大读者，特别是外交外事工作者感受到世纪之交国际形势“劲雨”催程，体味到中国外交“煦风”拂面，而且也有机会从书中吸取智慧和力量，启迪我们在新形势下不断丰富和发展中国特色外交理论和实践，继续开创外交工作新局面。

杨洁篪

2009年9月27日

目　录

<= type of moral pressure
"soft power"?
better than alternative.

Allies implicit, not explicit

effort to favorably influence public opinion, media, elite/leadership opinion w/i other country (J) = a major thrust of MFA work. Work systematically. Analyze ° opinion, pol. views.

中日关系转圜

Common theme — implicit = friendship via struggle. Struggle against "incorrect" views of other country to correct them, Δ balance re views w/i other country, in order to "eliminate obstacles" & → "positive development"

2 Major instruments of this struggle = educational "work" (diplomats, leaders, media, etc.) and sanctions (cancelling dialogue, meetings, ships visits, etc.) PSW not so much = inflict punishing, but alert other side public/leaders to C unhappiness & potential costs of that unhappiness. Create sense of crisis in relation that stimulates idea that necessary take action placate China.

? Unique pedagogic aspect?

Frame issue in high moral terms friendship, peace, positive development, stability. J action = threatens C view = uphold.

在四十多年的职业外交生涯中，我亲眼目睹了新中国外交的成长与发展，亲身经历了许多重大历史事件，与世界上大部分国家都打过交道，其中日本是与我渊源最深的国家。

我与日本结缘始于1958年。当时，国家着眼于对日关系的长远发展，决定培养一批日语干部，我有幸入选，从复旦大学外文系转到北京大学东方语言文学系，作为外交部的代培生开始学习日语和关于日本的基础知识。1964年，我进入外交部翻译队工作，从此与新中国的外交事业、与对日外交结下了不解之缘。

日本是与我国隔海相望的近邻，在长达两千多年的友好交往中，两国人民相互学习，相互借鉴，促进了各自的发展和进步。

日本也是历史上对我国伤害最深重的国家。从甲午战争到第二

1979年5月21日，日本首相大平正芳在首相官邸会见“中日友好之船”代表团团长廖承志（左二）和最高顾问粟裕（左一）。作者（左三）担任翻译。

次世界大战结束，在半个世纪里，日本不断对我国发动侵略战争，对台湾进行殖民统治。日本如何对待和妥善处理历史和台湾问题，成为战后中日关系重建和发展的核心问题。

战后中日关系的发展历程表明，只要这两大问题得到妥善处理，中日关系就能顺利向前发展。反之，中日关系的政治基础就会受到损害，两国关系就会遇到挫折，甚至出现倒退。

经过我们的长期工作和斗争，日方通过双边政治文件和领导人谈话等形式，就历史和台湾问题做出了一系列积极承诺和表态，为两国关系正常化及其后的健康发展提供了政治保证。

遗憾的是，2001年4月至2006年9月，小泉纯一郎担任日本首相五年间，违背两国在历史问题上达成的共识，顽固坚持每年参拜一次靖国神社，严重损害和动摇了中日关系的政治基础，导致中日关系陷入邦交正常化以来最为困难的时期。

一时间，靖国神社问题成为中日关系的焦点。

靖国神社　缘何成为问题

神社是日本崇奉和祭祀神道故事中各种神灵的场所，日本有大大小小神社8万多所。

靖国神社位于东京都千代田区，始建于1869年，当时被称为“东京招魂社”，用来祭祀在明治维新时期内战中阵亡的效忠天皇的军人，1879年改称“靖国神社”。“靖国”二字由明治天皇亲自命名，取自《春秋左氏传》中“吾以靖国”一句，意为使国家安定。

实际上，靖国神社从未发挥过使国家安定的作用。恰恰相反，在日本近代历次对外侵略战争中，靖国神社都充当了向国民灌输军国主义和皇民思想的宣传教化工具。出于对外侵略扩张的需要，日本极右势力竭力宣扬忠君报国思想，宣称“只要舍命尽忠，即可魂归靖国神社，升天成神，永世受人敬仰”。

需要特别指出的是，靖国神社不同于一般神社，自建成之日起就带有很强的政治和官方色彩，享有种种特权，其宫司（即住持）多由皇家和军部指定，甚至还出现过现役将军出任宫司的情况。

日本投降后不久，美国占领军当局实行“政教分离”，剥夺了靖国神社的种种政治特权，将其贬为普通民间宗教法人团体。但对于靖国神社过去的罪责并未追究，致使靖国神社得以完整保留并延续至今。

目前，靖国神社供奉着明治维新以来日本历次战争中死去的246万亡灵，其中80%死于二战，包括东条英机等14名甲级战犯和1000多名乙、丙级战犯。

正因为靖国神社中供奉着双手沾满中国和亚洲人民鲜血的甲级战犯亡灵，在包括中国在内的许多亚洲国家看来，日本领导人参拜靖国神社绝不单纯是日本的内政问题，也不是所谓宗教、传统和习惯问题，而是日本政府能否以正确态度对待当年军国主义侵略历史的重大原则问题。日本领导人参拜靖国神社，势必损害中日关系的政治基础，严重伤害包括中国在内的战争受害国人民的感情，我们自始至终坚决反对。

1985年8月15日，时任日本首相中曾根康弘曾率全体内阁成员集体正式参拜靖国神社，引起日本国内和亚洲各国的强烈批评。经中方反复做工作，中曾根首相决定任内不再参拜靖国神社。这是中日双方围绕靖国神社问题进行的第一次正面交锋。

1996年7月，桥本龙太郎首相曾以祭拜堂兄为名，以私人名义参拜。经中方强烈交涉，桥本首相也承诺任内不再参拜。桥本之后的两任日本首相都没有参拜过靖国神社。

小泉上台　公开声称参拜

2001年4月18日，日本首相森喜朗宣布辞职。24日，小泉纯一郎当选自民党总裁，并于26日就任日本首相。

小泉出身日本政治世家，他的祖父小泉又次郎担任过日本邮政大臣，父亲小泉纯也担任过防卫厅长官。20世纪90年代，小泉纯一郎先后担任过竹下登内阁厚生劳动大臣、宫泽喜一内阁邮政大臣、桥本龙太郎内阁厚生劳动大臣等要职，可谓日本政坛的资深政治家。他曾于1995年竞选自民党总裁，败于桥本龙太郎手下。

在日本政坛，小泉特立独行，个性鲜明。他的演讲语言简短、通俗、生动，极具煽动性和号召力。

当时的日本，刚刚经历了20世纪90年代被称为“失去的十年”。经济持续低迷，政治丑闻不断，失落、不安、焦躁、压抑感弥漫日本列岛，广大民众急盼通过改革寻求出路。

小泉抓住民众对现实极度不满和厌倦的心理，提出“改造自民党、改造日本”的口号，打出“无禁区改革”和“新世纪维新”的大旗，唤起民众对未来的向往和期待。他的“清新”风格，令众多选民眼前一亮，在日本社会刮起“小泉旋风”，支持率一度高达90%。

竞选期间，小泉几度公开允诺要在“8·15”日本战败纪念日正式参拜靖国神社。小泉之所以这样做，不仅是为争取日本遗族会[1]和右翼保守势力支持，也与他本人错误的历史观、价值观密不可分。

小泉出生于1942年，成长于二战以后，受日本片面的历史教育和家庭影响，对二战历史缺乏正确认识，特别崇拜二战中的“神风特攻队”[2]。他曾在国会上说，“遇事不顺时，我就对自己说，‘体会一下特攻队员的那种心情吧’”。小泉将靖国神社视为他表达上述情结的重要场所，步入政坛后，每年必去参拜。

1 二战后由日本官兵的遗属组成的一个全国性组织，在法律上属于财团法人，主张政府官员应参拜靖国神社。

2 第二次世界大战末期日本在中途岛失败后，由海军大将中西泷治郎首倡，为了抵御美国空军强大的优势，挽救其战败的局面，利用日本人的武士道精神，按照“一人、一机、一弹换一舰”的要求，对美国舰艇编队、登陆部队及固定的集群目标实施自杀式袭击的特别攻击队。

对于小泉一再声称当选后要去参拜靖国神社，我预感到，中日关系有可能面临一场暴风骤雨。

当时，由于日本国内政治右倾化，中日关系已经出现一些消极信号。2001年4月3日，日本文部科学省宣布通过右翼炮制的历史教科书，歪曲侵略历史，中国政府对此提出强烈抗议，要求日本政府纠正错误。20日，森喜朗看守内阁不顾中方一再反对和日本国内的不同声音，执意准许李登辉以治病为名赴日活动。中国政府向日方提出严正交涉，并采取冻结中日高层交往、中国军舰访日、双边安全对话等措施。

小泉首相参拜靖国神社将使中日关系面临更大困难。日本国内也有不少人对此感到担忧，纷纷表示应当设法制止两国关系下滑。

在这种形势下，针对小泉坚持参拜靖国神社的言论，我们决定及时向日方表明严正立场。

根据中央的统一部署，我们积极主动做日本各界工作，希望通过他们施加影响，促使小泉首相改弦更张。前后两任驻日本大使陈健和武大伟广泛、深入做日本各界工作。武大伟大使还利用到任拜会之机，当面做小泉首相工作。

当时的日本外相是田中真纪子。她是日本前首相田中角荣之女，说话直率，办事干练，为小泉竞选首相立下汗马功劳，是内阁中对小泉最有影响的人。由于她的父亲是中日邦交正常化的当事人，她本人对中日关系的敏感问题有比较清楚的认识。

小泉上台后一个月，即2001年5月24日，田中真纪子来北京参加第三届亚欧外长会议。她以前曾多次访华，这是她首次以外相身份来访。我与她会晤时，就历史教科书、李登辉访日等问题阐明了立场，特别是就参拜靖国神社问题深入地做了她的工作。

我表示，参拜靖国神社问题在20世纪80年代和90年代都曾发生过，每次都严重影响了日本同包括中国在内的亚洲邻国的关系，也损害了日本自身的国际形象。日本应汲取这些教训。在当前中日关

2001年5月24日，在北京会见日本外相田中真纪子。

系业已受到严重损害的情况下，如果日本领导人再次前往参拜，无疑是雪上加霜，将使两国关系的恢复和改善变得更加困难。希望日方充分考虑深受日本军国主义侵略之害的亚洲各国人民的感情，用实际行动体现新内阁"加强国际协调"的表态，切实履行正视和反省历史的郑重承诺。

田中真纪子告诉我，她对日本国内发生的教科书等问题感到非常痛心。她向我一再强调，日本新内阁将恪守1995年村山富市首相的谈话精神[1]，正确对待和处理历史问题。关于靖国神社问题，她明

1 1995年8月，村山富市首相在日本战败50周年之际代表日本政府发表正式谈话表示："日本在过去一段时期，因国策错误，走上战争道路，使国民陷入生死存亡的危机，并通过殖民统治和侵略，给许多国家，特别是亚洲各国人民带来了巨大损害和痛苦。为了避免将来再犯错误，愿谦虚地对待这一毋庸置疑的历史事实，再次表示深刻反省和由衷道歉。"

确表示，她本人是不会去参拜的。她还表示，日本将恪守《日中联合声明》的原则，审慎处理台湾问题。

中方通过各种渠道做工作使小泉首相感受到压力。他分别给时任国家主席江泽民和副主席胡锦涛写了亲署信。两封信的内容各有侧重，但都表达了一个意思，即他始终认为，日中关系是日本最重要的双边关系之一，这一想法没有丝毫改变，今后愿继续充分考虑中国的立场，努力推动两国关系发展。

7月24日，我在越南河内出席东盟地区论坛外长会期间，再次会见田中真纪子。除了和她讨论地区形势、双边关系外，我特别谈了靖国神社问题，强调这一问题的实质在于日本政府是否真心诚意地承认和反省侵略历史，是否尊重广大战争受害国人民的感情。我恳切地对她说，希望日本政治家在这个问题上三思而后行，做出明智决断。

我进一步指出，小泉首相作为日本的内阁总理大臣，一举一动都代表着日本政府的政策，反映日本的国家意志，其中的分量他本人理应有充分认识。坦率地讲，他看待这一问题的视野是十分狭隘的，完全从日本内政的需要考虑，与他本人一再强调的国际协调路线格格不入，也表明他本人根本不了解加害者和受害者之间的区别。这样的行为方式在国际上特别是亚洲近邻中是行不通的。希望小泉首相能认真权衡究竟哪种做法符合日本的国家利益，有利于日本与亚洲邻国搞好关系。现在距离“8·15”所剩时间已经不多了，希望小泉首相认真对待亚洲近邻的关切，务必做出明智选择。否则，中日两国下半年许多发展双边关系的举措也将受到严重干扰。田中外相是对小泉首相有很大影响的内阁成员，希望能为劝阻小泉首相参拜靖国神社发挥重要作用。

我的话使田中进一步认识到靖国神社问题的敏感性和严重性。她表示，靖国神社问题是涉及日本和亚洲邻国关系的重大问题，需要慎重对待。后来，在接受记者采访时，田中首次公开表示反对首相参拜靖国神社。

执意前往　小泉首次参拜

在中、韩等国的强烈反对和中方反复做工作的情况下，日方不得不认真思考靖国神社问题。随着“8·15”战败纪念日日益临近，日本国内围绕小泉参拜问题出现各种议论，其中不赞成的声音逐渐增多。《朝日新闻》等媒体还发表社论，明确反对小泉首相参拜靖国神社。

这一时期，中日双方通过各种渠道频繁接触，希望能够找到一个妥善解决靖国神社问题的办法。

8月上旬，小泉首相派代表密访北京，与中方探讨解决靖国神社问题。我会见了此人。

他向我提出了日本方面的试探性方案。他告诉我，小泉首相了解到中、韩等国的强烈批评意见，经过慎重考虑，决定不在“8·15”当天参拜靖国神社。但是，小泉首相已经就参拜问题多次做出明确承诺，他必须向日本民众有所交代。所以，考虑再三，小泉首相打算在“8·15”以后的某一天以私人身份前往参拜，并在参拜后现场发表“首相谈话”，重点阐明日本对历史问题的认识，希望得到中方理解。

我当即向他全面阐述了中方反对日本领导人参拜靖国神社的立场，并请他完整、如实地报告小泉首相。

我明确告诉他，两国关系中目前最突出的问题就是靖国神社问题。“8·15”日益临近，中方强烈希望日方妥善处理这一问题，避免两国关系因此受到进一步伤害。我们一贯认为，发动侵略战争的罪魁祸首是一小撮日本军国主义分子，现在被供奉在靖国神社的甲级战犯是其中的典型代表，广大日本人民也是侵略战争的受害者。正是基于这一认识，长期以来，中国政府一直教育中国人民面向未来，以向前看的积极姿态同日本人民友好相处。我们对日本普通民众前往靖国神社悼念死难亲友，一直是宽宏大量的，从来没有提出过异议。但日本领导人在这一问题上的言行举动就不一样了。因为领导人的行为代表了政府的意志，直接反映出日本政府对过去那段侵略历史持什么样的态度。我们注意到日方就小泉首相改日参拜提出的设想，中方的立场仍是要求小泉首相做出不参拜的明智决断。

我特别指出，作为有远见的政治家，在这个问题上不能只考虑国内因素，不能只从“日本式的思维”出发，而应更多地考虑广大受害国人民的感情。希望小泉首相务必认识到这一点，慎重妥善处理这一问题。

他非常认真地听取了我的谈话。临别前，他对我说，他回东京后将径赴首相官邸，当面向小泉首相详细汇报。

但几乎就在同时，日方又透露小泉首相可能在“8·15”之前参拜。

获悉此消息后，我当即指示当时主管亚洲事务的外交部副部长王毅紧急约见日本驻华大使阿南惟茂，提出严正交涉，要求日方充分认识这一问题的严重性，务必慎重妥善处理。

刚刚担任日本驻华大使的阿南惟茂是个中国通，他对王毅表示充分理解中方立场。他说，据他了解，日方的想法并未确定，他将立即做工作，推动国内慎重对待。

8月13日中午，日本内阁官房长官福田康夫要求与王毅副部长紧急通电话。联想到之前日方的种种表现，我预感到要出问题。

福田在罗列了许多理由后告诉王毅，小泉首相决定当天下午以私人身份参拜靖国神社。王毅当即表示强烈反对。

福田辩解说，小泉首相放弃在“8·15”当天正式参拜已是勉为其难，也确实认真考虑过把参拜推迟到“8·15”之后。但近日，日本国内形势发生很大变化，有人认为小泉首相推迟参拜是屈服于中国压力。因此，日方认为推迟参拜，将刺激日本国内民族主义情绪，反而对日中关系不利。福田再三强调，小泉首相重视日中关系，希望中方看他今后的实际行动。

王毅告诉福田，中国人民和亚洲邻国都在强烈关注小泉首相在参拜问题上的决断。目前正是重要关头，希望日方务必慎重行事。中方的立场是要求小泉首相放弃参拜，这一立场没有任何变化。希望日本领导人从中日关系大局出发做出明智决断。

但我们的劝告对小泉首相没有起到任何作用。当天下午4点半，小泉身着黑色燕尾服出现在靖国神社。参拜前，小泉发表了一通谈话，承认日本殖民统治给亚洲近邻带来了不可估量的灾难，重申对此进行深刻反省。参拜后，他面对现场的记者辩称，此举是为纪念二战中一般阵亡者，不是参拜甲级战犯等特定人物。

小泉参拜后，中国外交部发言人立即发表声明，对小泉首相顽固参拜靖国神社表示强烈不满和愤慨，我们同时通过外交渠道分别在北京和东京向日方提出严正交涉。

小泉访华　参拜之后示好

中方的强烈反应使小泉首相认识到他的行为严重损害了中日关系。参拜后不久，他委托访华的前首相细川护熙转交一封给江泽民主席的亲署信，并向中方说明有关情况。

细川于1993年8月至1994年6月担任日本首相，是第一位明确承认日本二战时对亚洲近邻发动侵略战争，并对此做出道歉的日本首相。他还是博鳌亚洲论坛的发起人之一，对华态度积极，在日本政坛和社会有一定影响力。

细川9月2日至5日访华，他向时任国家副主席胡锦涛转交了小泉首相致江主席的亲署信。细川表示，小泉首相正“苦虑”如何解决参拜靖国神社问题给日中关系带来的困难，希望在出席10月于上海举行的APEC会议前来北京，向江主席当面陈述想法。

胡锦涛副主席说，小泉首相上任后，我们曾对他就任首相后中日关系的发展寄予期待，但没想到他不顾中方再三交涉，执意参拜靖国神社，不仅伤害了中国人民的感情，而且损害了中日关系的政治基础。中方一贯重视中日友好关系，我们也认为两国领导人直接交往有助于两国关系的发展，但高层访问的成功需要必要的气氛和条件。希望日方对目前中日关系的严峻形势有充分认识，并采取切实有效的措施来改善两国关系。

一周后，9月12日，应中日友好协会邀请，以自民党众议员、前大藏大臣林义郎为团长的日中友好议员联盟代表团访华，这也是小泉首相参拜靖国神社后第一个访华的日本议员代表团。

13日，江泽民主席在中南海会见了代表团。他对代表团成员语重心长地说，历史是客观事实，是不能抹煞的，也是不能忘记的。我们重视历史问题，是为了维护中日关系的政治基础，确保两国关系健康发展。日本应该承认历史事实，从中汲取有益的教训。

江主席强调，解铃还须系铃人，希望小泉首相能以实际行动来解决目前面临的问题。

江主席的话使日方受到明显震动。

根据江主席的这一精神，我们通过各种渠道对日方保持压力，要求日方认识到当前问题的严重性，切实采取主动行动。

小泉首相认识到问题的严重性，分别于8月30日和9月4日给江主席写来亲署信，强调他本人重视对华关系，愿为恢复两国关系而努力。他还多次提出希望尽早访华，向江主席当面表明他重视日中关系的态度。

9月21日，阿南大使正式向王毅副部长通报了日本政府关于小泉首相访华的设想。他说，日方希望安排小泉首相于10月7日至8日对中国进行一天非正式访问，重点表明日方重视对华关系的立场。小泉首相来华后可以去卢沟桥中国人民抗日战争纪念馆，悼念中国死难者，公开做出反省侵略历史的表态。小泉首相还将向中国领导人表明他本人及日本政府对历史问题的认识。

小泉首相主动提出前往卢沟桥抗战纪念馆参观，悼念中国死难者，这本身是一种积极的姿态。我们认为如果同意他来，将有助于他切实认识那场战争给中国人民带来的伤害，以及他的错误行径给中日关系和中国人民感情带来的损伤。

但必须明确一点，那就是，小泉首相到北京后，要先去卢沟桥抗战纪念馆，向中国死难者表示道歉，并就侵华历史表示反省。在与中国领导人的会见中，要全面清楚地阐述他本人及日本政府的历史认识，并就今后是否参拜靖国神社做出交代。

中央很快同意了我们的上述意见，日方也接受了我们的要求。于是我们同意小泉首相对中国进行工作访问。

10月8日上午，小泉首相抵达北京，对中国进行为期一天的工作访问。我作为外交部长全程陪同。

小泉首相一下飞机，就直奔卢沟桥。抵达抗战纪念馆后，小泉首先以“日本国内阁总理大臣”的名义，向抗日战争中牺牲的中国死难者献花圈，鞠躬致哀。花圈挽联上写着“祈求永久和平、世代友好”。

小泉首相仔细参观完各个展厅后，提笔写下“忠恕”二字，并且在纪念馆门前就历史问题发表了谈话，表示通过参观抗战纪念馆，“切身感受到过去那场战争的悲惨，对因为侵略而牺牲的中国人民致以衷心道歉和哀悼”。

小泉首相表示，日本要正视和反省历史，绝不再发动战争，并基于历史教训走和平发展道路。发展日中友好关系不仅对两国有好处，对亚洲和世界也很重要。作为内阁总理大臣，今后愿为发展日中友好竭尽全力。

离开抗战纪念馆前，小泉首相对陈启刚馆长表示，参观使他受益匪浅。

随后，小泉首相前往钓鱼台国宾馆，朱镕基总理与他举行会谈。下午，江泽民主席在中南海会见了小泉首相。在会见和会谈中，小泉首相再次表示，对战争中的中国死难者致以“衷心哀悼和道歉”，日本应深刻反省历史，把握未来发展道路。小泉首相还说，他衷心希望日中两国能够发展强有力的友好关系。

小泉首相此行可谓来去匆匆，结束与江主席的会见后，他即从中南海瀛台径赴机场回国。

但是，小泉首相在京期间，始终避而不谈今后是否还参拜靖国神社的问题。我认为这是一个不能忽视的重要问题，遂指示前往机场为他送行的王毅副部长，就此向日方表明中方立场。王毅向阿南大使谈了此事，阿南说，小泉首相虽未及说明，但他本人和日本政府的想法是清楚的，即今年的举动遭到中、韩等国严厉批评，明年将会非常慎重地加以对待。

小泉首相访华后，因靖国神社问题而紧张的中日关系得到一定缓解。江泽民主席、朱镕基总理先后在当年的上海APEC会议和文莱10+3（东盟10国+中日韩）会议期间与小泉首相举行会晤。

2002年4月初，李鹏委员长对日本进行正式友好访问，并与小泉首相共同出席纪念中日邦交正常化30周年“中国文化年”、“日本文化年”开幕式。

这一年4月，我们在海南举办博鳌亚洲论坛首届年会，小泉首相出席年会并公开表示，中国经济发展不仅不是威胁，而且会给日本和全世界带来更多机遇。这是小泉首相首次就中国发展问题正式、公开表明立场。

突然行动　小泉再次参拜

博鳌论坛结束后不久，我陪同朱镕基总理出访亚、非三国。在埃及期间，我得知小泉首相利用每年例行的春季祭祀之机，在北京时间2002年4月21日上午8时多第二次参拜了靖国神社。

这离他在博鳌发表演讲仅仅九天时间，他的演讲言犹在耳，现在他却突然再次参拜靖国神社。看来，他在历史问题上的错误立场根深蒂固，态度也非常顽固。

中国外交部对此立即做出强烈反应。李肇星副部长和武大伟大使分别在北京和东京向日方提出紧急交涉。外交部发言人发表谈话，表示中方坚决反对日本领导人以任何形式、在任何时间参拜供奉甲级战犯的靖国神社。我们还推迟了日本防卫厅长官预定于4月下旬的访华和中国海军舰艇编队预定于5月中旬的访日。

小泉首相第二次参拜靖国神社，使刚刚回暖的中日关系再次陷入困境。

本来，双方已初步商定小泉首相于2002年9月对中国进行正式访问。小泉突然参拜靖国神社后，我们决定暂时不同日方就小泉访华事进行具体商谈。

此后，日方通过各种渠道就小泉首相访华事进行试探，我们都始终坚持日方应首先就历史及参拜问题做出必要交代。

这年的7月，我出席在文莱举行的10+3会议期间，与日本新任外相川口顺子会晤，谈到了小泉参拜靖国神社和访华问题。

川口顺子原任小泉内阁环境大臣，那年2月接替田中真纪子出任日本外务大臣。她作风稳健，颇具行政能力，担任环境大臣期间，在推动有关国家批准气候变化公约等多边环境外交中显示出外交手腕，受到日本国内好评。

川口对我说，历史问题涉及内政和外交两个方面，难度很大。她出任外相以来，一直在思考如何正确处理二者的关系。然后，川口话锋一转，为小泉辩解道，小泉首相避开8月参拜靖国神社，是在充分考虑到对华关系因素后做出的艰难决断。川口还说，小泉首相希望能在受到中方欢迎的情况下访华。

我对川口说，中方历来重视两国高层互访。但小泉首相再度参拜靖国神社极大地伤害了中国人民的感情。目前需要的是良好的气氛和环境，日方应该显示出必要态度，采取具体行动。

2004年4月4日，在北京人民大会堂会见来访的日本外相川口顺子。

经过多次试探，小泉终于意识到中方在参拜问题上的立场非常坚定，他年内访华无望，于是对外宣称不一定非要年内访华不可，等时机成熟再说。

虽然我们不同意小泉访华，但也没有关上和他接触的大门。2002年9月下旬，亚欧首脑会议在丹麦举行，日方提出届时举行两国总理会晤。为多做工作，中央还是决定朱镕基总理在这次会议期间与小泉首相会晤，并就历史问题再做工作。

立场顽固　小泉三次参拜

2003年1月14日中午，福田内阁官房长官给武大伟大使打电话，告称小泉首相将于当天下午第三次参拜靖国神社。

武大伟回应的语气非常强硬。他说，小泉首相两次参拜，已经给中日关系带来很大伤害，如果再去，将会带来更大冲击，甚至影响今后几年的中日关系。日方对此应该有清楚的了解。

武大使希望福田在这个重要关头发挥政治影响，劝阻小泉首相参拜。

福田无可奈何地说，他已经无能为力了，希望中方谅解。

当天下午2点，小泉第三次参拜靖国神社。参拜前，小泉对记者说，他是“本着珍惜和平，决不再战的心情参拜”，称“一直就参拜问题向中韩两国进行说明，希望中韩理解”。

小泉第三次参拜当天，中国外交部发言人立即发表谈话，表示强烈愤慨。同时，我们通过外交途径向日方提出严正交涉，表明中方立场，要求小泉纠正错误，消除恶劣影响。国内民众反应十分强烈，众多网民纷纷在网上留言谴责。

联合执政的日本公明党和社民党等在野党都对小泉首相第三次参拜提出批评。

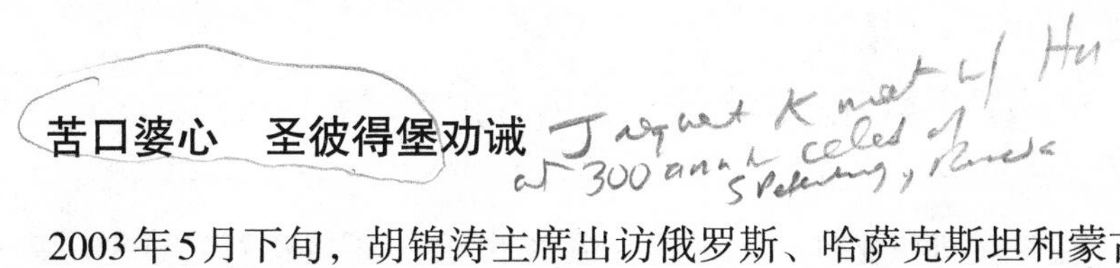

苦口婆心　圣彼得堡劝诫

2003年5月下旬，胡锦涛主席出访俄罗斯、哈萨克斯坦和蒙古，其间将出席圣彼得堡建市300周年庆典。

得知胡主席出访的消息后，4月下旬，日本驻华使馆向外交部提出，小泉首相希望在出席圣彼得堡建市300周年庆典期间与胡主席举行会晤，恳请中方积极考虑。

小泉首相非常善于操纵媒体。在向中方提出会晤请求的同时，小泉也在国内为会晤营造气氛。他对媒体表示，“我一贯重视日中友好。希望能与胡主席举行会谈，就增进日中友好、促进共同合作达成共识”。

日本媒体普遍认为，如果中方同意在圣彼得堡会见小泉首相，这将是中国新领导集体成立后两国领导人的首次会晤。日本朝野各界非常重视，对会晤普遍寄予热切期待。

此后，日方通过多种渠道向我们表示小泉首相高度重视这次会晤，希望中方做出积极回应。

我和外交部的同志一直对此进行反复斟酌和认真研究，综合各方面的情况和意见，我们认为这样做对稳定中日关系大局，并使之逐步改善和发展具有重要意义。

一次外事活动结束后，胡主席问起我对小泉首相提出会晤的请求有什么看法，我介绍了一些情况，也谈了我的想法。

5月中旬，中方通过外交途径答复日方，胡主席同意在圣彼得堡与小泉首相会晤。

5月30日，胡主席抵达圣彼得堡。当晚，根据俄方安排，胡主席同其他国家领导人一起，出席普京总统在玛林斯基剧院举行的专场音乐会和在涅瓦河“银色私语”号游轮上举行的晚宴。当时的安排很巧，胡主席在出席音乐会时与小泉首相同排就座，出席晚宴时与小泉首相同在主桌就座。

见到胡主席后，小泉首相主动打招呼，表示很高兴与胡主席结识。

他兴致勃勃地对胡主席说，他20世纪70年代初就到过中国，去了北京、南京、西安等地，自那时起就喜欢上了中国戏曲。他表示很喜欢吃中国菜，特别爱喝绍兴酒。他还称赞2001年10月上海APEC领导人非正式会议的组织工作非常出色，说焰火晚会、宴会和极具中国特色的演出给他留下了深刻印象。

看得出来，他有意识地想和胡主席多交谈。

胡主席说，中国人民与日本人民有共同的东方文化渊源，两国人民有2000多年友好交往的历史。

这时，小泉首相插话说，其间仅有一段不幸的历史。

胡主席说，正因为如此，我们应该从友好的历史中总结经验，从不愉快的历史中汲取教训，以史为鉴、面向未来。20世纪80年代

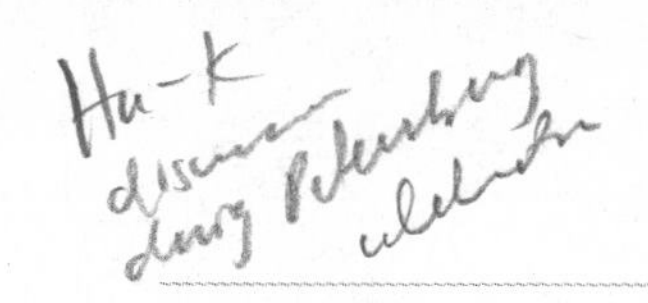

初，我曾参与中日友好工作，与两国友好人士有过很多接触，他们为中日关系的发展做了大量工作。双方的友好成果来之不易，我们都要倍加珍惜，不让它受到不应有的干扰。

小泉首相说，他从胡主席的话里学到很多东西，相信日中友谊会越来越巩固。

第二天，胡主席在下榻饭店会见小泉首相。双方谈了很多，谈到了朝核、“非典”等当时备受关注的问题。当然，谈得最多的还是中日关系。

小泉首相说，我一直期待与胡主席的首次会晤，今天得以实现，来圣彼得堡可谓不虚此行。我认为中国的发展可以给日本带来利益和刺激经济的机会，是机遇而不是威胁。

胡主席说，小泉首相就任以来多次强调中日关系的重要意义，指出中国的发展对日本不但不构成威胁，而且是机遇，主张以双赢思想推动中日合作，我对此表示赞赏。

胡主席表示，中日两国是一衣带水的邻邦，两国人民有着2000多年友好交往的历史。两国间也有过一段不幸的过去，给两国人民带来了严重的危害，但睦邻友好、互利合作仍是两国关系的主流。邦交正常化30年来，在两国几代领导人的培育和持之以恒的努力下，中日关系取得了全面深入的发展，中日友好深入人心。历史证明，中日两国和睦相处、友好合作，不仅可以为两国人民带来实实在在的利益，而且可以为亚洲和世界的和平、稳定和发展作出重要贡献。

胡主席指出，中日两国是亚洲和世界上两个重要国家，在维护世界和平、促进亚洲稳定和发展方面肩负着重要责任。两国的政治家应从这样的战略高度来看待中日关系，牢牢把握两国关系的大方向，抓住机遇，推动两国关系长期健康稳定地向前发展。

胡主席强调，发展新世纪的中日关系，要牢记中日友好的历史和经验教训，珍惜来之不易的中日友好成果。尤其要遵守中日联合声明等中日间三个政治文件[1]的原则和精神。双方要努力扩大利益的汇合点，要重视并妥善解决好对方的关切。中方尤其希望日方妥善处理历史和台湾问题，因为这两个问题关系到两国关系的政治基础，千万不能再做伤害中国人民感情的事。双方应以史为鉴，面向未来，着眼长远，筹谋大局，共同谱写中日睦邻友好的新篇章。

会谈结束时，小泉首相起身向胡主席表示，希望在方便的时候开展两国最高领导人的互访，欢迎胡主席访日，他也希望有机会访华。

胡主席意味深长地说，双方共同为此努力吧。

这年9月，吴邦国委员长对日本进行正式友好访问。10月，温家宝总理在印尼巴厘岛出席第七次东盟与中日韩领导人（10+3）会议时、胡主席在泰国曼谷出席第11次亚太经合组织领导人非正式会议（APEC）时分别与小泉首相举行会晤。

一意孤行　小泉四次参拜

遗憾的是，小泉首相并没有认真领会胡主席的一番话。半年后，2004年1月1日中午，在全世界喜迎新年的时刻，小泉第四次参拜了靖国神社。

对于小泉选择在元旦参拜，日本方面有人对我们透露，小泉说，根据前几次情况，不论选择什么时间去，中方总会提出批评，因此不如赶早，选择在元旦假期，还可以尽量避免日本国内媒体炒作。

同样，外交部和驻日本使馆立即再次向日方提出严正交涉。我们的态度十分明确，坚决反对日本领导人以任何方式、在任何时间参拜供奉着甲级战犯的靖国神社。

小泉的一意孤行在日本国内也掀起波澜。除执政党自民党以外，

1　即1972年发表的《中日联合声明》、1978年缔结的《中日和平友好条约》和1998年发表的《中日联合宣言》。

各主要政党对小泉首相参拜均持批评态度，在这个问题上表现出空前一致。媒体和民间提出越来越多的质疑。

不过，来自国内外的批评对小泉没有产生任何触动。据报道，他在国会预算委员会接受质询时竟然表示，他对靖国神社“供奉甲级战犯没有抵触感”，“鞭笞死者不是日本的文化”，尽管“其他国家对此说三道四”，但他“丝毫不想改变迄今的想法”。

这番言论，是小泉执意参拜靖国神社以来首次公开表明对甲级战犯的态度，不啻于赤裸裸地为国际公认的战争罪犯开脱。

小泉坚持参拜，也给日本自己出了一个难题。日本国内要求解决靖国神社问题的呼声日益增多，其中比较有影响力的是前首相中曾根康弘提出的“分祀”论和福田康夫主张的建立国立墓地。

所谓“分祀”论，是指将甲级战犯移出靖国神社，分开祭祀。早在20世纪80年代，中曾根任首相期间就曾提出过分祀的建议，但由于东条英机家属和靖国神社宫司反对而搁浅。

随着小泉就任首相后靖国神社问题日益突出，中曾根多次在公开场合重提“分祀”论，希望以此解决中日之间关于靖国神社问题的争论。

所谓建立国立墓地，是2002年底福田所属私人政策咨询机构经过一年的研究提出的一个方案，指仿照美国阿灵顿无名烈士公墓等形式，建立一个国立墓地，将日本近代以来内外历次战争中所有死难者以及近年来在国际维和行动中殉职的自卫队员全部包含其中，不带任何宗教色彩。

福田认为，这样可以避免与周边国家之间的外交摩擦和国内围绕宪法政教分离原则的争论，日本领导人乃至天皇都可以自由参拜，外国来宾也可以前往凭吊、献花。

但是，靖国神社问题错综复杂，不是这么容易就能够解决的。这两个方案都遭到日本国内一些人的反对。

中日关系就是在这种气氛下走入了2005年。

60年纪念 不平静之年

2005年是二战结束60周年，对中日关系来讲是非常重要和敏感的一年。

事实证明，这一年果然非常不平静。

年初，日本就开始加大"入常[1]"力度。鉴于日本领导人在历史问题上的错误态度没有任何改变，中国民众情绪受到严重刺激，出现百万网民联合签名反对日本"入常"的事态。到4月初，发展为全国数个城市发生针对日本的示威游行，个别地方还发生了过激行为。

日方对此反应强烈。政府和政界要人不断公开表态，部分人甚至指责中国政府指使群众进行反日游行。日本媒体也大肆炒作，各大电视台反复播出中国民众示威游行及少数人过激行动的画面。一些日本右翼反华分子针对我驻日使领馆等机构采取过激行动。

那段时间是邦交正常化以来中日关系最困难的时期。尽管两国经贸关系依然十分密切，但日方长期在历史问题上采取错误态度，使两国政治关系跌入低谷，两国民众感情严重对立。中日关系呈现"政冷经热"的特点。

胡锦涛总书记等中央领导对此高度重视，多次做出重要指示。

那段时间，我异常繁忙，通宵达旦地工作是家常便饭。稍有空闲，我便反复思考与中日关系有关的一些问题。

我在想，同为二战加害国，战后日本与德国的做法却大相径庭。德国早已颁布法律严禁为纳粹法西斯翻案，而日本至今却仍允许美化侵略历史的右翼教科书出版；早在20世纪70年代，德国总理勃兰特就在华沙犹太人死难者纪念碑前下跪忏悔，日本首相却年年参拜供奉有甲级战犯的靖国神社。二者的反差何其大也。中国公众

1 指日本在联合国机构改革中争取成为联合国安理会常任理事国。

无法接受一个不能正确反省侵略历史、不能正确理解受害国民众感情的国家争当安理会常任理事国，这不难理解。

我在想，为什么近年来中、韩等国接连发生针对日本的抗议活动？为什么日本与周边重要邻国的关系总会出问题？其实，根本原因就在于日本没有正确对待历史。

二战后，日本政府曾抱着反省和道歉的态度，表示对受害国民众的感情予以理解和尊重。中日关系正是在日本当时的执政者正确对待和处理历史等问题的基础上实现正常化并逐步发展起来的。但现在，日本执政者片面强调内政因素，忽视邻国感受，说什么首相参拜靖国神社是民族文化传统，把邻国的国民感受视为外来干涉而一概排斥。

正当我对这些问题进行深入思考时，日本最大的通讯社——共同社社长山内丰彦一行来华访问，我在中南海会见了他，把我那些天一直思考的问题一股脑地对山内社长讲了。此外，我还针对日本国内关心的一些问题坦诚、深入地谈了我的看法，希望共同社以适当的方式将我的讲话内容客观、如实地转达给日本社会。

对于中国部分民众针对日本的抗议示威活动，我说，中国政府对此高度重视，始终要求民众以冷静、理智、合法有序的方式表达自己的诉求，不要采取过激行动。中国有关方面做了大量工作，调动大量警力维持秩序，防止事态扩大，以确保日本驻华机构和在华日本公民的安全，这也是为了维护中日关系大局。在这一过程中，出现一些过激行为，中国政府对此是不赞成的，也是不愿看到的。我们已经并将继续采取各种措施，依法保护日本驻华外交机构和在华日本企业、日本公民的安全。

我语气十分严肃地对山内社长强调，上述事件再次显示了中日关系面临的严峻复杂形势，应该引起双方足够重视，特别是应该从根源上找出深层次原因，正本清源，并加以妥善解决。如果就事论事，只能使问题更加复杂化，不利于中日关系的长远发展。

2005年4月12日，在北京中南海紫光阁会见日本共同社社长山内丰彦。

我还对他说，令人遗憾的是，现在日本有一种说法，认为这些活动是中国政府支持的，是中国政府进行“反日”教育的结果。这种说法是毫无根据的，是对事实的严重歪曲，对今后的中日关系也是极为不利的。任何一个国家对自己的民众进行爱国主义教育都是很正常的。中国的爱国主义教育绝不是“反日”教育。中方一贯坚持“以史为鉴，面向未来”的方针，从未向群众灌输过排日、仇日情绪，而是让大家记住历史教训，避免历史悲剧重演，采取向前看的态度，强调中日两国人民要世代友好。中方从未将发动侵略战争的极少数军国主义分子和广大日本人民等同看待，也不认为现在的日本人要为当年的侵华历史背负罪名。

两天后，《人民日报》全文发表我对山内社长的讲话。

不久，日本外相町村信孝也到中国访问。町村2004年9月就任外相，对华态度强硬。涉日游行发生后，町村紧急约见驻日大使王毅表示遗憾和强烈抗议，要求我们道歉、赔偿损失、承诺加强警力以保护日本驻华使馆及在华公民安全。

所以，町村这次访华，可以说是带着怒气来“兴师问罪”的。当然，我们也绝不会客气，这正好给了我们一个机会，给他好好上一课。

町村4月17日下午到达北京后，就开始与李肇星外长举行会谈。

按照惯例，宾主寒暄后记者就要退场。但是，町村似乎“忘记”了这一惯例，他不等记者退场，就连珠炮一般向李外长发难。他说，中国部分城市连续出现针对日本驻华使馆、商社和日本公民的暴力行为，日方对此深表遗憾。中方至今未对日方做任何表示，这让日方感到非常吃惊。町村要求中方向日方道歉。

现场记者拼命记录着。町村讲完后，有些记者开始准备退场。

看到这一情形，李肇星把记者们都叫住，让他们等一等，索性把中方的话记完了再走。

李肇星说，作为日本的外相，你是无法理解日方在历史问题上的错误做法给中国这样一个有着13亿人口的国家造成了多大伤害。处理这样的事情，一定要做到溯本清源，不能本末倒置。希望日方正确认识历史，从根本上把产生这种麻烦的根源问题解决好。

李肇星还针对町村指责中国民众的示威活动的言论，阐明了中方立场。

当时，中国驻日本大使官邸和驻大阪总领事馆遭到一些日本右翼分子的破坏，中国银行横滨分行受到恐吓。李肇星就此当面向町村提出交涉，强烈要求日方采取切实措施，防止此类事件再次发生。

第二天下午，我在钓鱼台国宾馆会见了町村。他又和我谈起了这个问题。他说，这两天，他在日本驻华使馆和大使官邸看到玻璃被打碎，墙壁遭污损。外长会谈中他没有得到中方的任何道歉或者慰问，如果中方能做出一些表示，将有利于引导日本国民对华情绪好转。

看到町村纠缠不休，我决定给他讲讲历史。

我对町村说，关于中日历史关系，已故周恩来总理在1972年做了很好的概括，“两千年友好，五十年对立”。这里的“对立”是指在特殊时代背景下的敌对关系。从甲午战争到二战结束，日本军国主义在历时半个世纪的时间里，野蛮侵略中国，使中华民族蒙受沉重灾难。当然，日本人民也是受害者。只有清算了这段不幸的历史问题，中日两国人民才可能恢复过去的传统友好，开辟充满希望的未来。1972年的邦交正常化谈判完成了这个历史任务，化干戈为玉帛，揭开了中日关系的新篇章。

我说，中国坚定奉行“与邻为善、以邻为伴”的方针，愿同包括日本在内的周边国家增进战略互信，扩大交流合作，不断发展长期稳定的睦邻友好关系。遗憾的是，近年来中日关系受到严重损害。中日关系之所以出现今天这样的局面，坦率地讲，导火线在你们那里。就是因为日方在历史和台湾问题上不信守承诺，一再开倒车，中国民众长期积累的不满和愤慨犹如火山一样爆发出来。作为一个多年从事中日友好工作的老外交官，我对目前出现的局面感到非常痛心。

我坦率地对他说，你可能不同意我的说法，甚至认为这是中国进行“反日教育”的结果。我可以在这里负责任地告诉你，中国不存在“反日教育”问题。中国教科书中有关中日关系的表述包括历史问题的表述是一贯的。早在延安时期，中国第一代领导人就指出要把日本军国主义分子和广大日本人民区别开来。我们一直按照“前事不忘，后事之师”、“以史为鉴，面向未来”的精神来教育民众，我们从来没有要求现在的日本人为过去日本军国主义的罪恶背负罪名。相反，我们历来是向前看的。

我向町村指出，日方在一系列问题上的错误态度和做法带来的结果，现在我们都看清楚了。两国老一辈政治家历经千辛万苦才恢复和发展起来的中日友好关系受到严重损伤，两国人民好不容易恢复起来的友好感情受到严重伤害，甚至促进东亚地区和平、稳定和发展的努力也受到阻碍。这样的结果对中国不利，对日本同样不利。

我提醒町村，今年是世界反法西斯战争和中国人民抗日战争胜利60周年，中日关系处于非常敏感的关键时期。希望日方在历史、台湾、钓鱼岛、东海等敏感问题上务必谨言慎行，不说伤害中国人民感情的话，不做激化两国矛盾的事。任何不谨慎的言行都可能给两国关系带来难以估量的后果。双方应当从切实维护中日关系大局出发，加强沟通协商，冷静、务实、理智地处理出现的问题。

町村这次访问，没有得到日方想得到的东西，反而被我们上了一课。

仁至义尽　雅加达再会晤

町村外相访华时，向李肇星外长表示，小泉首相恳切希望在4月22日印尼雅加达举行的亚非峰会期间与胡主席会晤，就中日关系交换意见。

看来，日方希望尽快缓解两国国民对立情绪，避免日中关系进一步恶化，同时通过显示努力改善日中关系的姿态，缓解国内外压力。

见还是不见，围绕这个问题，当时颇费了一番思考和斟酌。

我认为，国家之间积累的问题同样“宜疏不宜堵”。那一年是中国抗日战争胜利60周年，本身就十分敏感，4月上旬又发生了涉日游行，国内民众对日本的不满情绪高涨。如果胡主席在亚非峰会这个多边场合见一下小泉，当面对他晓以利害，有助于妥善处理中日关系中的敏感问题，有利于日本民众正确了解中国的对日政策，有利于中日关系和两国人民友好大局的稳定。

但会晤应该是有前提的。我们明确向日方表示，如果举行会晤，必须对外发出积极信息，特别是小泉首相届时应在历史问题、台湾问题和中日整体关系三方面做出积极表态。日方对此表示，小泉首相应该能够接受中方提出的要求。

4月20日，胡主席开始出访，在专机上他召集相关人员开会，研究在印尼与小泉首相会晤的事情。当时胡主席讲的一段话给大家留下了十分深刻的印象。胡主席说，当前中日关系面临困难，但越是困难的时刻越要加大力度做工作。两国首脑会晤有利于克服当前的困难，有利于增进两国民众间的相互了解，有利于中日睦邻友好关系的发展。

随后的几天，外交部和驻日本使馆数次约见日本官员，李肇星外长在印尼与日本代表团直接接触。经双方反复磋商，最终将会晤定在4月23日晚上进行。

当晚，小泉首相来到胡主席下榻的酒店，双方握手后落座。胡主席的表情始终非常严肃。

胡主席说，这次来雅加达参加亚非峰会，我的日程安排很紧。但是，从中日关系稳定发展和两国人民友好的大局出发，我还是决定抽出时间与你会见，再次就中日关系坦诚交换意见。我希望以此为契机，推动中日关系走上稳定发展的轨道。

胡主席的这番话是很有分量的，小泉首相如果是个明白人，他应该能够听得出其中的深刻含义。

小泉首相当场回应说，希望通过与胡主席的会晤再次确认，发展日中友好关系极为重要，这不仅符合两国利益，而且有利于亚洲的和平、稳定和发展。我就是怀着这样的心情与胡主席会晤的。

小泉首相接着一口气谈了很多。他说，虽然日中两国间存在这样那样的问题，但如果看到10年、20年以及50年后的将来，我们就会明白日中友好关系多么重要。我就任首相以来，反复强调中国的发展不是威胁，而是机遇，将给日本的发展注入活力。这一观点不仅对中方讲，在许多国际场合也反复强调。几年过去了，我的这一观点已日益成为现实，日本国内曾认为中国发展对日本是威胁的人们，也已改变了认识。

小泉首相讲完后，胡主席说，毋庸讳言，当前中日关系面临着困难局面，需要两国领导人认真对待。中日关系出现现在这样的困难局面，是我们不愿意看到的。中国和日本都是亚洲和世界上有重要影响的国家，如果中日关系搞不好，不仅对中日两国不利，还会影响亚洲的稳定和发展。两国领导人应该登高望远，本着对历史、对人民、对未来高度负责的态度，从维护中日友好、维护亚洲地区稳定和发展的大局出发，进行深刻反思并妥善处理。

胡主席说，我曾经向你谈到过，2005年是世界反法西斯战争和中国人民抗日战争胜利60周年，对中日关系来说是一个既重要又敏感的年份，双方一定要处理好历史问题、参拜靖国神社问题和台湾问题等一些重大问题。

胡主席说，我记得你当时对我的话给予了积极回应，表示重视以史为鉴，强调日本应在反省过去所犯错误的基础上考虑如何发展中日友好，并表示将慎重对待参拜问题。你还表示，不支持“台独”是日本的一贯立场，今后也不会改变。

胡主席说，我们很重视首相的表态。但是，日本在历史问题、台湾问题上的做法一再违背自己的承诺。今天，我说这些问题并不是想就具体问题进行争论，我想说的是，这些做法都背离了中日关系的政治基础，伤害了中国人民和亚洲有关国家人民的感情，必然引起中国人民和亚洲有关国家人民的不满。把这些问题联系起来，有不少中国民众提出这样的问题，日本的对华政策是否在向右转，日本在历史问题、台湾问题上的立场是不是在倒退，一些国际知名人士也有类似的看法和评论。我认为中国和亚洲国家的强烈反应应该引起日本领导人深思。

胡主席说，在当前形势下，我们应采取切实措施，尽快扭转当前中日关系面临的困难局面，推动中日关系健康稳定发展。

接着，胡主席提出了发展中日关系的五点主张。

一、严格遵守三个政治文件。自觉用三个政治文件的原则和精神来衡量，符合的就做，不符合的就不做，以实际行动致力于发展面向21世纪的中日友好合作关系。

二、坚持“以史为鉴、面向未来”。正确对待和认识历史，就要把对那场侵略战争表示的反省落实到行动上，绝不再做伤害中国人民和亚洲有关国家人民感情的事。希望日方能以严肃慎重的态度处理好历史问题。

三、正确处理好台湾问题。台湾问题事关中国核心利益，涉及13亿中国人民的民族感情。日本政府多次表示，坚持一个中国政策，不支持“台独”。希望日方以实际行动体现上述承诺，在处理相关问题时充分考虑中方原则立场。

四、坚持通过对话，平等协商，妥善处理中日之间的分歧。积极探讨解决分歧的办法，避免中日友好大局受到新的干扰和冲击。

五、进一步加强双方在广泛领域的交流与合作。进一步加强民间友好往来，以增进相互了解，扩大共同利益，使中日关系健康稳定地向前发展。

这五点主张，是胡主席在会谈前亲自拟定的。

小泉首相听了之后表示，感谢胡主席非常坦诚的意见。日方愿意根据胡主席提出的五点主张，积极发展日中友好关系，在历史、台湾等问题上，日方将严格遵守《日中联合声明》等三个政治文件所确定的原则，这一立场没有任何改变。

会见结束后，胡主席径直走向各国记者，把刚才与小泉首相会谈的详细情况向记者做了介绍。

胡主席与小泉首相会晤的情况一经媒体报道，马上成为中日两国人民关注的焦点。国内民众对胡主席提出的五点主张普遍给予高度评价。日本各大报纸均以头版头条突出报道会晤情况并配发大量评论，认为会晤是有益的，也是日中关系改善的第一步，同时认为双方在一系列重要问题上的分歧尚未化解，两国关系改善前景不容乐观。会晤也在亚洲乃至全世界引起关注。

冥顽不化 “战败甲子年”参拜

2005年，随着“8·15”战败60周年纪念日的临近，小泉首相本人和日本政府的表态备受日本国内和国际社会关注。

其时，日本国内围绕参拜靖国神社的态度已悄然发生变化。在众议院议长河野洋平的召集和推动下，日本八位前首相一致敦促小泉首相做出明智决断，中曾根康弘本人还专门就此做出公开表态。

日本绝大多数媒体明确反对小泉首相参拜。《朝日新闻》、《每日新闻》、《东京新闻》和《日本经济新闻》等强调靖国神社问题是造成当前日中关系出现困难局面的根源，敦促小泉首相以实际行动改善两国关系。就连曾经支持小泉首相参拜的《读卖新闻》也发表社论，提出质疑，呼吁建立新的国立墓地，并刊登学者文章，要求小泉首相从国家利益出发改弦更张。

据日本方面在5、6月间进行的一项民意调查显示，不支持小泉首相参拜的人超过半数。其中很多人不满小泉的对华外交姿态，认为小泉未采取必要措施改善日中关系，担心小泉继续参拜靖国神社会导致日中关系进一步恶化。

但是，小泉却无视舆论，继续老调重弹，说他是私人参拜而非公职参拜，他承认甲级战犯是战争罪人，称他去靖国神社不是为了参拜甲级战犯，云云，暗示他将会继续参拜。

8月15日，小泉首相就二战结束60周年发表书面声明，表示日本过去的殖民统治及侵略行为给亚洲及其他国家造成了巨大的破坏和伤害，日本虚心接受史实，愿深刻反省和诚挚道歉。日本希望与其他国家在互谅互信的基础上建立着眼未来的合作关系。日本将不忘战争的惨痛教训，永不再走战争道路，为世界的和平与繁荣作出贡献。

后来的事实证明，小泉此举更多的是做做姿态，其实际行动与他的表态南辕北辙。

到了9、10月份，外界关于小泉首相是否会再次参拜的说法开始多了起来，一些媒体盛传小泉将于10月中下旬秋季大祭期间参拜靖国神社。

我们立即分别在北京和东京做日方工作。这段时间里，王毅大使还约见了多位日本政要，通过摆事实、讲道理，恳切地晓以利害，希望他们发挥积极作用，劝说小泉首相放弃参拜，以免对两国关系造成更大伤害。日方对王大使所谈表示赞同，对靖国神社给中日关系造成的困扰深感忧虑，也表示将尽全力进行劝阻。

但小泉固执己见，根本听不进别人的话，10月17日，他第五次参拜了靖国神社。

除自民党之外，日本所有政党都发表谈话，表示不赞成甚至批评小泉首相参拜。日本各大媒体也纷纷批评小泉此举将使日中关系雪上加霜。

小泉参拜后，中国外交部立即发表声明，予以严正谴责。李肇星外长和王毅大使分别在北京和东京向日本驻华大使阿南惟茂、日本外相町村信孝提出交涉，当面宣读了外交部声明。

小泉参拜当日，时任外交部常务副部长戴秉国同志正与日本外务次官谷内正太郎在北京举行中日战略对话，对话的议题之一就是探讨解决困扰两国关系的靖国神社等问题。听到小泉参拜的消息后，戴秉国专门约见谷内，表明中方的严正立场。看上去，谷内当时似乎并不知情，十分尴尬。

中方对小泉已经做到仁至义尽，但他冥顽不化，执意第五次参拜，导致此后两国领导人的接触彻底中断。

靖国神社　老问题新动向

小泉首相在靖国神社问题上一意孤行，也引起美国等许多国家的关注。

曾经担任过美国驻日本大使的霍华德·贝克曾前往靖国神社的游就馆参观。游就馆内陈列着许多二战期间日本军人的遗物，所有的展品、资料和音像制品都突出宣扬日本的所谓“皇国史观”，甚至标榜侵略战争有功，公然宣称日本对美国开战是迫于美国对日本的“禁运”，是为了“自存自卫”和“打破白人统治”。贝克参观后认为，游就馆只会让人觉得“日本才是战胜国”。

另一名美国外交官在接受《每日新闻》采访时也表示，美国不能无视“游就馆”问题，因为它告诉人们的不是真相。

据日本媒体人士透露，小泉首相第五次参拜靖国神社后，美国对日本的压力明显增大。布什总统当年11月访日时曾向小泉首相严厉地提出靖国神社和中日关系问题，小泉当时情绪十分激动，脸色尴尬。

临近2006年9月日本政权更迭之际，美国部分政要及专家学者质疑和批评小泉首相参拜的声音明显增多。美国众议院外交委员会主席海德半年内两次致函小泉首相，要求他放弃参拜。得知这个消息后，许多韩裔团体、美国二战老兵组织以及部分华人给海德办公室打电话，对海德此举表示感谢和支持。

日本各界也出现反思历史、检讨靖国神社问题的趋势。其中，《读卖新闻》和《朝日新闻》两大主笔渡边恒雄、若宫启文就靖国神社问题进行的对话，对日本知识界产生较大触动。

《读卖新闻》和《朝日新闻》分别是日本发行量第一、第二的报纸，在日本颇具影响。战后，两报在历史问题上曾长期意见相左。渡边作为日本传统保守主义的代表，在古稀之年深入研讨历史，明确表示反对小泉首相参拜靖国神社，在日本国内引起强烈反响。

在那次对话中，渡边说，他已经79岁了，担心他们这一代人去世后，后人会对残酷的战争全然不知，因此要将自己的体验留下来，告诉大家真实的历史。

当时，日本政界围绕解决靖国神社问题的讨论再次趋于活跃，

一些代表性方案纷纷出台。其中比较有影响的有三个：一是将既存的祭奠二战无名死难者的“千鸟渊战殁者墓地”扩建成类似公园的设施，把所有战死者都纳入其中，供日本民众和外国要人自由拜祭；二是另建国立追悼设施；三是将靖国神社重新纳入国家管理的基础上，把甲级战犯分祀出去等。

7月20日，《日本经济新闻》报道了裕仁天皇亲信的亲手笔记。笔记透露，裕仁天皇曾对把甲级战犯名符放进靖国神社供奉之举表示过强烈不满，所以从此停止参拜。

这个消息经媒体报道后，在日本受到广泛关注。由于天皇在日本具有特殊影响，有人猜测，这可能会影响小泉首相在参拜问题上的态度。但小泉在报道当天举行的记者招待会上说，“参拜是个人心态问题，这不会对我产生影响”。

破罐破摔　战败纪念日参拜

2006年9月小泉首相将任期届满卸任。根据他本人“每年参拜一次”的言论，我们断定他下台前还会再去参拜。

8月6日，香港凤凰网转载韩国《朝鲜日报》的报道称，小泉不顾国内外的反对，将在日本战败纪念日——8月15日当天参拜靖国神社。

果然，8月15日一早，小泉身穿燕尾服，在秘书陪同下，乘车来到靖国神社，登上正殿行礼参拜，并署名“内阁总理大臣小泉纯一郎”。那天，东京天色阴沉，下着小雨。

小泉下台前悍然选择战败纪念日正式参拜，按照他本人的话说，“不管我什么时候去参拜，中韩都会抗议，干脆选择战败纪念日”。这是名副其实的破罐破摔。

得知消息后，中国外交部和驻日本使馆向日本驻华使馆和外务省提出严正交涉。

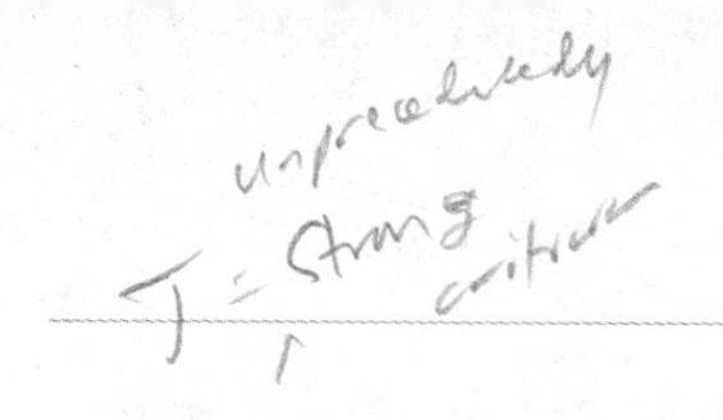

日本国内对小泉首相参拜的批评空前增多，多名政要表示小泉首相参拜行为难以原谅，日本和平遗族会[1]也要求小泉首相停止参拜。除《产经新闻》外，日本各主要媒体均对小泉首相参拜予以批评。

小泉首相在任期间，不顾各方反对，每年参拜靖国神社，不仅遭到中国、韩国等亚洲国家的坚决反对，也逐渐引起了国际社会的强烈反响。同中国一样，韩国对小泉的历次参拜都提出强烈抗议。美国、英国、法国、德国、澳大利亚、俄罗斯、新加坡、阿尔及利亚等国家主要媒体也都予以谴责。

在日本战后历届首相中，小泉首相在发展对华关系上颇具矛盾性。他上台后一再表示重视对华关系，声称自己是“日中友好论者”，公开批评“中国威胁论”，表示中国的发展对日本不是威胁，而是机遇，强调应以双赢的思想发展日中合作。

但另一方面，小泉不顾中方坚决反对，执意每年参拜靖国神社，使中日间的新旧矛盾集中爆发，中日关系陷入邦交正常化以来最为严重的困难局面。

这期间，我们与日本围绕靖国神社问题进行了一场激烈较量。除小泉的个人因素外，这场较量还有着深刻复杂的背景，一定程度上是中日关系进入转型期的必然结果。

首先，小泉执意参拜靖国神社是日本社会政治思潮右倾化的集中反映。冷战结束后，日本左翼力量衰退，保守势力膨胀，政治思潮及舆论导向右摆。日本战后出生人口达到总人口的70%以上，新生代政治家占国会议员总数的半数以上。他们对二战期间日本对外侵略历史认识模糊，有的甚至抱有错误历史观，普遍希望尽早摆脱作为战败国而必须承受的各种历史束缚，成为一个“普通国家”。

1　该会是由一个主张和平的战死者遗属组成的市民团体，在日本全国拥有近二十个地方分支机构。该组织对日本过去发动的侵略战争表示反省，反对日本领导人参拜靖国神社。

小泉企图把靖国神社作为一个突破口，通过反复参拜，迫使包括中国、韩国等国家在内的国际社会接受这个事实，为日本加快走向政治大国服务。

其次，中日两国力量对比的变化，对日本国民心态产生微妙影响。改革开放30年来，中国经济快速发展，取得举世瞩目的成就，而日本则在20世纪90年代经历了“失去的十年”，中日经济实力对比出现历史性转变。1990年日本的GDP是我国的8倍，2006年仅为我国的1.65倍。这是自日本明治维新以来亚洲首次出现“两强并立”的局面。中日两国在国际格局中的地位也发生了深刻变化，日本在世界大国角逐中的分量下降，中国的地位上升，力量对比朝着对中国有利的方向发展。有部分日本学者和媒体表示，面对这种情况，日本还没有做好心理准备，感到很不适应。

另一方面，随着中国经济持续发展，综合国力不断上升，日本自身也从中得到实惠，日本统治集团和精英阶层逐步趋向面对和接受现实，认识到只有稳定和不断改善对华关系，与中国理性相处，协调合作，才能更好地维护日本的利益。在我们与小泉斗争的后期，这种想法在日本国内逐渐占据上风。

积累资源　创造转圜条件

对于如何打破中日关系政治僵局，中央一直非常关注，高度重视。早在2005年2月，胡锦涛主席就曾和我有过一次谈话。

他明确指出，中日关系正处在一个十字路口，日本是中国的重要邻国，也是经贸合作重要伙伴之一，要从战略高度认识稳定中日关系的重要性。胡主席强调，要实现中日关系稳定发展，一个巴掌拍不响，只有中方努力还不行，需要调动日方的积极性。

同年3月，温家宝总理在“两会”记者招待会上，就发展中日关系提出过三条原则：以史为鉴，面向未来；坚持一个中国原则；加

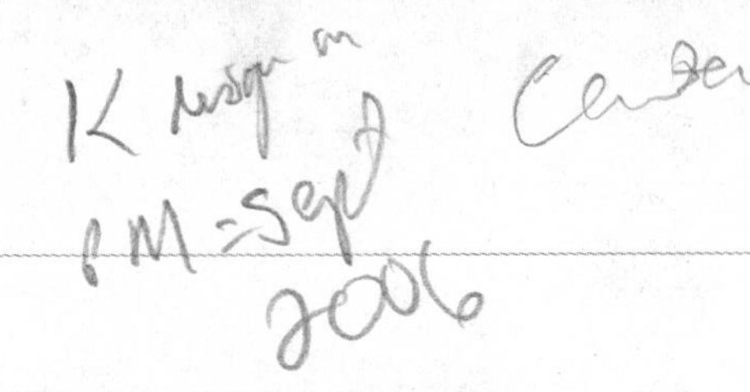

强合作，共同发展。

他还提出了三条具体建议，包括要积极创造条件，促进中日高层互访；双方的外交部门共同着手进行加强中日友好的战略性研究；妥善处理历史遗留问题。

为了落实中央领导同志的指示精神，有一段时间，我几次在办公室召集外交部同志，研究中日关系下一步该怎么走，经常是一谈就谈到了后半夜。

当时中日关系正处在关键节点上，也是最困难的时期。多年从事对日工作，让我深深感到，处理中日关系，需要登高望远，不以一时一事而喜，也不因一时一事而悲，既要坚定地维护国家利益，也要把握好分寸和尺度，不能因阶段性的困难而对中日关系失去信心。小泉首相将于2006年9月卸任，客观上为我们改善中日关系提供了一个机会，我们应该在继续同小泉进行斗争的同时，抓紧做日本各界工作，以经促政、以文促情、以民促官，为中日关系转圜逐步积累资源、创造条件。

在中方不懈努力的同时，日本各界对日中关系现状也十分担忧，对改善两国关系有着强烈期盼。

日本国内有很多对华友好的民间团体，其中七个团体影响最大，它们是日中友好协会、日本国际贸易促进协会、日中文化交流协会、日中经济协会、日中友好议员联盟、日中协会、日中友好会馆。日中友好团体是推动两国民间友好的中坚力量，多年来为实现中日邦交正常化、缔结《中日和平友好条约》、增进两国各领域交流与合作做了大量扎实的工作。

我们建议由中国中日友好协会出面，邀请日中友好七团体负责人访华，请胡主席会见他们并发表重要讲话，借此，面向整个日本社会全面系统地阐述我们对中日关系形势的看法和对日政策主张，以利于下一步打破中日关系政治僵局。

2006年3月30日，日本前首相、日本国际贸易促进协会会长桥本龙太郎偕日中友好七团体会长访华。这是他们首次联袂访华，引起两国国内广泛关注。

3月31日，胡锦涛主席在人民大会堂福建厅会见了七团体负责人桥本龙太郎、高村正彦、平山郁夫、辻井乔、野田毅、林义郎、千速晃。

胡主席推心置腹地对他们说，近年来中日关系出现困难局面，中国人民担忧，国际社会关注，这是我们不愿看到的。之所以如此，坦率地讲，责任不在中国方面，也不在日本人民，症结在于日本个别领导人坚持参拜供奉有甲级战犯的靖国神社，伤害了包括中国人民在内的受害国人民的感情，损害了中日关系的政治基础。

胡主席说，我曾多次强调要本着对历史、对人民、对未来高度负责的态度妥善处理中日关系中出现的问题。对历史负责，就是要尊重历史事实，汲取历史教训，防止历史悲剧重演；对人民负责，就是要始终把增进两国人民的友谊，为两国人民谋取实实在在的利益作为发展中日关系的出发点和落脚点；对未来负责，就是要坚持和平共处、世代友好，共同开创两国睦邻友好与互利合作的美好未来。

胡主席强调，中国政府在对日关系上的立场是明确的、一贯的、坚定不移的。中国政府将始终从战略高度和长远角度看待中日关系，致力于两国和平共处、世代友好、互利合作、共同发展；中国政府将坚持《中日联合声明》等三个政治文件的原则，妥善处理两国间存在的问题，维护中日友好的大局；中国政府将坚定奉行“与邻为善、以邻为伴”的周边外交方针，积极推进双方在广泛领域的交流与合作，增进两国人民之间的友好感情。

说完这些话后，胡主席特意加重语气说，我愿明确表示，只要日本领导人明确做出不再参拜供奉有甲级战犯的靖国神社的决断，我愿就改善和发展中日关系与日本领导人进行会晤和对话。

我注意到，日方几位负责人听到胡主席的这番话，明显受到触动。那晚我在钓鱼台国宾馆宴请七团体负责人时，桥本龙太郎主动

2006年3月31日晚，在北京钓鱼台国宾馆宴请日中友好七团体负责人。

向我表示，胡主席的讲话内容丰富，非常深刻，从领导人的高度坦率地指出了双方共同努力的方向。

胡主席最后讲的那段话寓意很深。当时两国领导人会晤已完全中断，胡主席就是要借这个机会向日本领导人传话，向日本人民传话，告诉他们只要靖国神社问题得到解决，两国领导人会晤就可以恢复。一方面，这体现了中国最高领导人对发展中日关系的诚意；另一方面，也斩断了部分日本人在靖国神社问题上不切实际的幻想。

日本媒体对胡主席会见七团体负责人的情况进行了广泛报道，突出和详细介绍了胡主席关于中日关系的重要谈话，均以“只要停止参拜即可会晤”为醒目标题，并配发评论，认为中方重点着眼小泉首相之后，在靖国神社问题上发出了更加明确和坚定的信息，同时也显示了面向日本民众、重视和改善日中关系的强烈意愿。

为趁热打铁，使日本各界更好地理解胡主席讲话精神，2006年5月1日，我会见了来华访问的日本执政党自民党干事长武部勤。

我对武部说，我体会胡主席的讲话，一是在四个方面向日方发出了重要信息；二是宣示了中国对日政策；在历史问题上，则提到了两个“区别”和一个“责任”的问题。

胡主席发出的四方面重要信息包括：

第一，中国政府不仅重视中日关系，而且坚持以战略观点和长远眼光来认识和处理中日关系，愿意通过不懈努力，尽快扭转两国政治关系的不正常状态，使其尽早回到健康稳定的发展轨道。

第二，中方愿与日方进一步加强在各领域的友好交流与互利合作，改善和巩固两国人民之间的友好感情，加深双方的理解和互信。

第三，明确指出了现阶段中日关系面临巨大困难的原因和症结所在，指出了克服这些困难的有效途径和今后的发展前景，为中日关系的发展指明了方向。

第四，中国将继续坚定不移走和平发展道路，中国的发展只会给包括日本在内的世界各国带来新的发展机遇，而绝不会构成威胁。

关于历史问题，胡主席讲的两个“区别”是：把策划、发动和指挥那场给两国人民带来巨大不幸和灾难的侵华战争的极少数军国主义分子，同那些被迫走上战场的普通士兵严格区别开来；把广大的战争遗属去靖国神社怀念、追忆、祭奠死去的亲人，同日本最高领导人参拜供奉有甲级战犯的靖国神社严格区别开来。

一个“责任”指的是，作为国家领导人，不仅有“个人心情”，更要考虑其行为带来的影响和后果，也必须承担相应的政治责任、社会责任和国际责任。

我对武部表示，希望日本各界能认真体会、深刻理解胡主席讲话所表达的诚意与善意，多做有助于两国关系转圜的事。

武部说，作为了解胡主席讲话内容和总体精神的人，强烈感受到中方对进一步发展中日关系的积极态度和坚定决心，我完全赞同双方要严格遵守中日间三个政治文件的精神，对胡主席讲话中包含的四个重要信息，我理解他集中体现了一个重要精神，就是相互理解、互谅互让，这一条对双方都有效。双方应在正确认识彼此分歧的基础上，直陈己见、坦诚对话，这非常重要。

经我们广泛做日本各界工作，日本多数政界人士和媒体表示赞同胡主席所谈的内容，深切感受到中方坚决反对日本领导人参拜靖国神社的意志，更好地理解了胡主席谈话精神。

集思广益　寻求破局之道

当时，虽然中日政治关系由于小泉首相参拜跌入低谷，但两国经贸合作经过长期发展，已经形成“你中有我、我中有你”的局面，2004年中国已经成为日本最大的贸易伙伴。此外，中日两国具有很深的文化渊源，民间友好基础深厚，是发展两国关系的重要条件。因此，2006年初，为推动中日关系在小泉卸任后尽快转圜，中央制定了“以经促政、以文促情、以民促官”的方针。

此后，我们一直按照这一方针，广泛开展各领域的交流活动，做了大量的工作。

我们积极为中日经贸合作搭建平台，提供支持，于2006年3月启动了中日财长对话机制；5月在东京召开了首届中日节能环保论坛；9月，温家宝总理专门会见访华的日中经济协会代表团，强调中方重视发展两国经贸关系，希望进一步拓展合作领域。

2006年，我们先后采取了几个“大动作”，积极推动双方开展文化交流，增进两国国民感情。通过在日本举行“中国文化节”，增进了日本民众对中国文化的认同感和亲近感。密切两国媒体间的交流，为改善中日关系营造客观友善的舆论环境。

我们相继启动了两国议会、政党交流，通过与日本政界直接对话，减少战略疑虑，增进相互信任。我们还建立了两国青少年友好交流机制，组织高中生互访。

事实证明，这一系列举措效果非常明显，为小泉之后中日关系的转圜创造了条件。

首相易人　开启希望之窗

中方长期不懈的对日工作和日本国内友好人士的努力，为打破中日关系政治僵局创造了必要的环境和条件。日本政权更替，则为解决参拜靖国神社问题、实现两国关系转圜提供了重要契机。

日本国内也将目标锁定在9月首相易人，双方都希望把握机遇，一举实现转圜。

小泉下台前夕，日本内阁官房长官安倍晋三接任首相基本已成定局。

安倍出身政治名门，他的外祖父岸信介和叔外祖父佐藤荣作都做过日本首相，他的父亲安倍晋太郎曾经担任过自民党干事长和外务大臣。安倍晋太郎生前为人敦厚，在自民党内受到拥戴，当时曾被视为竹下登之后首相的最热门人选，但突然因病去世。自民党内和选区民众同情安倍晋太郎“壮志未酬”，转化为对安倍晋三的厚爱。1993年，安倍38岁时继承其父地盘，高票当选众议员，从此步入政坛，被称做自民党的“王子”。

安倍口才出众，形象良好，曾获得日本男人时装协会颁发的最潇洒着装奖。在为人处事上，安倍受他父亲影响，擅长协调，能听取他人意见，在日本各界建立了广泛的人脉。安倍还很重视公众形象，善于利用电视、网络等现代传媒表达和宣传自己的政策主张。

在当时内外形势下，安倍顺应时代潮流，认真思考如何改善对华关系，多次强调中日关系的重要性，表示愿努力使政治、经济两个轮子都强有力地转动起来，将日中关系推进到新的水平。

2006年8月3日，安倍出席在东京举行的第二届“北京—东京论坛”时，公开明确主张中国经济发展对日本不是威胁而是机遇，认为日中关系是最重要的双边关系之一，日中两国不应让政治问题影响到经济关系。

有一个细节也可以说明安倍有意向中方释放善意信号。9月2日是自民党总裁选举开始的日子。就在这天晚上，安倍的夫人安倍昭惠在东京日中友好会馆宴请访日的中国国际文化交流中心副理事长林丽韫。安倍昭惠一年前访华时，林丽韫曾邀请她看过京剧。

席间，安倍突然来到会馆，并主动走到林丽韫面前热情握手。在场的一些议员见到这位“准首相”就高喊“安倍万岁”。安倍听到后笑着纠正说，应该是“日中友好万岁”。

安倍也认识到，要改善中日关系，绕不开解决靖国神社问题。安倍出任首相前后表示愿继承1995年村山内阁关于历史问题发表的谈话，承认日本历史上对亚洲邻国的伤害，并表达了改善日中关系的愿望，主动提出就任首相后将尽快首访中国。

当时，战略对话是双方探讨解决靖国神社问题的主要外交渠道。双方都希望通过举行一次战略对话，一举克服政治障碍，实现两国关系转圜。但是，对于在什么样的条件下实现转圜，双方存在很大分歧。

就在自民党总裁选举期间，日方提出希望于自民党总裁选举后，9月22日至23日在东京举行第六轮战略对话。

日方提出的时间颇含深意，恰逢日本自民党总裁选举之后，首相选举之前。看来，日方着眼于能使新首相人选发挥主导作用的同时，希望在新首相正式上台前就改善日中关系与中方达成共识，为新首相顺利执政铺平道路。

9月20日，安倍当选自民党总裁。

9月22日，时任外交部副部长戴秉国赴日与日本外务次官谷内正太郎进行第六次战略对话。

此前，双方已经举行过数次战略对话，但从未像这次战略对话那样对中日关系影响重大。那次谈判非常艰苦。除了每天高强度的谈判之外，最难的是心理上的较量。那几天，形势瞬息万变，日方打出的方案时好时坏。双方甚至数次谈崩，不欢而散。

自古以来，外交谈判往往就是一场没有硝烟的战争。相比驰骋沙场的武将，从某种程度上讲，外交官身上肩负着国家的利益，一句话、一张纸就有可能左右国家的前途命运。说到底，外交谈判就是在斗心理、斗智力、斗胆略、斗韧性。

最终，经反复较量，戴秉国同志出色完成了任务。双方就克服影响中日关系的现实政治障碍、促进两国友好合作关系的健康发展达成一致。

在此前提下，我们同意安倍首相于2006年10月8日至9日正式访华。

“破冰之旅” 安倍首相访华

10月8日中午，安倍首相乘专机抵达首都机场，开始对中国进行正式访问。这是中日关系陷入长达五年的僵局后日本首相首次访华，引起全世界的广泛关注。专机抵达前，世界各大媒体的记者很早就守候在机场，等待抓拍这一具有历史意义的时刻。

那天上午，北京秋雨绵绵。中午时分雨停了，天色逐渐转晴。大家原本担心欢迎仪式只能在室内举行，看来天公终遂人愿。

下午3点，温家宝总理在人民大会堂东门外广场为安倍首相举行欢迎仪式。当时，天安门广场悬挂着中日两国国旗，按照政府首脑的接待规格，为安倍首相鸣放了19响礼炮。在中日两国国歌声中，温总理和安倍首相共同检阅了仪仗队。

按照惯例，我没有参加这场欢迎仪式。当我从电视上看到当时的场面时，心情久久不能平静。五年前，小泉首相执意前往靖国神社参拜，严重损害了中日关系的政治基础。正因此，那年小泉首相对中国的访问只是一次工作访问，而不是正式访问，没有礼炮，也没有欢迎仪式。在经历了那么多的风风雨雨后，中日关系最终实现转圜，这场欢迎仪式也被赋予特殊的历史意义。

随即，温总理与安倍首相在人民大会堂东大厅举行正式会谈。

温总理代表中国政府欢迎安倍首相来访，对其当选首相表示祝贺。温总理说，中日两国“一衣带水，一苇可航”，是隔海相望的近邻。过去五年，由于众所周知的原因，中日领导人互访中断了，两国关系处于不正常时期。最近，经过双方的共同努力，中日双方就克服影响两国关系的政治障碍和推动两国关系稳定健康发展达成共识，促成了阁下的这次访华，开启了改善两国关系的希望之窗。

温总理引用南宋著名词人辛弃疾的名句“青山遮不住，毕竟东流去”，来形容中日友好是大势所趋，人心所向，符合两国人民的根本利益。

安倍首相表示，这次访华在短时间内决定，又恰逢中共中央十六届六中全会开幕和中国国庆节，对中方在百忙之中所做的周到热情安排以及温总理主持欢迎仪式表示感谢。今天北京雨过天晴，相信日中关系也会雨过天晴。

安倍说，我就任首相伊始就能够实现访华，显示了日中双方重视两国关系的姿态。日本国民和国际社会对此高度关注。我愿与温总理就日中关系推心置腹地交换意见。

安倍接着说，从历史角度看，日中关系正处在十字路口，双方如何应对，将决定今后百年日中关系的走向。将两国关系推向更高阶段，为亚洲以及世界的和平、稳定与繁荣作出建设性贡献，是时代赋予两国领导人的崇高使命和庄严责任。目前我们的问题是，双方不应仅仅是友好，而要构筑基于共同战略利益的互惠关系。为此，应使政治、经济两个车轮强力运转，把面向未来的日中关系发展到更高层次。

构筑中日“战略互惠关系”这一提法，是日方首次把中日关系定位于战略层面，是日方正视中国发展现实、重视对华关系的体现，具有一定积极意义。在安倍首相访华前，双方外交当局就此进行了密集磋商并达成一致。

在备受关注的历史问题上，温总理说，保持中日关系长期健康稳定发展，必须按照两国达成的共识，妥善处理靖国神社问题，消除影响两国关系的政治障碍。安倍首相执政不久，就此做出政治决断，实现访华，我们对此表示赞赏。这一决断符合日本的自身利益，不仅会得到两国人民的支持，也会受到国际社会的欢迎。我们真诚希望并充分相信安倍首相的这次访问将有助于推动两国关系走向正轨，从而使此行成为一次历史性的访问。

安倍首相回应说，日本愿谦虚地对待历史，继续走作为和平国家的道路。日本曾给亚洲各国人民带来了巨大损害和痛苦，留下了种种伤痕，日方对此表示深刻反省，并在此基础上选择了战后60年来的发展道路。日本国民和我本人都抱有这种心情，今后也不会改变。

安倍首相对他曾参拜靖国神社进行了一番辩解。不过他接着说，鉴于靖国神社问题已成为外交和政治问题，我不会表明是否要参拜或是否已经参拜，将根据克服政治困难和促进两国关系健康发展的共识适当处理。

日方在历史问题上可谓往前迈了一步。在随后双方发表的联合新闻公报中，日方首次同意以书面形式写入“正视历史，面向未来”。

对日方在台湾问题上的表态，我们也十分关注。安倍首相表示，日方将继续遵守日中三个政治文件所确定的原则和精神，不搞“两个中国”和“一中一台”，不支持“台湾独立”。

当然，这次会谈的议题很广泛，涉及两国关系的方方面面。安倍首相在会谈中还向温总理发出访问邀请，欢迎温总理尽早访日。两国领导人已经一年多没有举行过会晤，这次能够平心静气地坐下来规划两国关系，确实来之不易。

接着，胡锦涛主席在人民大会堂福建厅会见了安倍首相，我陪同参加了这场活动。当时的气氛很好，这在过去几年是难以想象的。

胡主席首先欢迎安倍首相就任后首次访华。胡主席说，你就任后首次出访就来到中国，这表明你对改善和发展中日关系的重视，我对此给予积极评价。你此访是日本首相五年来首次访华，标志着中日关系出现了转机。我希望你的这次访问能够成为中日关系改善和发展的新起点。

安倍首相说，虽然我此访决定突然，但仍受到中方热烈欢迎。他坦言，我就任首相后首访即选择中国，令国内外感到惊讶。访问得以实现，体现了双方重视发展两国关系的意志。

安倍首相说，我们正站在两国关系飞跃发展的起点。在此重要时刻，两国领导人做何判断，能否建立互信关系，关系到今后百年日中两国关系的发展。双方应面向未来，将日中关系推向新的高度，这对两国国民、对两国青年一代的美好未来、对地区乃至世界和平都极为重要，是两国领导人的共同责任。

胡主席说，我与你有同样的心情，也希望中日关系雨过天晴，呈现新的局面。进入新世纪，就在两国关系向新的广度和深度迈进的时候，由于你的前任坚持参拜供奉有二战甲级战犯的靖国神社，伤害了中国人民和亚洲其他受害国人民的感情，损害了中日关系的政治基础，导致两国领导人互访中断，各领域交流与合作受到干扰。这是我们不愿意看到的。为了扭转这一局面，推动中日关系尽快回到正常发展的轨道，我们尽了很大努力。但遗憾的是，终未能如愿。你就任后，重视中方关切，采取积极步骤，回应中方的努力，我们对此表示赞赏。

安倍首相说，胡主席提出的“和平共处、世代友好、互利合作、共同发展”16字方针体现了中国领导人推进日中友好的强烈意愿，日方高度重视。在历史、台湾问题上，安倍首相做出了同样的积极表态。

安倍还欢迎胡主席第二年早些时候访问日本，表示他愿在11月APEC会议和12月10+3会议期间，与中国领导人再次会晤。

安倍首相此行来去匆匆，第二天一早就乘专机离开北京，前往韩国访问。尽管时间短暂，但访问取得圆满成功，受到两国民众和国际社会的欢迎，标志着中日间长达五年之久的政治僵局初步打开。当时，部分媒体将安倍此访称为“破冰之旅”。

这是一个双赢的结果。对日本而言，卸下了小泉留下的沉重外交包袱，与周边国家关系一举恢复正常。对我们而言，则有利于稳定周边，走活东北亚外交棋局。

“融冰之旅” 温总理访日

安倍首相访华后，中日关系步入改善和发展的新阶段。两国保持高层往来，胡主席在APEC会议期间、温总理在10+3会议期间与安倍首相再次会晤。日本政界要人竞相访华，经济界纷纷寻求合作商机，民众对华认识和涉华舆论环境有所改善，中日互利合作呈现出新的局面，中日关系出现回暖的气象。

虽然安倍首相访华打破了中日间累积五六年之久的寒冰，但正如古语所云，“冰冻三尺，非一日之寒”，当时的中日关系犹如大病初愈，仍然十分脆弱。

为巩固两国关系回暖的势头，有必要保持双方高层接触和互访，增进相互信任，推动双边关系不断改善和发展。2007年初，双方商定温家宝总理将应安倍首相邀请于4月访问日本。

安倍首相对温总理的访问高度重视，他两次托人给温总理带来亲署信，对温总理访日表示欢迎。

其中一次是托年初应中日友协邀请访华的日本自民党国会对策委员长二阶俊博先生带来的。

二阶先生是日本知名政治家，曾担任过经济产业大臣、运输大臣、自民党总务局长等要职。他对华友好，多次来中国，受到中国党和国家领导人的接见。

我与二阶先生年纪相若，交往多年，在推动中日友好方面志同

2006年1月22日，在北京中南海会见二阶俊博。

道合。

1月22日，二阶先生到北京后，我会见了他，他向我转交了安倍首相给温总理的亲署信。

安倍首相在信中表示衷心欢迎温总理访日，希望与温总理就两国关系未来推心置腹地交换意见，共同庆祝中日邦交正常化35周年。

温总理很快给安倍首相回了一封信，表示他愿意与安倍首相共同为推动中日关系长期健康稳定发展不懈努力。

2月份，安倍首相又委托自民党总务会长丹羽雄哉给温总理捎来第二封信。可见，日方对温总理访日抱有很高期待。日本媒体开始营造相应气氛。

温总理本人也高度重视这次访问，在这年“两会”记者招待会上，温总理说，“如果说安倍首相的访问是‘破冰之旅’，那么我这次访问就是‘融冰之旅’”。他还曾经表示，这是他就任总理后感觉责任最重大的一次出访。

这次访问，是中日关系摆脱五年僵局后中国领导人首次访日，也是中国总理时隔七年再次访日，对巩固中日关系改善势头、全面推进双方交流与合作、规划两国关系长远发展具有重要而深远的意义，两国国内和国际社会十分关注。

我们从那一年的年初就开始精心设计温总理的出访安排，希望通过这次访问，在政治上充实中日战略互惠关系的内涵，推动两国关系继续向前发展；经济上进一步完善合作机制，推动双方经贸合作向更高层次发展，启动中日经济高层对话机制；安全上进一步增信释疑，推进军方高层往来和防务交流；在社会层面，结合“中日文化体育交流年”，进一步促进中日青少年、文化、体育等领域的交流并进行中长期规划。

为了取得预期效果，我们和日本方面商定，温总理访问期间与安倍首相举行会谈，会见日本天皇、众参两院议长、各政党领导人，出席经济界和友好团体举行的欢迎宴会，在国会发表演讲。

为在行前营造良好的气氛，温总理于出访前一周在中南海紫光阁接受日本驻京媒体联合采访。

温总理向日本记者表示，他期待着通过此次访问，同日本领导人就发展中日关系的若干重大问题达成共识，增进互信；期待更多地了解日本新的发展情况，为促进中日友好尽一份心力，作出自己应有的贡献；期待这次访问能够取得成功，真正成为一次“融冰之旅”。

温总理在日本国会的演讲是此行最大亮点。他对这次演讲非常重视，为准备演讲稿，倾注了很多精力。春节期间，温总理和辽宁人民一起过年时，当地群众向他提到了抗日战争结束后不久，中国人民全力帮助105万日本侨民从辽宁省葫芦岛港平安返回家园这段历史。从辽宁回来后，温总理办公室就从外交部档案馆调来这份历史资料。后来这段内容被写进了温总理演讲稿。事实证明，演讲中这部分内容在日本民众中反响非常好。

演讲当天，包括安倍首相和日本内阁政要在内的约四百八十名众参两院国会议员聆听了温总理的演讲。日本广播协会（NHK）电视台和中国中央电视台均进行了现场直播。这篇题为《为了友谊与合作》的演讲，情理交融，围绕“以史为鉴、面向未来”的主线，列举许多有说服力的事实，回顾和总结了中日关系历史，全面阐述了中方对中日关系包括历史问题的原则立场，展望了两国关系未来。

日本各界对温总理演讲给予高度评价。安倍首相说，“这是一次可以载入史册的演讲”。参议院议长扇千景说，“今天在日本国会，日中之间的冰已经融化”。

除正式的会谈、会见等政治日程外，我们还对温总理的其他日程进行了精心安排，包括参观日本农户，与大学生交流，体验日本茶道文化等，通过这些活动，增加与日本普通民众的接触，增进了解与友谊，促进互信与友好。

其中，温总理在立命馆大学与大学生一起打棒球那场活动，现场效果非常好。最初我们设计的是与大学生交谈，温总理说他年轻时就非常喜欢棒球运动，既然棒球风靡日本，他可以和学生打打棒球。我们就增加了与大学生打棒球这项活动内容。在为温总理选球衣时，外交部的一位年轻同志提议选35号球衣，寓意今年是中日建交35周年。这场活动果然成为温总理访日的又一亮点。

后来，日本侨报社出了一本名为《35号投手温家宝》的书，图文并茂地讲述了当时的情景以及温总理访日期间的其他花絮。

13日下午，温总理来到京都的一户农民长滨义和家里，当时主人正在栽种西红柿苗，温总理也下田栽种。长滨在接受采访时说，“温家宝总理平易近人，亲切温和，对农民的事情十分了解，让人感到中国总理也是普通的人”。

后来，长滨给温总理写了一封信，告诉温总理栽种的西红柿苗壮成长，已结出果实。温总理热情地给长滨回了一封信。9月，长滨一家应邀来华出席了中日邦交正常化35周年招待会。

温总理此次访日前后共计52个小时。时间虽短，但内容丰富，取得圆满成功，巩固了中日关系改善和发展的势头。

子承父业　福田出任首相

温总理访日以后，中日两国继续推进各领域交流与合作。中日关系的改善和发展成为安倍执政最大的亮点。

与外交上取得显著成就不同，安倍在内政上却逐渐陷入困境。安倍内阁的支持率一度跌破30%。

2007年9月12日中午，安倍首相以健康原因宣布辞职。

安倍首相辞职后，自民党内展开总裁选举大战。9月23日，福田康夫当选自民党总裁，两天后就任日本首相。

我和福田相识多年。他比我大两岁，出身政治世家。他的父亲福田赳夫担任首相期间，与邓小平副总理共同促成了《中日和平友好条约》。

福田康夫进入政界较晚，但步入政坛后影响迅速上升。2000年起连续担任森喜朗内阁和小泉内阁官房长官，表现了出色的政治平衡和协调能力，成为日本战后任职时间最长的官房长官。

福田重视中日关系。在两国关系遇到困难时，他在很多方面发挥了积极作用。福田对历史问题有深刻的认识，明确表示坚持“村山谈话”精神，就任首相后不参拜靖国神社。

福田当选首相当天，温总理向他发去贺电，表示祝贺。福田执政第四天，温总理就应约与他通了电话，这也是中日两国领导人历史上首次通话。

通话中，福田首相说，日中关系对日本是最重要的双边关系之一，日方高度重视，愿在双方迄今达成的各项共识基础上，为进一步构筑日中战略互惠关系，密切双方合作做出努力。

温总理说，最近一年，两国领导人恢复了频繁接触和往来，就妥善处理台湾、历史等敏感问题，构筑中日战略互惠关系，实现“和平共处、世代友好、互利合作、共同发展”的大目标达成重要共识，使两国关系迎来了改善和发展的重要转机。这个局面来之不易，值得我们倍加珍惜。我愿与阁下在这些成果基础上，共同努力，继续保持和增强两国关系改善和发展势头，推动两国关系取得新的发展。

在这次通话中，福田首相表示希望能够于年内尽早访华，与温总理就日中关系等当面深入交换意见。

温总理邀请福田首相年内方便的时候访华，认为两国领导人加强往来，对进一步增进双方相互了解，促进友好合作具有重要意义。

经双方商定，福田首相于12月27日至30日访华。

访华前夕，福田首相在首相官邸接受新华社等中方媒体的联合采访，表示访问中他将同中国领导人就构筑中日战略互惠关系的具体内涵交换意见，以加快去年秋季以来日中关系改善的势头，将两国关系提升到一个新的水平。

“迎春之旅” 福田到，“福”到了

27日中午，福田首相偕夫人访华。这次访问，被福田首相命名为“迎春之旅”。

对于如何接待福田首相访华，我们下了一番功夫。福田首相一家与中国颇有渊源，在接待时要体现出对老朋友的重视，还要对福田首相重视对华关系的积极姿态给予回应。因此，我们对福田首相访华给予了高规格接待，胡主席小范围设宴款待了福田首相。

福田的父亲福田赳夫前首相1981年访华时，曾在西安兴庆公园用汉字题词：日中友好是世界平和[1]。我们制作了这幅挂轴的复制品，作为礼物，温总理在欢迎午宴结束后将它送给了福田首相。福田首相打开后十分惊喜，连声感谢。

1 日语中“平和”是和平之意。

2007年12月28日，正在中国进行正式访问的日本首相福田康夫在北京大学发表演讲。

日本是一个非常注重细节的民族，我们这些精心安排马上被捕捉到。各大媒体均以醒目标题报道中方的接待规格，表示“许多安排史无前例”。

28日上午，温总理与福田首相举行会谈。会谈氛围很好，福田首相开门见山地说，此次访华愿与温总理就日中关系深入交换意见，进行“心与心”的沟通，使2008年成为日中关系的“飞跃”之年。

会谈中福田首相主动谈到历史问题，他说，越是不堪回首的历史，越应该正视，并让下一代了解，这是我们这一代人的责任。在此基础上，才能避免错误重演。他又说，日本将坚持继续走和平国家的道路，在此基础上与中国建立面向未来的关系。

当天下午，我陪福田首相到我的母校北京大学发表题为《共同开创未来》的演讲。

福田首相的这篇演讲堪称佳作。全文自始至终贯穿着中国传统文化的气息。

福田首相开篇就幽默地说："在新年即将到来之际，福田来了，就是'福'到了。"顿时，古色古香的讲堂中响起了欢笑声和热烈的掌声。

福田在演讲中多次引用中国名句。在谈到双方应该坦诚相见、加深相互理解、互相承认差异、了解真实的对方时，他引用了"知之为知之，不知为不知，是知也"。在谈到为构筑长期稳定的日中关系，双方要从展望50年后、甚至100年后的长远观点出发，着力培养能够加深相互理解、尊重相互差异、加强相互学习之"人才"时，他引用了"十年树木、百年树人"这句话，来说明培养人才需要漫长的努力。

福田在演讲中还提出发展中日关系的一些理念。他强调，"日中关系除了和平友好之外，别无其他选择"，缔结《日中和平友好条约》时的这一理念已经超越时空，作为日中友好的基石散发着活力。在谈到历史问题时，他说，"只有正视过去，具有该反省的地方反省的勇气和智慧，才有可能期待将来不犯错误"。他还提炼出发展战略互惠关系的三大支柱，即互利合作、国际贡献、相互理解和相互信赖。

当天晚上，我陪同胡主席在钓鱼台养源斋小范围宴请福田首相。席间，胡主席与福田首相交谈的话题很广泛，气氛轻松愉快。

他们从日本的"《论语》热"谈及未成年人教育，从各自的兴趣爱好谈到中国的发展。当时，福田首相的一句话给我留下了非常深刻的印象。他对胡主席说，说实话，中国发展不顺利，对日本来说不是件好事。我们是不同的国家，但是从某种意义来讲，我们是命运共同体。

福田首相邀请胡主席第二年春天，最好是在樱花盛开的季节访问日本。福田首相幽默地说，现在越来越不清楚日本的樱花到底会在什么时候开。胡主席访问日本的日期确定后，樱花就可以放心地开放了。在场的人听了全都笑了。胡主席说，他对明年春天的日本之行同样十分期待。

日本主要媒体对福田首相的“迎春之旅”进行了大量连续报道，都给予积极评价，认为福田对华外交成功起步，并取得积极成果，中日关系进入新的发展阶段，迎来政治关系的“春天”。日本各党派高度评价福田首相访华取得的成果。

前往东京　飞机上的遐思

应日方一再邀请，胡主席定于2008年春天对日本进行国事访问。这是我国国家元首时隔十年再次访日，也是党的十七大后我党和国家最高领导人首次出访，是我国在复杂国际形势下和中日关系改善和发展的重要时刻采取的重大外交行动，意义非同寻常。

2008年春节过后，我访问了日本，重点是为胡主席访日预做政治准备。在访日前后，我还分别访问了英国和韩国，后者是作为中国国家主席的特使出席李明博总统的就职庆典。这是我担任国务委员期间的最后一次出访。

2月19日晚，我结束对英国的访问后，乘日本航空公司的班机，离开伦敦直飞东京。

在前往东京的途中，我不禁回想起与日本几十年的不解之缘。四十多年前，我第一次出国就是去日本。那是1964年，我陪农业部一个代表团赴日考察，学习农业科技。四十多年来，我曾经前后两次在中国驻日本大使馆工作，历时九年半，也曾从事过民间对日外交，作为中日友协理事参与了不少重要工作，见证了中日关系的重建、改善和发展。

多年的对日工作经历，让我深深体会到中日关系的发展成果和良好局面来之不易。自新中国成立以来，老一辈领导人就为发展中日关系花费了大量心血，作出了历史性贡献，为中日关系打下了坚实基础。1972年中日实现邦交正常化以来，正是在两国各界有识之士的精心培育下，中日关系在各个领域都取得了长足发展。

毋庸置疑，中日关系非常敏感、特殊，既有历史伤痕，也有现实摩擦。但我们更应该看到，两千年的友好交往已赋予中日关系一个独特优势，这就是中日友好的深厚民间根基。事实证明，每逢中日关系遇到困难时，总是这支友好力量在起着重要的推动作用。在中日关系非常困难的那几年，正是两国友好人士始终秉持中日友好信念，为改善两国关系付出了不懈努力，为实现中日关系转圜发挥了重要作用。历史正反两方面的经验和教训都告诉我们，中日两国必须走和平、友好、合作与共赢之路。

从现实层面讲，发展中日友好合作关系，符合中国的利益，也符合日本的利益。中国是世界上最大的发展中国家；日本是世界第二大经济体，两国经济上各有优势，高度互补。双方在维护东北亚的和平与稳定，推进东亚区域合作进程，共同应对能源安全、环境保护、气候变化以及反对恐怖主义、打击跨国犯罪、防止大规模杀伤性武器扩散等全球性问题上拥有共同的利益诉求，携手合作符合双方的共同利益。

从国际大环境看，世界力量对比正在发生新的变化，国际格局、国际体系面临新一轮调整，亚洲正面临全面振兴的新形势，如何更好地维护和平、促进发展，与亚洲其他国家一起迎接亚洲新时代，是中日双方共同的历史使命，双方都承担着重要责任，因此有必要加强对话、协调与合作。

近几年来，经过两国领导人“破冰”、“融冰”、“迎春”之旅，中日关系正站在新的历史起点上，面临重要发展机遇。双方已经克服了困扰多年的政治障碍，两国关系走出低谷，恢复正常，并开始构筑战略互惠关系。

在这样的形势和背景下，胡主席对日本进行的国事访问，对于全面总结中日邦交正常化以来两国关系的发展历程，尤其是近年的发展成果，开创中日战略互惠关系全面发展新局面，具有重大意义。

想到这些，我深感此次访日责任重大。

访问日本　肩负重要使命

2008年2月20日下午，我从伦敦抵达成田机场，开始对日本进行正式访问。

就发表中日间第四份政治文件做日方工作，是我这次访问的重点之一。此前，中日两国已经有三份政治文件。这三份政治文件，从政治、法律和事实上总结了两国关系的过去，规划了两国关系的未来，是中日关系的基石。

十年过去了，两国各自国内形势发生了很大变化，中日关系也经历了过去几十年不曾经历的跌宕起伏。我们认为很有必要在胡主席对日本进行国事访问时，发表一份共同文件，来体现中日关系的新起点，汇集双方的新共识，展示两国合作的新前景，明确两国关系的新方向。

我决定借会见福田首相之机，当面做他本人的工作。

2008年2月21日，在日本首相官邸会见日本首相福田康夫。

2008年2月21日，会见日本外相高村正彦。

21日下午，我到首相官邸拜会福田首相，着重就胡主席访日与他交换意见。我说，胡主席今年访日对双方都是一次重大机遇。确保访问成功，将使中日关系真正进入长期稳定发展轨道。

福田首相表示赞同，希望访问取得圆满成功，成为日中关系进一步发展的重要里程碑。

我说，中方经过反复研究，认为双方有必要认真考虑适时发表一个新的文件。这个文件的使命和主旨是向前看、开创两国关系的未来，特别是突出两国的合作，让两国人民通过这个文件深切感受到中日关系的光明前景。30年前，令尊与邓小平先生共同做出政治决断，缔结了中日和平友好条约，正如福田首相在北大演讲时所说，这个条约在中日之间架起了一座“铁桥”。我们希望福田首相也能做出决断，通过发表这个文件在中日间架起一座通向未来的世纪大桥。双方外交当局已就此进行接触。希望能够缔结这份文件，使其成为两国人民新的共同财富。

福田首相认真听完后对我说，日方也已经启动接待胡主席准备工作，愿意随时听取中方的想法和要求。关于第四个政治文件，目前双方外交当局正在紧密协调，我愿密切关注此事的进展。只要双方共同努力，相信一定能够产生一个非常好的文件。

我分别会见了众议院议长河野洋平、参议院议长江田五月、外相高村正彦及各政党党首等，与他们就胡主席访日、双边经贸合作、东亚区域合作和一些国际问题交换了意见。我还出席了日本经济团体联合会会长御手洗富士夫举行的欢迎早餐会。日本各界衷心期待胡主席对日本的国事访问，表示要以“夏天般的热情”迎接胡主席的到来。

我抵达东京的第二天中午，中国驻日本大使崔天凯在东京新大谷饭店为我安排了日本各界友好人士参加的欢迎招待会。

2008年2月21日，出席中国驻日大使崔天凯在东京新大谷饭店举行的欢迎招待会并发表演讲。

四十多年来，我结识了数不胜数的日本朋友，从总理大臣、国会议长、政党首领、各级行政官员，到著名企业家、作家、演员、律师、教授、新闻记者、宗教界人士乃至公司职员等。

那天，我的许多老朋友都赶来出席招待会，现场有六百多人。我看到很多熟悉的面孔，一些多年挚友专程从外地赶来，让我非常感动。

我在招待会上用日语致辞，回忆了我与日本的深厚渊源及过去四十多年来所亲历的中日关系重大事件。我说，中国有句话叫往事如烟，然而对我而言，往事可谓历历在目，难以忘怀。多少年来，我们共同为中日友好发展而喜，为中日友好受损而忧，为两国关系的健康稳定发展付出了大量心血和汗水，也结下了深厚的友谊。

2008年是中日和平友好条约缔结30周年。我在致辞中回顾了中日关系30年来取得的长足发展，深有感触地对大家说，中日关系有今天这样的发展成果和良好局面来之不易，应该倍加珍惜、精心呵护，这是双方共同的责任。中日友好是大势所趋，人心所向，是不可阻挡的历史潮流。无论在什么时候，我们都要坚定这一信念，毫不动摇。发展中日友好合作关系，符合中国的利益，符合日本的利益，也有利于地区和世界的和平与发展。这三点是我从中日关系30年发展历程中得到的深切体会。

我告诉大家，我这次访问的主要目的是就如何发展面向未来的中日战略互惠关系与日方深入交换意见，为胡主席今春访日做政治准备。我们希望通过胡主席的重要访问，中日双方共同规划两国关系未来发展蓝图，确立中日战略互惠关系长期健康稳定发展的新框架。

在东京期间，我专程前往为中日友好和两国关系发展作出了重要贡献的松山芭蕾舞团，探望了清水正夫先生一家。

清水正夫是松山芭蕾舞团理事长，他的夫人松山树子是日本著名的芭蕾舞大师。1948年，他们夫妇共同创立了松山芭蕾舞团和松

1997年9月28日，与清水正夫先生（右一）、全国人大常委会前副委员长黄华（右二）、日本友好人士南村志郎的夫人南村惠津子（左一）在庆祝中日邦交正常化25周年招待会上。

山芭蕾学校，培养了日本的世界级芭蕾舞大师森下洋子和清水哲太郎等。

我与清水先生一家有长达四十多年的交往，结下了深厚友谊。

清水先生一家及整个松山芭蕾舞团对我的到访都非常高兴。一百多名演员身着演出服，整齐地排列在剧团门口，不停地用汉语热情地喊着“你好”、“欢迎”。当时的气氛非常热烈，尽管室外春寒料峭，我的内心却倍感温暖，十分激动。

我快步走上前去，紧紧握住清水先生的手。我与清水先生已数载未见，看到岁月的流逝在他的面容上留下了深深的痕迹，我不禁感慨万千。

1958年，风华正茂的清水正夫夫妇把芭蕾舞剧《白毛女》带到中国，是他们最早把这个中国人耳熟能详的歌剧改编为芭蕾舞剧，在困难的条件下坚持在日本各地上演。那次访华，他们在北京、重庆、武汉、上海等地巡演，引起热烈反响。

从那以后，松山芭蕾舞团多次访华演出，清水正夫先生作为日中友好协会负责人一百多次踏上中国的土地，受到毛泽东、周恩来、邓小平、江泽民等三代领导人亲切接见。

可以说，清水先生是中日友好和两国文化交流的见证人和积极推动者。四十多年过去了，清水先生一家仍然在为推动中日友好和文化交流不懈努力着。

清水先生一家把我迎进会客室。落座后，清水先生的儿子清水哲太郎代表清水一家致辞。他说，松山芭蕾舞团从1955年起就受到

2008年2月20日，向清水正夫先生赠礼，左一为崔天凯大使，右一为外交部副部长武大伟。

中国几代领导人的亲切关怀，松山芭蕾舞团一直致力于对华友好艺术交流。今天唐家璇国务委员来看望我们，这是对日本广大对华友好人士的鼓励。

接着，他们请我到二楼的排练厅，在观看了介绍松山芭蕾舞团和中国交往历史的记录短片后，松山芭蕾舞团的演员们为我表演了《黄河颂》。这是根据中国著名作曲家冼星海的名曲专门编排的舞剧，是一场视、听觉的盛宴。

观赏完芭蕾舞后，我站起身来，同演员们一一握手表示谢意。我对年轻的芭蕾舞演员们满含深情地讲述松山芭蕾舞团的过去和未来，特别是他们与中国的深厚交往，表示中国人民永远不会忘记老朋友。在场的人无不动容，很多人甚至流下了激动的眼泪。

不幸的是，四个月后，清水先生与世长辞。我和他在日本的会晤竟成为永别。年近九旬的清水先生去世前，得知中国四川汶川发生特大地震，他手拄拐杖，亲自率领全团人员来到中国驻日本大使馆慰问并捐款。

结束在东京的访问后，我又到奈良和大阪参观访问。在奈良，我参观了法隆寺和唐招提寺。法隆寺是奈良最早的世界文化遗产，是在中国佛教传到日本后，由决定向中国派遣遣隋使的圣德太子创建的。唐招提寺由唐代高僧鉴真和尚亲手兴建，是中日文化交流源远流长的象征。

这里有一个有意思的小插曲。在出席奈良知事荒井正吾为我举行的欢迎宴会时，荒井知事致欢迎辞说："唐家璇国务委员面容慈祥，极像笑口常开的弥勒菩萨。"现场的人听了全都笑了。

我听后用日语微笑地说："荒井知事的话太不敢当。其实啊，中国的外交界人士都经常面带笑容，因为我们开展的是和平外交、和谐外交，也是微笑外交。"我的话音刚落，宴会厅里笑声和掌声响成一片。

回到北京后，我便召集有关部门的同志开会。

2008年2月23日，在日本奈良参观唐招提寺。

我根据此次访日期间与日方商谈的情况，深入分析了中日关系面临的形势和问题，就胡主席访日的有关准备工作再次做出具体部署，要求各有关部门抓紧工作，认真筹备，确保访问圆满成功。

3月份，第十一届全国人大召开，我从国务院领导岗位上退了下来。

我非常高兴在正式卸任前较好地完成了一次重要的外交使命，为胡主席成功访日，为促进中日关系的继续改善和发展尽了微薄之力。

“暖春之旅” 胡主席访日

2008年5月6日至10日，胡锦涛主席对日本进行国事访问。这是胡主席担任国家主席以来，第一次专程出访一个国家，且访问时间长达五天。

这次访问，被命名为“暖春之旅”。

胡主席此次访问非常成功，其中有几处亮点给我留下了极其深刻的印象。

这次访问在政治上取得的成果非常丰富。胡主席从增进互信、加强友谊、深化合作、规划未来的角度，广泛深入做日本政府和各界人士工作，取得了积极成果。

双方缔结了《中日两国关于推进战略互惠关系的联合声明》，在确认中日三个政治文件原则和精神的基础上，重在规划未来，明确21世纪两国关系发展的指导原则，对双边合作做出全面和长远规划。这是中日建交以来第四个重要政治文件，也是首份由两国最高领导人签署的政治文件。

双方还发表了《中日两国政府关于加强交流与合作的联合新闻公报》，确定了落实联合声明的70项具体举措，内容涉及高层交往、政治互信、人文交流、防务交流、经济合作、环境保护等诸多领域。

胡主席此行不忘老朋友，进一步加深了两国民间友谊。

胡主席抵达日本后不久，在下榻饭店会见了为中日友好事业作出突出贡献的松村谦三、西园寺公一、宇都宫德马、冈崎嘉平太等友人的后代，以及为中日关系作出重要贡献的前政要田中角荣、福田赳夫、大平正芳和园田直的后人，勉励他们继承父辈遗志，继续关心和支持中日友好事业。

胡主席还会见了1984年3000名访华团成员小野寺喜一郎、芹洋子、穗积一成等民间友好人士。3000名青年访华大联欢是中日友好交往史上空前的创举，在两国青年中播下了中日友好的种子。当时，胡主席担任团中央书记处书记、全国青联主席，他全程参与组织了那次活动，与日本青年朝夕相处、促膝交谈，建立了深厚的友谊。当年访华团中的许多日本朋友都已成为中日友好事业的骨干力量。

访问中，胡主席着眼未来，与日本青年广泛接触。2008年是“中日青少年友好交流年”。5月8日下午，胡主席与福田首相共同出席了日中青少年友好交流年开幕式，之后，到早稻田大学国际交流中心，与乒乓球选手王楠、福原爱一起打球。

胡主席精湛的球技令在场青少年掌声不断。

胡主席的访问还有许多细微之处令日本人民感激。他访问前夕，中国赠送给日本的大熊猫陵陵因年老去世，很多日本民众自发排队到上野公园给陵陵送别。日方向我们提出，希望中方能再次出借大熊猫给日本，以满足日本民众喜爱大熊猫的愿望。

胡主席在访问期间宣布，中国政府决定向日本提供一对大熊猫开展研究合作。我从日本媒体上看到，日本民众纷纷对此表示欢迎和感谢，认为这是胡主席给日本人民带来的一份美好的礼物。

胡主席访日期间，还专程前往松山芭蕾舞团，探望了清水正夫先生一家。当我从电视上看到这条新闻时，一股暖流在心中涌动。

后来，清水先生在接受记者采访时说："我毕生从事日中友好和文化交流，今天中国最高领导人到访松山芭蕾舞团，并且发表了热情洋溢的讲话，我感到无上荣耀，这也是对所有从事日中友好事业人士的极大鼓励和肯定。"可以说，这是清水先生的心声，也代表了所有从事中日友好人士的心声。

胡主席这次"暖春之旅"为今后中日关系发展指明了方向，规划了蓝图，开创了中日战略互惠关系全面发展的新局面。

经过两国领导人接连进行"破冰"、"融冰"、"迎春"、"暖春"之旅，中日关系重新回到了稳定发展的轨道,已经站到了新的历史起点上。展望未来，中日关系面临新的重要机遇和更广阔的发展空间。

2009年春，我出任新一届中日友好21世纪委员会中方首席委员。这是一个政府咨询机构，成立于1984年，委员由两国专家、学者和知名人士组成。成立以来，特别是在中日关系遇到困难时，委员会积极为两国政府出谋划策，为实现中日关系转圜、改善和发展作出了有益贡献。

能够在古稀之年为中日关系发展再尽绵薄之力，高兴之余，倍感责任重大。我衷心希望并完全相信，中日战略互惠关系今后一定会不断发展，“和平共处、世代友好、互利合作、共同发展”的目标一定会在中日两国大地上开花结果，为两国人民带来更大福祉，为世界和平、稳定与发展作出重要贡献。

新任外长首次出访

——印尼之行

2008年12月11日上午，外交部主管同志给我办公室打电话说，当天清晨，印度尼西亚前外长阿拉塔斯先生在新加坡病逝。

听到这一不幸消息，我心情十分沉重。

阿拉塔斯外长是我十分敬重的一位老朋友。我和他曾经有过一段密切的交往，特别是1998年4月我对印尼的访问，彼此都留下了深刻的印象。

那是我担任外长后不到一个月，对印尼进行的一次工作访问。

1998年3月，我被任命为新中国第八任外交部长。站在外长这个新的岗位上，我深刻意识到，使命高于一切，责任重于泰山。

2005年5月16日，在北京中南海会见印尼前外长阿拉塔斯。

一般来讲，外长的首次出访是一次重要的外交行动，在某种程度上会被外界视为新政府外交政策的宣示。更何况像中国这样一个备受世界瞩目的发展中大国，我意识到作为外长，一举一动牵动着世界的目光。

我将印尼作为担任外长后的首访国，主要是因为当时东南亚各国正在经历着一场严重的金融危机。尽管那次我对印尼的访问只是一次工作访问，但还是引起外界的极大关注。

金融危机　肆虐蔓延

我相信很多中国人特别是经贸、金融界的朋友们，谈起那场金融危机，至今记忆犹新。那是改革开放以来，中国经济经历的一场不平凡的考验。

这场危机始于泰国，来势凶猛。从1997年7月起，危机很快席卷了整个东南亚，菲律宾、马来西亚、印度尼西亚无一幸免，就连经济较为发达的新加坡也受到很大冲击。

金融危机使有关国家经济遭受重大打击，其破坏力之强、持续时间之久，超出了方方面面的预料，影响的广度和深度超过二战后的历次危机。

短短数月内，东南亚各国货币对美元的汇率大幅下滑，贬值幅度高达40%—70%，外汇储备大幅缩水，外债负担骤然加重，股市和其他一些金融市场险象环生，一大批银行和证券公司相继倒闭，失业人数骤增。

东南亚金融危机也令世界其他地区为之色变。美国、欧洲、拉美、东亚和澳洲各地股市先后出现大幅波动。金融市场和资本市场的动荡逐步扩散蔓延。

危机发生之前，东南亚是一个充满活力、蓬勃发展的地区，备受世人称羡。泰国、马来西亚、印尼和菲律宾四国被称为“亚洲四小虎”，经济增长长期保持在6%—8%的水平，曾经创造了一个经济神话。作为“四小虎”成员的印尼，是亚太地区经济最为活跃的国家之一，发展前景为各方看好。

应该说，尽管发生了严重的金融危机，包括印尼在内的东南亚国家此前取得的经济成就是举世公认的。

在这种形势下，考虑到印尼是东南亚大国，被视作东盟的盟兄，又是世界上人口最多的伊斯兰国家，扼守马六甲海峡等海上要冲，战略地位重要，中央决定派我尽快去一趟印尼。一来可以实地考察金融危机给东南亚各国造成的影响，更重要的是，要借这次访问向世界充分表明，中国对金融危机给东南亚各国带来的影响感同身受，将与他们同舟共济，共渡难关。

千岛之国　风雨飘摇

在那场金融危机中，印尼是受到波及较晚的一个国家，但遭受的打击却最为沉重。

这主要是因为印尼经济本身存在一些问题，比如财务监督机制不健全，私人银行发展太快，银行存款和贷款利息居高不下；而且印尼外债负担过重，特别是私人企业的短期外债比例过高；经济结构不尽合理，保护性和垄断性政策过多，政治因素和特权阶层对经济干扰过大等。由于上述复杂的原因，在金融危机的冲击面前，印尼经济急转直下，极度窘困。

面对不断恶化的金融形势，印尼政府采取了一系列救市措施，包括动用大量外汇储备稳定汇率，但效果不彰。

1997年8月14日，印尼政府宣布取消对汇率的干预，开始实行印尼盾对外币汇率的自由浮动，以保证印尼盾更具灵活性，减少外界投机活动带来的冲击。这项政策一经宣布，印尼盾当天就暴跌112点。

为拯救经济，9月3日，苏哈托总统又宣布了旨在恢复国民经济的十项措施，包括谨慎放宽货币流通量和降低利率、取消或推迟部分工程项目、扩大非油气产品出口、政府向运转良好的国有银行注资、取消外国投资者最多只能购买49%股票的限制、保证市场上生活必需品供应等。

9月4日，印尼中央银行宣布降低利率，将中央银行有价证券利率平均降为3%，同时各银行间拆借利率从40%降至25%，旨在减少因高利率所带来的负面影响。

尽管政府迅速出台了一系列紧急措施，民众仍旧信心不足。

到9月底，由于社会恐慌情绪加重，对政府信任度下降，印尼盾汇率再度出现明显下滑。虽然印尼政府一再公开表示决心维护盾值稳定，但仍不时出现挤兑和套汇的现象。

回想当时的情景，我不禁联想到我们今天正在经历的这场金融危机。温家宝总理曾多次讲过，危机面前，关键是要保持信心，信心比黄金更贵重。这句话千真万确。在经济危机面前，民众的恐慌心理往往才是真正的洪水猛兽，足以使经济问题瞬间放大到无以复加的程度。这种放大效应比经济问题本身带来的影响更大、更猛。

当时印尼整个社会都陷入了恐慌之中。印尼政府与经济界反复磋商，结论是不得不求助于国际货币基金组织（IMF），力争摆脱困境。后来的事态发展证明，这并非一剂良药。

经过几轮讨价还价，IMF决定向印尼提供230亿美元一揽子援助计划，包括恢复金融健康运转、调整财政政策、货币政策和经济结构等多个方面。由于规模庞大且涵盖领域广泛，该计划需要三年的实施时间。

在IMF的压力下，印尼政府被迫改变以往政策，实行金融自由化，取消基本生活品补贴，导致物价飞涨，通货膨胀加剧。

但IMF开出的药方并未见效。

印尼盾一路走低。金融危机前，1美元兑换2700印尼盾，到1998年需要10000余盾才能兑换1美元，最严重的时候达到17000盾兑换1

美元。社会购买力严重下滑。

据印尼媒体报道，到1998年，印尼国内通货膨胀率已经高达77.63%。股市下跌近半，资产严重缩水，债务大幅增加，外债上升至1093亿美元，占国内生产总值的48%。

伴随着金融危机不断蔓延，印尼社会、政治矛盾开始凸显，局势趋于动荡。

当时，印尼总统苏哈托已经执政三十多年。他是个传奇人物，1921年出生在印尼人口最密集的爪哇岛日惹地区。在有关他的传记中曾提到，苏哈托出身贫寒，只受过几年小学教育，但求知欲很强，只要有任何机会，哪怕拾到一张报纸，都会如饥似渴地阅读。艰苦的环境造就了他坚强的性格和顽强的作风。

苏哈托成年后的家庭生活十分幸福美满。他与婷·苏哈托白头偕老，共同养育了六个子女。

苏哈托早年从军，军旅生涯一帆风顺，41岁时已升任陆军战略预备队司令。1965年“9·30”事件后[1]，苏哈托实际上取代了苏加诺，执掌总统权力。从1968年到1998年，他七次蝉联总统，执政三十余年。

苏哈托实行军政强权统治，通过强化军队职能掌控国家和社会，树立绝对权威。与此同时，他任用专家治国，挑选各领域专家出任部长，全力发展经济。在他统治的三十余年，印尼经济得到较大发展，苏哈托也被誉为印尼“建设之父”。

但到了执政后期，苏哈托的子女及其朋党把持印尼主要经济命脉，滥用职权，贪污腐化，聚敛财富，引起社会各界强烈不满。印尼社会贫富差距极为悬殊，民怨累积，矛盾激化。此时苏哈托本人

1　根据印尼方的报道，“9·30”事件是指1965年9月30日，印尼总统警卫部队一批军官，以陆军“将领委员会”阴谋发动军事政变为由，逮捕和打死了包括陆军司令在内的六名将领。印尼陆军几名将军立即采取反制措施，挫败了他们的行动。印尼随即开始严厉镇压和清除印尼共产党以及亲苏加诺总统的政治势力。

年事已高，执政地位开始出现一些不稳的迹象。但由于他多年执政，地位和作用一时还无人能够取代。

1998年3月，苏哈托第七次蝉联总统。他当选后，公然把女儿和亲信安插到内阁担任部长，愈发引起民众不满。

金融危机使印尼政治雪上加霜。社会上要求改革的呼声日益高涨，反政府力量不断壮大，各地学潮频起，声势浩大，要求政府立即进行改革。雅加达、日惹和棉兰一些地区的大学生甚至在集会和示威中，打出“苏哈托下台”、“重组内阁”等标语口号。棉兰等地还接连爆发群体性事件。更大范围的社会动荡一触即发。

印尼是重要的区域大国，在国际和地区事务中有着特殊和重要的影响。

这样的一个国家，如果任其局势不断恶化，势必对整个东南亚的稳定构成威胁。因此，国际社会对印尼局势高度关注。

同舟共济　共克时艰

作为亚洲一员，中国一直关注着东南亚邻国，特别是印尼国内局势的发展变化。

这场危机给中国经济也带来了严重影响，出口下滑，外资减少，并且承受着货币贬值的巨大压力。如果中国当时放任货币贬值，的确能够有效扩大出口，拥有更多的对欧美市场出口份额。然而，这样会给东南亚邻国带来更大的灾难。

作为负责任的大国，中国并没有采取以邻为壑的做法，而是尽最大努力，向深陷经济危机的周边邻国伸出援手，努力消除金融危机的负面影响。

本着高度负责的态度和同舟共济、共克时艰的精神，从维护本地区稳定和发展的大局出发，中国做出了坚持人民币不贬值的重大战略性决策，为抵御亚洲金融危机、恢复地区金融稳定发挥了至关重要的作用。

不仅如此，中国还通过IMF，并以双边援助的形式向有关国家提供了约40亿美元资金支持。其中，向印尼提供了约4亿美元，并无偿提供了价值300万美元的药品援助。

作为发展中国家，中国提供的援款数目仅次于美国、日本两大发达国家，多于其他任何国家。这些数字在十余年后的今天看起来不是很大，但在当时的经济环境与条件下，特别是中国自身也遭受金融危机冲击的情况下，这笔援款难能可贵。

中方的善举赢得了邻国的赞赏，也感动了很多对中国抱有疑虑的人。

印尼十分赞赏中国在亚洲金融危机中发挥的积极作用，比以往更加重视中国的地位，希望进一步深化同中国的合作关系。

正是在这种情况下，我对印尼的访问受到印尼方的热烈欢迎和高度重视。

重要时刻　出访印尼

从决定出访到成行，只有短短的一周。虽然我对印尼并不陌生，但在这么短的时间内准备一次访问，还是颇费一番心思。

确定访问日程成为双方需要解决的第一个问题。由于我那段时间的日程安排十分紧张，此次访问只能利用4月11日、12日周末时间。按照惯例，印尼方在周末是从不安排正式活动的。印尼民族自尊心很强，礼宾规矩十分严格，极少做逾矩破格的事。亚洲司的同志对印尼方面能不能破格接受这样的安排，没有把握。

当我们通过驻印尼使馆向印尼外交部说明了中方对这次访问的考虑，以及中方在时间安排上的特殊困难后，印尼方面十分爽快地同意了我们的方案。从这一细节也可以看出，印尼方面对我这次访问的确相当重视。

由于这是亚洲金融危机以来，中国新一届政府首次向东南亚地区派出高级别政府代表，中央领导十分重视。江泽民主席专门嘱咐我要带去他给苏哈托总统的一封亲署信，并且在信中明确表达中方支持印尼渡过难关的态度，以及继续深入发展中印尼关系的意愿。

一般来说，见信如晤。递交亲署信相当于两国领导人的一次重要交流，半点马虎不得。

外交部的同志对如何使用地道的印尼文把信的内容准确流畅地翻译出来，花了很多心思，几易其稿，努力使江主席亲署信的印尼文译本真正做到信、达、雅，充分、完整地体现中文稿所要传达的信息。

不仅如此，他们还专程登门求教了中联部的印尼文专家谢志琼先生。谢先生是印尼归侨，又出生在印尼，印尼文一流。经过他的润色和修改，这封信的译文就更加准确、达意而雅致了。

访问日期确认后，使馆的同志们就开始紧张地忙碌起来，并在很短时间内同印尼方敲定了具体日程，落实了一系列礼宾事宜。

经过紧张忙碌的准备，我如期启程前往印尼进行工作访问。

由于当时北京与雅加达之间没有直航，我取道新加坡前往印尼，于11日下午5点30分抵达印尼首都雅加达苏加诺·哈达国际机场。印尼外交部礼宾司长穆斯塔法、亚太司长哈迪和中国驻印尼大使陈士球前来机场迎接我，并陪同我前往下榻的香格里拉饭店。

沿途的景象给我留下了深刻印象。从机场到市区，一路上都是高速公路，中间还经过几座现代化的立交桥，这在当时的发展中国家还不多见。宽敞的干道中间是高大整齐的棕榈树，两旁是鳞次栉比的高楼大厦。从中可以看出，印尼几十年经济发展还是取得了很大的成就。遗憾的是，密集的高楼大厦丛中，不时可见几座烂尾楼，这简直就是当时印尼经济的写照。

当天晚上，阿拉塔斯外长就在香格里拉饭店一层的爪哇厅为我举行了欢迎宴会。

值得一提的是，中国驻印尼大使陈士球也参加了宴会。陈大使当时刚刚到任不久，还没有递交国书[1]。按照国际惯例，大使在递交国书前不能参加驻在国的正式活动。不难看出，印尼方面对我此行的确给予了特殊安排。

资深外长 忧心忡忡

这已经不是我第一次同阿拉塔斯外长会面了。我在担任外交部副部长时，曾两次在多边场合同他会晤。

阿拉塔斯外长是资深外交家，担任印尼外长长达13年。他非常重视发展对华关系。1990年，就是他与时任中国外长钱其琛共同启动中国和印尼复交谈判，为两国关系正常化发挥了重要作用。在担任外长期间及卸任以后，他多次来华访问或出席国际会议，为推动中印尼关系深入发展作出很大贡献。可以说，阿拉塔斯是中国人民的老朋友、好朋友。

在宴会桌旁落座后，我首先对阿拉塔斯说，您担任外长已经十几年了，我刚刚当了十几天，从经验和资历上说，您是教授，我是学生。我是来向您请教的。

阿拉塔斯外长听了我的话，显得有些激动。他微笑着摘下眼镜，充满深情地说，在印尼这么困难的时候，中国朋友毫不避讳，真诚援助，让我们特别感动。他接着说，阁下刚刚被任命为外长，第一次出访就选择到印尼，这充分体现了中国政府对发展两国关系的重视，体现了中国朋友的友好情谊。

宴会自始至终就在这样亲切友好的气氛中进行，双方都感到十分愉快。这为第二天的会谈做了很好的铺垫。

1　国书是指一个国家的元首向另一国委派特命全权大使的文书。递交国书就是指大使向驻在国元首递交本国国家元首的文书。大使只有在向所驻国呈递国书以后，才能得到国际法所赋予的地位。

我与阿拉塔斯外长的会谈安排在第二天下午2点，地点在印尼外交部。

当我在印尼外交部礼宾官的引导下走向会议室时，阿拉塔斯外长早已站在会议室门口等待着我的到来。在他身后，我看到有数十位印尼官员排成长长的一列，欢迎来自中国的客人。

经过阿拉塔斯外长的介绍，我才知道原来印尼外交部在任的所有总司长（副部级，当时印尼外交部不设副部长的职务）都来出席当天的会谈，甚至包括主管行政后勤的总司长，约有二三十人，远远超过中方人数。

会谈正式开始后，我和阿拉塔斯外长主要就东南亚金融危机有关问题交换了意见。

我首先表示，中国领导人对印尼面临的困难十分关心，可以说是感同身受。

我诚恳地对阿拉塔斯外长说，近十年来，东南亚国家在经济建设方面取得了巨大成就，积累了丰富经验，这一点不能因为发生金融危机而简单否定。包括印尼在内的一些国家虽然遇到一些困难，但促进经济增长的主要因素依然存在。

我还鼓励他说，东南亚金融危机虽然还没有结束，但最困难的时期已经基本过去。只要有关国家团结一致，增强自信，举措得当，继续为克服困难做出不懈努力，加上国际社会的帮助，就一定能够战胜困难，使经济重新走上健康发展轨道。中国对本地区经济的发展前景充满信心。

我向他详细介绍了中国政府在应对金融危机时采取的措施，以及为东南亚金融稳定所做的工作。我告诉他，为了稳定东南亚金融局势，中国政府甘愿承受损失和牺牲，坚持人民币不贬值。我们向有关国家提供的帮助是非常真诚的，不附带任何条件。

我对印尼坚持从本国国情出发，实事求是地同IMF探讨合作条件与形式的做法表示充分理解，对印尼与IMF达成新的协议表示欢迎，相信印尼进行金融体制和经济改革将会取得成功。

阿拉塔斯外长对我在印尼面临经济困难的特殊时刻来访感到特别高兴，用他的话说，“这充分说明了中国对印尼兄弟般的情谊”。

他向我详细介绍了印尼的经济、金融形势。他告诉我，印尼正处于财政、金融非常困难的时期。

他坦诚地对我说，受到金融危机冲击的东南亚国家自身，也确实存在经济和金融体制上的各种问题。印尼的问题主要是私营企业举借外债过多。他说，政府外债是可以得到控制和解决的，但私营企业的外债往往很难掌握和控制。

他还向我介绍了印尼与IMF签订协议的情况。他说，IMF在与印尼谈判中，根本不考虑印尼国土分散、岛屿众多的国情，强行要求取消印尼后勤事务管理局对粮食的统销，取消对大米以外所有主要生活用品的补贴。他很担心地说，这恐怕将会进一步导致物价飞涨，甚至引起社会动荡。

阿拉塔斯感谢中国对印尼的同情与支持，赞赏中国政府在危机中采取的政策和措施。他说，中国除了参加IMF对有关国家的援助计划外，还明确承诺人民币不贬值，并向印尼提供了实际的资金物品支持和援助，对印尼帮助很大。

他真诚地说，印尼十分清楚，中方这样做在经济上要付出很大代价。如果中方此时宣布人民币贬值，将使东南亚已经十分脆弱的经济形势雪上加霜，后果将是灾难性的。

我们还就缩短申请签证时间、简化人员往来手续、加强渔业合作、重新设立中国银行雅加达分行等双边具体问题和共同关心的国际地区问题交换了意见。

我们两人在会谈时都很坦率，也谈得非常深入，加上会谈中涉及的议题较多，以至于会谈时间一再延长，原计划两个小时的会谈最终谈了四个小时，接近下午6点才结束。原定两国外长共同会见记者的时间也相应顺延了。

通过与阿拉塔斯外长的会谈，我感到东南亚金融危机的确给印尼经济带来了巨大冲击。印尼正处在十分关键的时刻，如果处置不当，不能尽快阻止经济进一步下滑，有可能引发印尼国内矛盾激化、政治社会动荡。

我注意到，阿拉塔斯外长对此十分担心，每每谈及这个问题时，眉宇间显露出深深的忧虑。

我和阿拉塔斯外长的这次会谈效果非常好，不仅增进了两国的相互了解与信任，也进一步加深了我们之间的个人友谊。

其间还有一个小插曲，让我至今难忘。由于谈的时间太长了，会谈结束后我和阿拉塔斯外长不约而同地走进了卫生间。印尼的卫生间当时已采用掌压式水龙头，阿拉塔斯外长亲自给我按了水龙头，在我洗手后，还亲自递给我擦手毛巾。

这样的举动在外交界是罕见的。这不仅反映出他对中国的尊重和友好，也显示出他已经发自内心地希望与我建立起个人友谊。在对外交往中，工作中建立和发展起来的真诚个人友谊往往可以对推进两国友好合作关系产生事半功倍的效果。

此后多年，我和阿拉塔斯外长一直保持着友好交往。他卸任后，我们在很多场合见过面。他每次访华，我都抽出时间与他重叙旧谊。

阿拉塔斯去世后，我向他的家属发去了唁电，还委托中国驻印尼大使章启月代我送去了花圈和前往印尼外交部出席阿拉塔斯的追悼活动，向他的遗孀再次转达了我的深切哀悼和亲切慰问。

那次会谈结束后，我和阿拉塔斯外长共同会见记者，介绍会谈情况。印尼媒体对我这次访问十分关注，尽管会谈时间延长了很多，仍有大批记者耐心地等待我们的到来。

记者们主要围绕东南亚金融危机提了很多问题。他们有的详细询问中国总共提供了多少援助，金融危机对中国的影响等等，还有记者专门问到了台海局势，我都一一予以回答。后来我了解到，这次访问的有关情况多次见诸印尼报端，媒体反应积极、友好。

铁腕总统　自信满满

13日上午，我前往印尼总统府独立宫会见苏哈托总统。

印尼总统府位于雅加达市中心，院内绿树成荫，鸟啼虫鸣，十分幽静。独立宫是一幢主体为纯白色的欧式建筑，外观庄严典雅，内部装饰多用当地出产的名贵木材，精美的手工雕刻品随处可见。墙壁上还悬挂着大幅油画，描绘的是当地农村的生活场景，充满了浓郁的印尼民族特色。

苏哈托给人的第一印象像一位学者，满头银发,与他多年的军旅生涯和铁腕作风相比，平添了几分深沉和从容。平常他的脸上总是挂着淡淡的微笑，但这次他神色略显沉重。

在和我交谈的过程中，他始终神态沉稳，思路清晰。我感觉他似乎对印尼的局势很有把握，对印尼顺利走出金融危机也颇有信心。但不幸的是，后来的事态发展证明，他对印尼的局势过于乐观，也对自己的执政地位过于自信。

我首先向苏哈托总统转交了江泽民主席的亲署信。江主席在信中对印尼经济面临的困难处境表示关心和同情，对印尼坚定不移地走符合本国国情的道路表示支持，相信印尼一定会克服暂时困难。中国政府愿与印尼政府一道努力，把两国睦邻互信友好合作关系推向新的高度。

苏哈托总统打开信封，取出信来认真地看了一遍后，抬起头来郑重地对我说，非常感谢江泽民主席的来信。他表示，相信江主席在这个特殊时刻派外长前来访问，一定会极大地促进两国友好，增进彼此之间的相互了解，加强双方在各个领域的互利合作。

我向苏哈托总统简要介绍了我同阿拉塔斯外长会谈的情况。我再次表达了对印尼通过自身努力克服困难，恢复经济活力的信心，我向他重申，为实现本地区经济发展和金融稳定，尽快恢复信心，中国将坚持人民币不贬值的政策。

苏哈托总统感谢中国做出这样艰难的决定，称赞中国是个负责任的大国。

他告诉我，金融风暴的确对印尼30年经济建设成果造成了巨大冲击。他说，印尼经济抵御风险能力十分有限，社会上出现了信心危机。印尼政府正在为恢复信心艰苦努力。苏哈托最后说，克服危机的根本出路还是要依靠印尼自己。

我十分赞同苏哈托关于印尼要自力更生的观点，并表示中方愿从印尼的实际需要出发，提供力所能及的援助，实实在在地为印尼做些事。苏哈托对此再三致谢。

我结束对印尼访问后不久，苏哈托总统复函江主席，介绍了印尼国内情况，并表达了进一步发展两国合作的强烈愿望。

我想，他当时肯定没有预料到，一个月后他就被迫下台了。

访问期间，我还看望了驻印尼使馆全体工作人员、在印尼的部分中资机构和留学生代表。

长期奋斗在海外第一线的外交官们，时刻面对波谲云诡的国际环境，为维护民族的尊严和国家的利益，不仅要常年忍受着各种艰苦的生活环境、远离亲朋的孤寂，有的甚至还要面临战火、冲突和骚乱的威胁，其辛苦的程度、承受的压力和付出的牺牲是外人所无法想象的。因此，多年来我始终坚持在每次出访期间都到使馆去看望大家。

当年的通讯条件远不如今天，网络也还不够发达。驻外使馆同志们很希望能经常听听国内的最新情况。特别是在金融危机愈演愈烈、形势瞬息万变的情况下，大家更希望及时听到来自国内的声音。

考虑到当时由于印尼盾对美元的汇率波动很大，不少馆员在经济上蒙受损失，甚至在当地的生活都受到一定影响，我决定借这个机会给大家鼓鼓劲，增强大家抵御金融危机的信心。

我向大家详细介绍了当时国际和地区的政治经济形势和国内应

对金融危机的一系列举措，鼓励大家越是在艰苦的条件下，越要坚定信心，积极工作，努力化挑战为机遇，为推动中印尼关系的发展多作贡献。

考虑到中印尼两国关系的特殊背景以及华人华侨问题的敏感性，我还特别强调了在特殊时期做好领事保护工作的重要性。

算起来，我在印尼停留总共不到48个小时，完全是一次工作访问。时间虽短，但通过直接观察，我对印尼国内情况有了一些深入的了解。归结为一点，即印尼局势充满变数。

我选择在印尼深陷经济危机的困难时刻去访问，讲政策，谈支持，给援助，令印尼方面深受触动。尽管中国援助的数额有限，但不设前提条件，是十分真诚的。保持人民币不贬值的决策也让印尼社会看到了一个全新的蓬勃发展的中国，令很多印尼有识之士开始重新审视中国，重新思考印尼的对华政策。

这次访问还产生了一个事先未曾料及的积极而重要的影响，那就是为接下来妥善处理因印尼“五月骚乱”而引发的华人华侨问题打下了良好基础。

五月骚乱　总统易人

尽管苏哈托对掌控政局、恢复经济保持信心，但局势还是朝着对苏哈托政府极为不利的方向发展。

为向外界显示坚强稳定的执政能力，苏哈托在国内局势十分动荡的情况下，仍然决定于1998年5月初远赴埃及出席15国集团会议[1]。

苏哈托出访后，印尼反政府组织活动更加频繁。

1　“15国集团”又称“南南磋商与合作首脑级集团”，是继不结盟运动和“77国集团”之后的又一个发展中国家合作组织，于1989年9月在贝尔格莱德举行的不结盟国家首脑会议上成立，集团宗旨是以更切实的方式推动“南南合作”和“南北对话”，促进发展中国家的经济发展，改善人民生活。后来成员扩大到17国，但15国集团的名称不变。

5月12日，在雅加达西区特里萨克蒂私立大学就读的约800名学生，在学校门口与军队和警察发生了冲突。警察身着便装混入学生队伍，被学生发现后遭到痛打，导致双方矛盾激化。军队从人行天桥和高速公路对面的制高点上向学生开枪，造成4人死亡、18人受伤。在印尼国内，这一事件被称为“5·12”流血事件。

翌日，学生们不顾一切地冲出校园，与军警对峙街头。流血惨案使得社会民众对政府的不满急剧升温。

根据当时印尼媒体的报道，“5·12”流血事件以后，有不少城市青少年、无业游民和外地民工一直占据着雅加达的大街小巷，发泄对政府的不满。雅加达各地出现了一连串的暴力事件，车辆被毁，商铺、银行受到冲击，店主遭到殴打。这些暴力事件逐渐演变成对雅加达主要商业街的大规模哄抢和焚烧，最终酿成严重的骚乱。印尼媒体称之为“五月骚乱”。

苏哈托在埃及授权军队采取措施，印尼军方在14日晚采取了弹压行动。当时印尼的报纸报道说，军方在当晚全面控制了雅加达地区。

15日，苏哈托被迫提前返回国内，希望能够继续掌控大局，使事态逐步平息下来，但情况并未朝他希望的方向发展。

此后，苏哈托领导的专业集团党开始分裂，长期以来一直效忠苏哈托的印尼国会议长、专业集团党主席哈尔莫科在国会会议上首次公开呼吁苏哈托应为这次大暴乱承担责任，引咎辞职。印尼学生举行了通宵示威活动，包围国会大厦，要求苏哈托下台，并尽快改革。

20日是印尼独立斗争纪念日——民族觉醒日，也是印尼的法定假日。这一天反苏哈托示威达到高潮。据报道，大约7000余名学生冲进国会大厦广场，并彻夜占领。印尼反对派在雅加达、日惹、泗水、万隆、梭罗、棉兰等大城市发起反苏哈托大游行，参加示威的总人数达70万之众。

1998年5月21日，苏哈托神情凝重地在电视上发表讲话，宣布辞去总统职务，由副总统哈比比接任。

印尼的历史在这一刻发生了转变。印尼一度激烈动荡的政局也逐渐平息下来。

华人华侨　受到冲击

在“五月骚乱”中，印尼华人华侨受到严重冲击。

据估算，当时在印尼约有700万华人，华侨人数较少，有20多万。长期以来，他们主要从事商业活动，通过自己的辛勤劳动，为印尼的经济和社会发展作出了重要贡献。

“五月骚乱”中，华人不幸成为被攻击对象。被抢劫和烧毁的店铺多为华人所有，损失极为惨重，迄今无法进行完整、准确的统计。

据印尼全国人权委员会和人道志愿者组织后来公布的材料显示，5000多间房屋和商店被抢劫和烧毁，多为印尼华人的财产。特别是约有168名华人妇女遭强暴，其中20人死亡。

但当时苏哈托下台这件震动印尼社会的大事，吸引了印尼几乎所有舆论的注意力。直到一个多月后，当印尼新领导人宣布要调查“五月骚乱”真相时，华人华侨妇女被强暴的惨剧才陆续被当地媒体和妇女组织曝光。6月至7月，这些情况被西方媒体进一步披露出来，激起全球华人华侨极大的愤慨。

艰苦努力　积极救援

作为广大海外华人祖籍国的中国，此时如何表态、采取什么行动，备受关注。

骚乱发生后，党中央、国务院高度重视，始终密切关注印尼华人华侨的安危。外交部根据中央精神，多次召集国内有关部门召开协调会，研究对策，提出建议。驻印尼使馆为营救受难的华人华侨做了大量工作。

需要说明的是，华人与华侨是两个不同的概念。华侨是旅居国外持有中国护照的中国公民，华人则已加入当地国籍，从法律上说已是驻在国公民。

虽然如此，从血缘上说，华人仍是我们的亲戚。周恩来总理当年曾对华人有个非常形象的比喻，称他们是“嫁出去的女儿”。

中国政府不能也不会对华人华侨遭受的苦难视而不见。我们立即向印尼政府表明关切，指出印尼政府有责任保护华人华侨的基本权利。

但同时，华人的法律地位也决定了我们不便采取撤侨等方式。对印尼华人的保护，主要还是要通过印尼政府。

当务之急是要全力营救受难华人华侨同胞。我要求驻印尼使馆全体人员，想方设法帮助受到冲击的华人华侨。我们还多次通过外交途径，要求印尼政府采取有效措施，依法维护华人华侨合法权益，妥善处理华人华侨问题，查明事实真相，将肇事者绳之以法，并避免类似不幸事件再次发生。

陈士球大使为此先后拜会了哈比比总统、印尼投资部长、贸工部长等重要内阁成员，敦促他们尽快查处有关事件，有效保护华人华侨的人身安全和合法权益。

外交部领导也多次与印尼驻华使馆进行交涉，要求印尼政府保证华人华侨同印尼各族人民一样安居乐业，提醒他们妥善公正地处理印尼华人华侨问题，这有利于印尼自身的稳定和发展。

中国驻印尼大使馆的同志们废寝忘食、夜以继日地工作。陈士球大使和使馆同志多次赴雅加达和加里曼丹遭受冲击严重的华人地区进行安抚和慰问。他们分头给一时无法前去看望的华人华侨打电话询问情况，甚至在事态尚未平息的情况下，冒险驱车看望并协助受困人员。对于包括香港、台湾同胞在内的中国人，使馆连夜安排车辆，护送他们前往机场，撤离印尼。

根据事态的发展，我两次指示外交部发言人就“五月骚乱”发表谈话，表明中国政府的严正立场，强调中国政府一直对印尼华人华侨所受遭遇表示强烈关切和不安。

国内有关部门也予以积极配合，对愿意来中国的华人，我们一律放宽和简化入境手续，延长在华停留期限，还帮助他们解决子女来华就学等问题，并通过各种渠道，向受难华人做了大量安抚工作。据中国边检部门统计，仅5、6月份来华避难的印尼华人总数就超过10800人。

启德机场　抵埠谈话

“五月骚乱”后两个月，东盟地区论坛外长会议在菲律宾首都马尼拉召开。

我了解到印尼外长阿拉塔斯也将出席这次会议。我决定在会议期间同他会晤，就印尼华人华侨受冲击问题当面与他认真、严肃地谈一谈。

7月28日，我在马尼拉会见了阿拉塔斯。尽管我与阿拉塔斯外长有着良好的工作和个人关系，但在华人华侨切身利益这样重大原则问题上，我丝毫没有客气。

我严肃地向他指出，印尼华人遭受冲击的事，已经在全球华人中引起了强烈反响和义愤。华人和其他印尼公民一样，他们的正当权益理应受到合法保护。作为印尼华人的祖籍国，我们要求印尼政府重视目前事态，采取切实措施，妥善处理，确保此类事件不再重演。

阿拉塔斯外长心情沉重地表示，这是一件让印尼感到耻辱的事情。他告诉我，哈比比总统已经下令成立专门调查委员会，对事件进行调查。阿拉塔斯允诺印尼政府一定将凶手绳之以法。

我在马尼拉出席东盟地区论坛外长会议期间，全球海外华人对印尼华人华侨遭受冲击一事反响越来越强烈。在香港，还有不少政界人士已经就此联名致函哈比比总统，有人甚至走上街头，强烈呼吁印尼政府善待华人华侨。

中央对此高度重视，要求有关部门加紧做各方面工作，进一步保护海外华人华侨的合法权益。为此，王英凡副部长专门从北京给我打来电话，传达了中央的有关精神。

随着海外舆论的高涨，印尼局势和华人问题逐步成为世界关注的热点，我觉得我们有必要让全世界都知道中国政府的有关立场以及已经采取的各种措施。

东盟论坛会议闭幕后，我对马来西亚进行了短暂访问。访问期间，我一直在思考如何将中国政府的立场传达给全世界。

考虑到我回国途中将经停香港，而香港又是媒体相对集中之地，特别是香港对印尼华人华侨在“五月骚乱”中的遭遇反应强烈，我与有关同志商量后决定调整在香港的日程，一下飞机就在香港启德机场举行一场记者会，由我本人亲自就印尼华人华侨及“五月骚乱”问题，全面、系统地发表一次公开讲话。

我在吉隆坡即指示外交部驻香港特派员公署，在最短时间内将这一消息通知到香港各主要媒体，特别是华文媒体的记者。

当时外交部驻港公署负责新闻工作的参赞，就是后来担任过外交部部长助理的吴红波同志。他火速给香港各媒体打电话，通知他们几个小时后我将抵达启德机场，并在机场发表重要讲话。

各媒体反应积极，迅速派记者到场。在我抵达启德机场之前，大批记者已经等待多时，挤满了整个大厅。

8月3日下午，我乘坐国泰航空公司的航班离开吉隆坡启程赴香港。由于是在启程前才做的决定，我只好利用在飞机上的时间抓紧准备。我向随团负责新闻工作的同志口述了讲话内容，之后又亲自动笔反复修改，于飞机落地前才定稿。

当晚8点走下飞机时，我对讲话稿的内容已经烂熟于心，于是决

1998年8月3日，在启德机场向新闻界就印尼华人华侨在“五月骚乱”中遭受冲击的事件发表谈话，表明中国政府的严正立场。

定索性脱稿讲话。

我一口气对新闻界发表了35分钟的讲话。我首先表示，对于今年5月印尼骚乱期间针对华人华侨的暴行，中国人民和世界各地华人社会及团体感到十分义愤，这是理所当然的。中国政府对此次事件十分重视，极为关注印尼华人华侨的处境，多次通过外交途径要求印尼政府惩处凶手，确保华人华侨的生命财产安全和合法权益，防止类似事件再度发生。

我还告诉新闻界，阿拉塔斯外长坦言这件事让印尼感到耻辱。哈比比总统也认为这是一起极不人道的事件，他已经下令成立专门调查委员会对此进行调查。印尼政府承诺将肇事者绳之以法，并将采取措施，防止类似事件再次发生。对此，我们拭目以待。

讲话后，我还回答了记者的提问。

有些记者特别关心此次事件发生后，中国是否还会向印尼提供援助。我告诉他们，中国向印尼提供的援助是着眼于广大印尼人民的。中国对东南亚地区受金融风暴影响的国家伸出援手，是对正处于困境之中的邻居应该做的事，中国不会中断对印尼的经济援助。

我发表谈话后不久，当晚10点半，香港电台抢先播发了快讯，稍后香港无线、亚视等电视台也详细播发了我的讲话内容。香港《文汇报》、《大公报》、《南华早报》、《明报》等十几家报纸对上述谈话进行了大量突出的报道和评论，在国际上，特别是在全球海外华人华侨中产生了积极影响。

我原计划在记者招待会后直接去外交部驻港公署，会晤香港特别行政区首任行政长官董建华先生。由于机场讲话结束较晚，董特首看到电视新闻后，让他的秘书打电话给驻港公署，建议将会见改为邀请我到特区政府礼宾府，也就是原来的港督府去做客。他和夫人曾提出设晚宴招待我，后来考虑到我抵达港督府时间已近子夜时分，将晚宴改成了宵夜。

我因此有幸成为他在礼宾府会见和共进宵夜的第一位来自中央政府的客人。这是我同董特首的首次见面，谈得十分投机，他夫人也非常热情，还特地准备了日式点心款待我。

我在启德机场发表讲话的当天，《人民日报》就“五月骚乱”事件发表了题为《印尼华人的合法权益应得到保护》的评论员文章，敦促印尼政府尽早采取切实有力措施，严惩不法之徒，保护印尼华人的合法权益。

我在香港的公开讲话和《人民日报》评论员文章，在印尼华人华侨社会产生了巨大反响。广大华人华侨普遍感到高兴和振奋，纷纷给中国驻印尼使馆打电话，感谢中国政府对他们的道义支持。

中方就“五月骚乱”的表态也引起了印尼官方的重视和认真对待。印尼媒体普遍对表态内容进行摘录报道，陆续出现一些鼓励种族和睦的呼声。当地报纸刊登了一些肯定华人华侨对印尼的贡献、探讨骚乱深层历史根源的文章，批评了苏哈托的华人政策。印尼一家私人电视台还播放了呼吁种族和睦的公益广告。

此后一段时间，国内外仍很关注“五月骚乱”的后续情况，外交部的同志们和我本人继续就此事做了许多工作。

9月3日，我在南非德班出席第十二届不结盟运动首脑会议期间，与阿拉塔斯外长会晤时，再次敦促印尼方排除干扰，加快对“五月骚乱”事件进行调查。阿拉塔斯表示，印尼政府已组织专门调查小组，将彻底查处有关事件，惩处凶手，保证类似事件不再发生。

以史为鉴　放眼未来

中国和印尼曾有过长期友好交往的历史。公历纪年前后，中国和今天印尼一带就有贸易往来，晋朝开始（公元5世纪）有定期的船舶往来，唐宋时期关系已很密切。明朝郑和七下西洋，每次都经过印尼，印尼三宝垄等地至今还留有郑和庙。

在东南亚国家中，印尼是最早与中国建交的国家，然而两国关系也经历过较大挫折。其中华人华侨问题就一直是中印尼关系极为敏感的问题。

自1950年建交后，印尼政府就向我提出了华人的双重国籍问题。经过多轮谈判，两国政府就解决印尼华人双重国籍问题达成一致，在印尼华侨可自愿选择国籍。大部分华侨当时加入印尼籍，成为印尼公民，也有部分华侨撤回国内。

“9·30”事件后，印尼军方曾一度无端指责印尼华人为“第五

2002年5月17日，在雅加达会见印尼总统梅加瓦蒂。

纵队”[1]。在苏哈托执政的三十多年间，印尼政府一直对华人采取限制、同化的措施。华人的身份证件上有特殊标记，华人不能参军，不能从政，在择业方面也受到很多限制。

由于华人长期以来政治上无权、经济上相对富裕等特点，导致他们在历次印尼社会冲突中，都成为遭受冲击的主要对象，生命财产受到严重损害。

客观地讲，“五月骚乱”是印尼多年来积累的政治、经济和社会矛盾的总爆发，并不是完全针对华人华侨的，也不是针对中国的，但不幸的是华人华侨在骚乱中受到的伤害最深。

1 “第五纵队”一词，出现在二战前夕西班牙内战中。1936年10月，西班牙叛军首领佛朗哥在纳粹德国的支持下进攻马德里。当记者问佛朗哥哪支部队会首先攻占马德里时，他手下一位司令得意地说是“第五纵队”，其实他当时只有四个纵队的兵力，“第五纵队”指的是潜伏于马德里市区的内奸。此后，“第五纵队”即成为对他国进行颠覆活动时收买的叛徒和派入的间谍的通称。

2004年接受印尼媒体采访。

印尼华人华侨处境的改善很大程度上取决于印尼国内政治局势的发展。我们在关注、保护印尼华人华侨正当权益的同时，还应当努力保持中印尼两国之间的正常关系，正面加强对印尼政府的工作，以利于印尼华人华侨改善生存环境。

正是出于上述考虑，我们既不能对华人华侨遭受的冲击和损失视而不见，也不能因为感情用事而影响大局，导致中印尼关系倒退，更不能因为举措不当，导致印尼华人华侨陷入更大困境。

2002年和2004年，我先后两次访问印尼。访问中，每每透过车窗，看到雅加达整齐的街区和车水马龙的道路，以及新的拔地而起的一幢幢大厦，我明显感受到印尼经济已逐步走出了金融危机的阴霾，整个社会都呈现出一片欣欣向荣的景象。

几年来，印尼华人华侨的生存环境也得到了很大改善。瓦希德政府开始对华人政策逐渐松绑，他曾公开表示自己有华人血统，卸任后还到福建泉州一带寻根问祖。

梅加瓦蒂总统将春节定为印尼的法定节日，农历正月初一全国放假一天。自此，印尼华族和其他民族一样，有权庆祝本民族的传统节日。

印尼中文报纸、电视、华文学校等也如雨后春笋般涌现。华人不但更加融入主流社会，而且已经开始从政，出现了华人政党、华人部长和华人议员，华人在印尼政坛开始崭露头角。这在苏哈托时代是难以想象的。

苏希洛政府2006年通过新的《国籍法》，2008年又通过《消除种族歧视法》，取消了对华人等少数族裔的歧视性条款，正式从法律上赋予印尼华人等少数族裔平等地位。

印尼华人社会地位和生存环境的改善一方面与印尼华人社会整体，特别是华裔政府官员和国会议员的努力分不开，另一方面也离不开祖籍国的发展壮大和中印尼关系的发展。近年来，中国综合国力不断提高，国际影响日益扩大，与周边邻国在政治、经济、文化

2004年11月5日，在雅加达会见印尼总统苏希洛。

等各领域建立了紧密的联系，不断扩大友好交流与合作。

印尼后来的几任政府，不论是瓦希德总统、梅加瓦蒂总统还是苏希洛总统，都充分认识到中国的影响，也认识到发展与中国的友好关系对印尼十分重要。

2005年，胡锦涛主席对印尼进行了十分成功的国事访问，与苏希洛总统共同签署了建立中印尼战略伙伴关系的联合宣言，印尼在东盟各国中首先成为中国的战略伙伴，两国关系掀开了新的历史篇章。

这些年来，我始终密切关注印尼局势以及中印尼关系的发展变化，印尼政府积极推行的民族和睦政策令人赞赏。

印尼民族和睦，社会稳定，经济发展符合印尼自身的现实和长远利益，也有利于中印尼关系的长期健康发展。

我们始终鼓励华人华侨遵守印尼法律和民族习惯，鼓励他们与印尼各族人民和谐相处，为印尼经济社会发展多作贡献，为中印尼友好合作关系发挥桥梁和纽带作用。

四赴纽约

——2003年伊拉克战争前的外交斗争

2009年1月20日晚，我通过电视收看了美国第44任总统奥巴马的就职演讲。他谈到美国的传统和当前面临的挑战，也谈到变革。当他提到伊拉克问题时，有一句话特别引起了我的注意。他说："我们将以负责任的态度，将伊拉克还给伊拉克人民。"这句话虽短，但是一个信号，表明美国对伊拉克政策将做出重大调整。

美国在伊拉克的战争已经打了六年，伊拉克不仅没有按照美国当初的设想，成为一个"民主样板国家"，反而陷入混乱。美国也身陷其中，不能自拔，伊拉克成为布什政府的一个沉重负担。奥巴马要调整美国对伊拉克政策，自然是形势使然。

早知今日，何必当初。六年前的那场战争其实是完全可以避免的。国际社会曾经全力劝阻，包括我自己在内的许多人士都曾为和平而忙碌、奔走。

山雨欲来　狂风满楼

每年的9月都是联合国最忙碌的时候。各国领导人和外长这时都会云集位于纽约东河畔的联合国总部大楼，出席一年一度的联合国大会一般性辩论。说是辩论，其实就是各国领导人和外长轮流在联合国大会发言，阐述本国的外交政策和在重大国际问题上的立场、主张。

2002年第57届联合国大会的一般性辩论适逢"9·11"事件[1]一周年。

一年来，国际形势发生重大变化，反对和打击恐怖主义成为国

1　2001年9月11日上午，恐怖分子劫持民用飞机，分别撞击美国纽约世界贸易中心双子塔楼和位于华盛顿市郊的美国国防部所在地五角大楼，数千人在这场恐怖袭击中死亡，史称"9·11"事件。总部设在阿富汗的"基地"组织宣称对此事件负责。

际关系调整的主轴。美国在阿富汗开展了代号为“持久自由”的军事行动，推翻了塔利班政权，打击“基地”组织，并将反恐战争的下一个目标锁定为伊拉克。

9月12日，美国总统布什将在联大一般性辩论开幕式上发言。利用地利之便，美国总统每年都在开幕式上讲话，但这次讲话却格外引人注目。此前，媒体普遍认为布什将在这次讲话中对伊拉克“摊牌”。

果然，布什在讲话中用了相当大的篇幅讲伊拉克问题。他说，12年前，伊拉克入侵科威特，联合国阻止了那次侵略。为了中止敌对行动，挽救自己，伊拉克独裁者做出了一系列承诺，并同意用事实证明他履行其中每一项义务。但他最终证明的仅仅是他对联合国所做承诺的蔑视。

布什随后逐一列举了伊拉克违反联合国安全理事会决议的情况，表示如果伊拉克要和平，就应该立即销毁大规模杀伤性武器，停止支持恐怖主义，停止迫害伊拉克人民，释放海湾战争被俘人员，停止非法贸易。

布什强调，美国将与安理会合作，共同迎接挑战。布什说，如果伊拉克政权再次无视我们，世界将慎重和果断地采取行动，让伊拉克为其行为负责。美国将与安理会合作，制定必要的决议。

布什的强硬讲话成为当天世界各大媒体的头条新闻。

我是出席第57届联合国大会的中国代表团团长，当时就坐在联合国大会厅内。我当时的感觉是，伊拉克又到了一个战与和的十字路口。

1990年8月，伊拉克入侵科威特。这严重违反了《联合国宪章》的宗旨和原则。在得到安理会的授权后，美国率领的多国部队于1991年1月发动了“沙漠风暴”军事行动，将伊拉克军队逐出科威特。这就是第一次海湾战争。

从1990年8月到2003年9月，安理会通过了近60项决议，对伊拉克采取了最为严厉的全面制裁措施，并且要求伊拉克无条件销毁、拆除所有化学、生物武器和射程超过150公里的弹道导弹，不得参与或支持国际恐怖主义活动。联合国还成立了一个武器核查特别委员会（简称联合国特委会），专门负责对伊拉克进行武器核查。这些制裁使伊拉克老百姓的生活过得很艰难，他们为萨达姆的政策付出了沉重代价。

从1991年5月开始，对伊拉克的武器核查断断续续进行了12年，一直没有结束。其间，美国总统由老布什换为克林顿，又换为小布什，联合国秘书长也从德奎利亚尔、加利换为安南。在这12年中，伊拉克与联合国特委会龃龉和矛盾不断，数次酿成危机。

1997年5月后，伊拉克多次拒绝了特委会对伊拉克总统府进行核查的要求，还因此几次中止了与特委会的合作。

1997年12月，美国和英国对伊拉克实施了代号为“沙漠之狐”的军事行动，伊拉克随即全面中止了与特委会的合作。

1999年12月，安理会通过1284号决议，成立联合国监督、核查及视察委员会（简称联合国监核会），取代特委会，与国际原子能机构合作，负责对伊拉克的武器核查。伊拉克没有接受这一决议，但后来随着形势的发展，不得不同意监核会赴伊拉克进行核查。

“9·11”事件后，美国与伊拉克的关系雪上加霜。美国指责伊拉克与“基地”组织有染，违反安理会决议，研发大规模杀伤性武器。美国声称，伊拉克对美国的国家安全及美国在中东的战略利益构成直接挑战，因此把伊拉克列入“邪恶轴心”[1]之首，威胁采取“先发制人”的战略，对伊拉克实施军事打击。

美国对伊拉克动武的企图，遭到世界上绝大多数国家和联合国秘书长安南的反对，就连美国的盟国也不赞同，国际社会普遍呼吁在联合国安理会框架内寻求政治解决。在内、外压力下，布什政府

1　2002年1月，布什总统在一年一度的国情咨文讲话中，把伊拉克、伊朗和朝鲜并称为“邪恶轴心”。

不得不将伊拉克问题重新拿回安理会讨论。

安理会是联合国六大主要机构之一[1]，共有15个成员，其中5个是常任理事国，即中国、美国、俄罗斯、英国和法国。此外，还有10个非常任理事国，按地区分配，由联合国大会选举产生，任期两年。

《联合国宪章》规定，安理会的主要职能是，调查国际争端或可能引起国际摩擦的局势，促请争端当事国和平解决争端，断定威胁和平、破坏和平或侵略行为，并可以采取经济、外交、军事行动予以制止等。

由此可见，安理会是国际集体安全机制的核心机构，对维护国际和平与安全负有首要责任。安理会是联合国唯一有权采取强制性行动的机构，包括使用武力，其决议对各国均有强制约束力。

如果安理会在认定发生威胁和平或破坏和平的情况下，援引《联合国宪章》有关条款，授权联合国会员国使用武力恢复国际和平与安全，那么从国际法角度讲，有关国家对另一国使用武力的行动就具有了合法性。

一国如果不是出于自卫，又没有安理会授权，就对另一国动用武力，其行为就不具备合法性，自然不会得到国际社会的认同和支持。

正因为安理会在维护国际和平与安全方面的重要性和权威性，世界各国都十分看重安理会的作用。这也是为什么布什要把伊拉克问题重新拿到安理会来讨论的原因。

布什的讲话让伊拉克感到了压力。2002年9月16日，伊拉克外长萨布里致函联合国秘书长安南，表示伊拉克将无条件接受联合国武器核查人员重返伊拉克。

对伊拉克的这一决定，美国不以为然，并指责伊拉克这样做只是为了逃避制裁，仍然坚持安理会需要通过一项新决议，强制伊拉克全面履行安理会有关决议，无条件地与联合国进行合作。

1　其余五个是联合国大会、经社理事会、托管理事会、国际法院和秘书处。

同一天，我在纽约应约和萨布里外长通了电话。一个月前，我曾在北京接待过他，就伊拉克与联合国合作问题做过他的工作。

萨布里在电话中向我介绍了伊拉克方面的有关考虑，希望中国继续为在联合国框架内政治解决伊拉克问题做出努力。

我对他说，中方对伊拉克无条件接受联合国武器核查人员重返的决定表示欢迎，这是伊拉克在关键时刻做出的明智决定，为包括中国在内的国际社会争取政治解决伊拉克问题增加了更多的机会。

2002年9月26日，我正在巴黎陪同朱镕基总理对法国进行正式访问，美国国务卿鲍威尔要求同我通话。

我想，美国人此时这么着急要和我通话，十有八九是想在争取安理会通过一项新决议的问题上，寻求中国的支持。

但是，我们还不知道美国人正在起草的决议草案有些什么内容。如果草案里有涉及授权动武的内容，这将与中国一贯主张和平解决地区争端的外交政策相悖，中国是肯定不会支持的。我必须跟他讲清楚这一点。

我决定先听听鲍威尔说些什么，再做出回应。

果然，鲍威尔告诉我，美国正在同英国讨论伊拉克问题安理会新决议草案内容。美国认为，安理会通过一项坚定和强硬的新决议是必要的，这将迫使伊拉克同联合国合作，并认真执行安理会决议。

鲍威尔说，关于草案的具体内容，美方将向正在华盛顿访问的中国外交部部长助理周文重做全面通报，安理会五个常任理事国可就此进行讨论。

鲍威尔说完后，我首先肯定了美方愿意通过联合国框架政治解决伊拉克问题的态度。我对他说，在伊拉克问题上发挥联合国的主导作用，维护安理会权威，已经成为国际社会的共同愿望。现在伊拉克问题已经到了一个是战还是和的关键时刻，采取任何行动，都要全面考虑可能产生的影响和后果。在这一问题上，中方的立场美方是清楚的。

我接着对他说，中方认为，安理会在讨论伊拉克问题时，可以先着手解决武器核查问题，然后根据核查结果，再决定下一步采取什么行动。这样更容易得到国际社会的支持，也可以显示出安理会愿意尝试所有的和平手段。因此，当务之急是要推动联合国核查人员尽快重返伊拉克。

很快，美国向安理会五个常任理事国散发了由美英共同起草的伊拉克问题决议草案，草案提出了严厉的对伊武器核查条件与方式。9月30日，英国外交大臣派特使欧威廉专程来北京，向中方提交了草案文本。欧威廉是英国资深外交官，后来出任英国驻华大使。

这个草案核心内容其实很简单，就是伊拉克必须在决议通过后的30天内，向安理会提交其研发大规模杀伤性武器的报告。伊拉克还必须立即、无条件允许联合国监核会和国际原子能机构人员，以任何方式、对任何地点进行不受限制的核查。如果伊拉克有任何欺骗或隐瞒，或对核查不予全面、充分合作，任何会员国都有权使用一切必要手段，维护该地区的和平与安全。

自然，这里讲的“一切必要手段”包括了使用武力。如果这个决议草案获得通过，那就意味着，只要美国对伊拉克与联合国的合作不满意，就可以对伊拉克采取包括使用武力在内的一切行动。这实际上就是一个“一步到位”、自动授权美国对伊拉克动武的决议草案。

就在英方向我们提交决议草案的同一天，俄罗斯外长伊万诺夫给我打来电话，向我谈了俄方对决议草案的看法。

伊万诺夫说，俄罗斯认真研究了草案内容，认为案文包含了允许对伊拉克自动使用武力的条款，因此俄罗斯无法接受这一草案。他还告诉我，法国也赞同俄罗斯的立场。

看来，俄罗斯同我们的看法是一致的。我告诉伊万诺夫，中方的态度很明确，就是要争取在联合国框架内政治解决伊拉克问题。安理会可以分两步走，先让联合国武器核查人员尽快返回伊拉克并顺利开展工作，再根据核查结果决定安理会下一步行动。

“自动授权” 此路不通

从我们了解的情况看，安理会五个常任理事国围绕美国、英国提出的决议草案分歧很大，实际上是分成了两派。

美国、英国想“一步到位”。中国、法国、俄罗斯三国都主张“分两步走”。法国和俄罗斯的调门都很高，他们甚至表示，如果美英两国不接受“分两步走”的方案，在安理会表决这个决议草案时，将不惜使用否决权。

这给美英带来了很大压力。根据《联合国宪章》规定，对非程序性问题的决议草案，只要有一个安理会常任理事国投反对票，就无法通过。这就是人们常说的否决权和“五大国一致”原则。现在既然法国、俄罗斯都声称要否决美英决议草案，那么这个决议草案显然不可能在安理会通过。

在中国、法国、俄罗斯的坚持下，美英不得不对决议草案进行多次修改。经过一个多月的磋商，“五常”之间仍然存在分歧，中、法、俄对涉及“自动授权动武”的有关表述还不满意。美国人有些坐不住了。

2002年11月6日上午，美国国务卿鲍威尔紧急要求和我通话。

我按约定时间，来到外交部通话室。

外交通话并不像人们想象的那样，可以随时拿起电话就打。通常外交通话要在约定的时间进行。通常情况下由一方先讲话，讲话方的翻译翻成另一方语言，再由另一方作答。

通话中，鲍威尔对我说，美国将于当天在安理会正式散发最新决议草案，并将要求在48小时后付诸表决。鲍威尔说，他非常期待中国继续发挥重要作用，推动“五常”及时达成共识，以便安理会早日协商一致通过新决议。

几个小时后，我们就拿到了美国散发的最新决议草案。从内容上

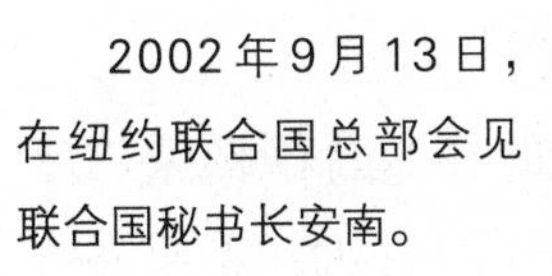

2002年9月13日，在纽约联合国总部会见联合国秘书长安南。

看，美英已经拿掉了暗含“自动授权动武”的内容，这基本上符合我们“分两步走”的思路。应该说，我们最关切的问题得到了解决。在这样的情况下，通过一个新决议，对我们已经没有很大困难了。

当时，恰好轮到中国担任安理会轮值主席。

安理会轮值主席由15个成员国轮流担任，顺序是按照各国国名英文首个字母排列，任期一个月。轮值主席负责主持安理会会议和其他安理会的日常事务，对外代表安理会。各国在担任轮值主席时，往往会利用主持会议之便，在会议的组织、议题的讨论方面加以引导和推动。

在当时的情况下，国际社会对伊拉克是否发展大规模杀伤性武器是有严重关切的，普遍支持恢复对伊拉克的武器核查。如果安理会能够通过一个决议，要求伊拉克与联合国进行全面、充分合作，将有助于解决国际社会的关切，推动伊拉克问题在联合国框架内得到政治解决。

因此，我们应该充分利用担任安理会轮值主席的有利地位，在安理会讨论这个决议草案过程中，在常任理事国之间居间协调，做有关各方工作，推动就决议草案最终达成共识。这样既可以代表国际社会向伊拉克发出明确信号，也可以充分展现中国在这一问题上所持的公正立场和发挥的建设性作用。

于是，我在美国散发最新决议草案的当天，分别与俄罗斯、法国外长及联合国秘书长安南通了电话。

我对他们强调，经过一段时间的磋商，“五常”已经在新决议草案的许多方面达成重要共识。美方也根据最近磋商情况，对案文做了相应修改，进一步照顾了有关国家的关切，有一定积极意义，有助于“五常”达成一致。

我表示，在目前阶段，各方都希望通过磋商在联合国框架内求得政治解决，也都认为目前正处于一个十分重要的时机，希望各方在磋商中继续显示灵活和合作态度，为安理会取得一致而共同努力。

各方都赞同我的看法，也做出了积极回应。

俄方认为，新案文做了一些调整和让步，但俄方还有个别关切。俄方希望“五常”驻联合国代表进一步协调，为达成一致铺平道路。

法方也表示，调整后的美国新案文基本符合“分两步走”的思路。法国也希望安理会各成员能够在最后阶段达成一致，向伊拉克发出强烈和明确的信息。

安南秘书长高度评价中国在伊拉克问题上所持的立场和发挥的建设性作用，他认为，如果安理会能够以完全一致或近乎一致的方式，通过这个重要决议，将是目前能够取得的最好结果。他向我表示，在中方担任安理会轮值主席期间，他本人将以建设性的合作姿态，积极协助中方的工作，推动安理会通过新决议，并确保决议得到有效执行。

2002年11月8日，联合国安理会一致通过关于伊拉克问题的1441号决议案。

针对俄罗斯和法国的关切，美国很快又对案文做了修改，并在11月7日下午散发了决议草案的最终稿。至此，五个常任理事国终于就决议草案达成一致。

11月8日，在中国常驻联合国副代表张义山大使的主持下，安理会以15票赞成一致通过一项关于伊拉克问题的决议，这是联合国自1945年成立以来，安理会通过的第1441个决议。因此，我们称之为安理会第1441号决议。

这项决议规定，伊拉克必须立即同意联合国核查人员重新返回伊拉克，并允许他们开展大规模、不受限制的武器核查。联合国核查人员要在决议通过后的45天内再次前往伊拉克开展核查，并在其后的60天内向安理会报告初步核查情况。安理会将根据他们报告的内容和伊拉克的实际情况，考虑下一步将采取什么样的行动。决议还规定，如果伊拉克不充分执行该决议，将面临“严重后果”。

可以看出，决议没有包含“自动授权动武”的内容，同时使得联合国武器核查人员可以迅速返回伊拉克开展工作，并保证了安理会对下一步的行动拥有主导权。

这是一个各方都能够接受的决议。国际社会包括联合国秘书长安南，普遍给予积极评价，认为决议有利于维护安理会权威，为恢复伊拉克与联合国合作提供了新机会，有助于推动伊拉克问题的政治解决。可以说，这个决议缓解了一触即发的紧张局势，为和平争取了时间和机会。

安理会通过1441号决议后，伊拉克随即宣布接受该决议。不久，伊拉克即按照决议的要求，向联合国提交了长达12000页的关于大规模杀伤性武器和导弹研发的报告。

这份报告的全文只发给了安理会五个常任理事国，而在向安理会其他成员提供的版本中则删去了很多敏感内容。这样做的目的是防止报告中涉及的有关大规模杀伤性武器的技术资料被扩散。当时，本着高度负责的态度，我们专门指定中国常驻联合国代表团的同志全程“押运”，将这份报告送回国内。

2002年11月27日，联合国核查人员抵达伊拉克。联合国对伊拉克武器核查工作重新开始了。

海湾上空　战云密布

在联合国恢复对伊拉克武器核查的同时，美国一方面加快军事部署，在海湾地区大规模集结部队；一方面在国际上组建“倒萨达姆志愿者同盟”，为对伊拉克开战做战前准备。

据报道，2002年年底之前，美军在海湾地区已经部署了陆、海、空军约6万人。这些兵力主要集结在美国在伊拉克周边建立的军事基地，分布在伊拉克北部的土耳其、南部的波斯湾、西南部的以色列、沙特阿拉伯，东南部的科威特、巴林、卡塔尔、阿联酋和阿曼。美国还出动了“星座”号和“杜鲁门”号两艘航空母舰、1艘潜艇、近20艘水面舰艇和约400架各种用途的先进飞机。

仅2003年1月，美国就陆续向海湾地区增兵10余万。英国也向海湾地区派出了兵力。

一时间，海湾地区战云密布，局势骤然紧张。

但是，美英并没有马上动手，而是加大了外交努力，仍然寄希望于拿到安理会授权，掌握对伊拉克动武的“尚方宝剑”，使其军事行动合法化。

安理会内部对于是否授权美英对伊拉克动武，分歧非常严重，围绕是战是查展开了一场惊心动魄的激烈较量。

我也因此在短短一个多月的时间内四赴纽约，为和平奔走。

一赴纽约　相互摸底

2003年新年伊始，法国外长德维尔潘通过法国驻华使馆给我捎来口信。

他说，法国是当月的安理会轮值主席。他建议于1月20日在纽约召开一个安理会反恐问题外长会议，总结在联合国框架内开展的反恐斗争，以便更有效地打击恐怖主义。

这当然是个不错的建议，但也给我出了一个难题。

按照惯例，我每年年初都会访问非洲。当时，我已经确定要在1月16日至26日之间，访问毛里求斯、博茨瓦纳、刚果（布）、刚果（金）等非洲国家，还要去意大利。法国的上述建议，时间上显然对我有所不便。

另一方面，“9·11”事件后，反恐成为国际社会高度关注的一个问题，安理会在反恐方面取得了很大成绩。但在印尼巴厘岛、莫斯科、肯尼亚的蒙巴萨等地仍接二连三地发生恐怖袭击事件。法国此时建议召开安理会反恐问题外长会，主要目的就是要保持国际反恐合作的势头。

中国在“9·11”事件后，积极参与国际反恐合作，受到国际社会高度赞赏。如果届时我能够出席安理会反恐外长会议，无疑将有助于继续体现我们参与国际反恐合作的积极态度，显示中国在国际事务中的建设性作用。

当时，围绕伊拉克问题，海湾局势已经十分紧张，我估计伊拉克问题很可能会成为与会各国外长讨论的一个重要话题。美国、英国、法国、俄罗斯等主要国家外长都已经同意召开这个会议，并且决定届时亲自与会。他们都表示重视中国的作用，希望我届时也能参加会议。

看来，这次我需要专门跑一趟纽约。经请示中央批准后，我决定从非洲之行中抽出一天时间赴纽约与会。

1月18日，我在结束对博茨瓦纳的访问后，租用法国一家航空公司的包机，于当晚10点离开哈博罗内，在几内亚首都科纳克里做短暂技术性停留后，飞往纽约。

19日上午，在经过9个小时的连续飞行后，终于抵达纽约肯尼迪国际机场。

那一次，我在纽约总共只停留了35个小时。在这短短的一天半时间内，我除参加安理会反恐问题外长会议外，还密集地会见了美国国务卿鲍威尔、俄罗斯外长伊万诺夫、德国副总理兼外长菲舍尔和联合国秘书长安南。

在这些双边会见中，我们谈的核心问题都是伊拉克问题。

就在四天前，联合国武器核查人员在伊拉克的一个弹药库内，发现了12枚空化学弹头，在两名伊拉克科学家的住宅，发现了3000多页与核技术有关的文件。

美国方面一口咬定这是伊拉克"实质性"违反联合国决议的"严重事件"。法国、俄罗斯、德国等则持不同意见，主张先听取联合国核查人员的报告，然后再做判断。

我在会见鲍威尔时，他明确表示，伊拉克所剩的时间已经不多了，必须抓住最后的机会，与国际社会合作，履行安理会第1441号决议。

2002年9月14日，在纽约联合国总部会见美国国务卿鲍威尔。

他同时表示，布什总统还没有就美国是否对伊拉克动武做出任何决定，仍然希望通过和平手段政治解决伊拉克问题。他说，美国在海湾地区进行军事部署是为了应对各种可能出现的情况。

他告诉我，联合国监核会和国际原子能机构将于一周后向安理会提交报告，汇报对伊拉克进行武器核查的结果。布什总统已经指示美国常驻联合国代表团，仔细研究这份报告及安理会成员的反应。在那之后，布什总统将与江泽民主席以及其他有关国家领导人磋商，然后再决定下一步采取什么样的行动。

显然，美国认为他们已经证据在握，因而态度十分强硬。

针对美方的态度，我向鲍威尔强调，在联合国框架内政治解决伊拉克问题是代价最小的办法。当前还是要继续进行联合国的武器核查，让事实说话。至于下一步怎么走，要由安理会来决定。安理会应该尊重联合国监核会和国际原子能机构的意见。

2002年9月13日，出席由联合国秘书长安南（右二）在纽约联合国总部举行的安理会五常任理事国外长午餐会。

在这个问题上，俄罗斯和中国的立场比较接近。我和伊万诺夫外长都认为，如果有关方面对伊拉克提交的大规模杀伤性武器情况报告存在疑问，可以要求伊拉克做出解释和澄清。各方应该支持联合国监核会和国际原子能机构开展客观、公正的核查，给予他们充足的核查时间，并且要尊重他们的评估结果。至于伊拉克问题下一步如何处理，只能由安理会讨论决定。

德国也反对通过武力解决伊拉克问题。菲舍尔说，德国认为，安理会第1441号决议可以通过非军事手段得到执行。诉诸武力将带来人道主义灾难，甚至会使恐怖主义抬头，可能产生的负面影响不可低估。

他对联合国在伊拉克的核查工作评价很高，认为联合国监核会和国际原子能机构的工作相当出色。他说，如果各方的目标真是解除伊拉克的大规模杀伤性武器，就不应阻拦核查工作继续进行。安理会在听取两机构报告后，应谨慎行事，不应使事态朝着错误的方向发展。

他最后明确地告诉我，施罗德总理和他本人都认为，德国应全力促使伊拉克问题得到政治解决，德国将不参与任何对伊拉克的战争。

作为安理会轮值主席国，法国外长德维尔潘2003年1月20日专门在法国常驻联合国代表的官邸，为与会的各国外长和联合国秘书长安南举行午宴。结果，这场午宴变成了一个热烈的讨论会，大家都在谈工作，主要围绕联合国监核会和国际原子能机构对伊拉克核查的结果，以及下一步国际社会如何处理伊拉克问题各抒己见。这实际上是安理会成员在这些问题上的一次相互“摸底”。

鲍威尔坚持认为，伊拉克就大规模杀伤性武器问题提交的报告并没有说出真相。他一再强调，联合国监核会和国际原子能机构定于27日向安理会做的通报固然很重要，但对伊拉克的核查也不能无限期地进行下去。他甚至说，如果伊拉克还是不认真执行1441号决议，美国不排除近期将对伊拉克动武。美国关心伊拉克经济发展和社会稳定，会给伊拉克人民带来一个新政府，帮助他们更好地开发石油资源。

英国外交大臣斯特劳在一旁附和说，历史证明伊拉克只有在强大的军事压力下才能认真执行安理会决议，有关外交努力也只有在压力下才能取得成果。他说，英国不会容忍伊拉克继续逃避承担销毁大规模杀伤性武器的义务。

联合国秘书长安南首先表示，有必要继续对伊拉克保持压力，以免伊拉克误判形势，又要花招。他说，如果没有前一段时间美国施加的强大压力，伊拉克可能至今也不会同意联合国核查人员重返，对伊拉克的武器核查也不会像现在这样强化进行。安南同时也表示，应该给核查人员合理的时间，以便他们完成任务。

法国、俄罗斯、德国的立场很鲜明，他们都支持继续进行核查，反对对伊拉克动武。

2002年9月14日，在纽约联合国总部会见英国外交大臣斯特劳。

俄罗斯外长伊万诺夫认为，两机构负责人近日对伊拉克的访问取得了积极成果，各方都应该支持核查人员继续开展工作，给他们更多的时间，确保安理会决议得到认真执行。他针锋相对地说，联合国对伊拉克的政策目标是裁军，而不是改变政权。

法国外长德维尔潘说，如果现在对伊拉克动武，等于抵消了前一段的成绩，否定了核查的意义。有关方面应该考虑对伊拉克动武可能造成严重后果，这后果不仅是针对伊拉克的，也包括对地区形势和周边国家的影响。他毫不掩饰地说，安理会目前在是否应对伊拉克动武问题上分歧很大，如果有关国家一意孤行，将会削弱安理会的权威与作用。

其他国家也表明了态度。德国外长菲舍尔赞同俄罗斯外长伊万诺夫的观点，认为联合国在伊拉克的目标就是实现裁军。德国支持核查人员继续开展工作。巴基斯坦则担心美国对伊拉克动武会激起伊斯兰世界对美国更大的敌意。

叙利亚外长因故未能出席这次会议，他派叙利亚常驻联合国代表与会。叙利亚代表对大家说，叙利亚外长刚刚访问了沙特阿拉伯、伊朗和土耳其，这三个国家都认为伊拉克已销毁了大量大规模杀伤性武器，已经不对邻国构成威胁了，相反，以色列才是整个中东地区的最大威胁。叙利亚认为，国际社会当前的工作重点不应该是对伊拉克动武，而应是早日解决巴以冲突。叙利亚的发言某种程度上代表了广大阿拉伯国家的态度。

我也在午宴上发表了讲话。我说，迄今为止对伊拉克的核查进展基本上是顺利的，并没有发现大的问题。监核会和国际原子能机构刚刚与伊拉克达成了一份包括十项内容的声明，两机构还希望能有更多时间进行核查。安理会应该重视并尊重他们的意见。

我明确地表示，1月27日安理会将再次听取核查通报，这一通报并不意味着核查的结束，各方应该本着客观和实事求是的态度，尊重两机构提供的情况和评估意见。伊拉克是否遵守了安理会决议，是否仍然拥有大规模杀伤性武器，都应该让事实来说话，而不要匆忙下结论。如果形势发展确实需要安理会采取进一步行动，也应该在听取两机构意见的基础上，经过安理会充分协商，慎重决定。

当天晚上，我就乘包机离开纽约，飞往布拉柴维尔，开始对刚果（布）的访问，继续我的非洲之旅。

看着舷窗外逐渐远去的肯尼迪国际机场，我回味着过去这一天多的时间里，各国在反恐问题外长会外围绕伊拉克问题展开的密集外交活动。想到各方针锋相对的立场，我隐约感到，这仅仅是一个开始，安理会在伊拉克问题上还会有一番更为激烈的争执和较量。

再赴纽约　美国摊牌

2003年1月27日，联合国监核会及国际原子能机构向安理会提交了报告，表示到目前为止还没有发现伊拉克发展大规模杀伤性武器的确凿证据，要求继续对伊拉克进行核查。

国际社会普遍支持两机构的要求，但美国始终坚持认为，只要萨达姆在台上，延长对伊拉克武器核查就没有意义。

两机构提交报告的第二天，美国总统布什在华盛顿发表国情咨文，再次指责伊拉克没有切实履行1441号决议，并称伊拉克与“基地”组织有联系。他明确提出美国要领导一个国际联盟，解除伊拉克武装。

布什在讲话中提出，美国将要求安理会于2月5日召开外长会议，专门讨论伊拉克问题。

我立即指示驻美使馆了解美方意图何在，有何具体考虑。美方向我们透露，鲍威尔将在这次会议上向与会各方提供美国掌握的一些情报，这些情报将足以证明伊拉克违反了安理会决议，拥有大规模杀伤性武器。

美国方面还说，美国非常看重中国的地位和作用，希望中国外长届时能够出席。此后，美方还通过各种渠道，多次向我们表达了同样的意思。

我们同时了解到，英国、法国、俄罗斯、德国等主要国家的外长都已经决定与会。

鉴于上述情况，我决定再赴纽约。

那段时间恰逢中国的传统节日春节假期。2月1日是大年初一。这天上午，我专门召集外交部有关同志开会，研究与会有关问题。

其实，这段时间以来，外交部不少同志一直在加班加点地工作，有的就连大年三十晚上也是在办公室度过的。在他们的心中，当然希望在节假日里与家人团聚，但工作需要他们，他们都坚守在岗位上。这是很多外交官都有过的经历。

我们对这次外长会前的形势和可能出现的情况进行了认真梳理和分析。

当时，美国在外交上展开了一系列行动。布什总统、鲍威尔国务卿纷纷出面，给安理会成员的领导人和外长打电话，希望他们支持安理会通过一项授权美国对伊拉克动武的决议。

虽然美国口头上一再表示即使拿不到安理会授权也要动武，但内心还是希望尽一切可能争取拿到这样一份决议。所以，鲍威尔要亲赴安理会介绍情况，就是为了显示美国掌握伊拉克违反安理会决议的确凿证据，推动安理会加快审议伊拉克问题的进程，实际上是向伊拉克摊牌。

当人们还在欢度春节时，我和我的同事们已经登上了前往纽约的飞机。通常情况下，申办美国的签证很费周折，但这次美国人痛快

2003年2月5日，联合国安理会在美国纽约联合国总部就伊拉克问题举行公开会议。

得很。当外交部的一位同志拿着代表团一行的护照前往美国驻华使馆时，虽然美国驻华使馆人员也在放假，但美方签证官员还是早早地等在那里，把这位同志请入使馆，当即在我们的护照上做了签证。

2月5日，安理会就伊拉克问题举行公开会。所谓公开会，顾名思义，除了安理会15个成员外，会议对外界公开。其他联合国会员国、媒体也都可以出席并听取会议情况。

当时，伊拉克问题是国际上的头等大事。各方特别是美国高度重视。那一次，美国与会阵容空前强大，除了国务卿鲍威尔外，还有中情局局长、参谋长联席会议主席等高官。

美方对会议做了非常精心的准备。他们事先在召开会议的安理会大厅安装了各种先进的视频、音频设备，供鲍威尔发言时使用。

安理会15个成员中，除安哥拉、几内亚和叙利亚外，中国、俄罗斯、美国、英国、法国、德国、保加利亚、西班牙、喀麦隆、墨西哥、智利、巴基斯坦等国都派外长出席了会议。联合国秘书长安南、联合国监核会主席布利克斯和国际原子能机构总干事巴拉迪也来到会场。

那天的安理会大厅挤满了人。大厅中央为安理会成员国与会人员预备的位置座无虚席，就连四周原本为联合国其他会员国与会人员预备的座位，也早已被先到一步的媒体记者占据，使得很多前来听会的联合国会员国的外交官只好站在过道上。那天安理会大厅可谓人满为患。

据我们长期在联合国工作的同志说，当时的“盛况”在安理会历史上也是罕见的。

那天开会的情况，许多国际上知名的媒体都进行了现场直播。

鲍威尔首先在会上发言。

那天他身着深色西装，雪白的衬衫，紫红色领带。他恰巧坐在我的斜对面。从他凝重的表情可以看出，他今天的发言对美国，对他本人都很重要。

后来，鲍威尔的助手私下告诉我们，鲍威尔为了做这次陈述，事先进行了多次演练，对陈述的内容几乎可以倒背如流，足见其何等重视。

鲍威尔的发言持续了将近一个半小时，其间，他不时借助音像手段加以说明，通过大量录像、录音、幻灯片，历数伊拉克违反安理会决议的情况。

鲍威尔煞有介事地说，证据显示，伊拉克隐藏了大规模杀伤性武器，欺骗甚至暗中阻挠联合国核查人员的工作。伊拉克正在发展弹道导弹等大规模杀伤性武器运载工具。萨达姆政权与国际恐怖组织有联系，并资助了巴勒斯坦的恐怖分子，窝藏从阿富汗逃到伊拉克的“基地”组织人员。鲍威尔还指称，藏匿在伊拉克的“基地”组织恐怖分子，同一名美国高级外交官在约旦遇刺有关。

鲍威尔总结说，伊拉克的行为构成了对安理会1441号决议的“实质性违反”。他说，现在的问题不是给联合国核查人员多少时间，

2002年9月11日，在纽约联合国总部出席安理会为纪念“9·11”恐怖袭击事件一周年举行的高级别会议。

而是安理会还要对伊拉克容忍到什么程度。鉴于伊拉克有侵略别国的历史，有控制整个中东地区的企图，有保住并发展大规模杀伤性武器的决心，美国不会也不能冒险放任萨达姆拥有并使用大规模杀伤性武器。

鲍威尔最后说，1441号决议是安理会给伊拉克的最后机会。但两个月来的核查表明，伊拉克根本无意抓住这一机会，仍然拒不履行安理会有关决议。在这种情况下，安理会必须勇于承担自身的责任。

鲍威尔的陈述，实际上启动了美国对伊拉克宣战的新一轮外交和舆论准备，为美国最终对伊拉克动武制造声势。

美国在这次会议上确实拿出了一些“新东西”。这些“东西”在一定程度上给人们造成了伊拉克拥有并藏匿大规模杀伤性武器的印象。但后来的情况表明，这些所谓的情报和证据是有问题的，这次在安理会的陈述，也成了鲍威尔的“麦城”。

2005年9月，已经卸任国务卿的鲍威尔在接受美国广播公司访谈时，公开承认他在安理会的这次陈述确有不实之处。他说，毫无疑问这是一个污点，使他至今仍感到痛苦。

鲍威尔陈述后，与会的其他各国外长分别发言。根据抽签顺序，我第一个发言。

我在讲话中主要讲了五点看法。我首先说，安理会多数成员外长出席今天的会议，表明各方重视安理会的权威和作用，支持在联合国框架内政治解决伊拉克问题。安理会在伊拉克问题上保持团结与合作，对妥善解决伊拉克问题至关重要。这也是国际社会普遍希望看到的。

接下来，我表示，中方欢迎美方向联合国提供其掌握的有关伊拉克大规模杀伤性武器的情况和证据。我们希望各方都能把掌握的情况和证据交给联合国监核会和国际原子能机构，帮助它们有效核查，并进行评估。两机构应及时将核查结果报告安理会。

我还对两机构的工作予以肯定。我说，既然他们认为还不能给核查做结论并建议继续核查，我们就要尊重他们的意见，支持查下去。两机构不久前指出核查中存在一些问题，我们敦促伊拉克采取更积极的态度，尽快做出进一步的解释和澄清，配合核查工作。

我特别指出，在销毁伊拉克大规模杀伤性武器问题上，安理会成员的态度是一致的。这在安理会的有关决议，特别是1441号决议中已经有充分反映。目前的关键是要执行好这个决议。至于安理会下一步如何行动，应该根据核查的结果，由各成员共同讨论和决定。

我最后强调，国际社会强烈希望在联合国框架内政治解决伊拉克问题，避免战争。安理会必须予以重视。只要还有一线希望，我们就要做出百分之百的努力，争取政治解决。中国愿与各方一道为此而努力。

我发言后，法国、俄罗斯、德国等国的外长也相继发言，他们的观点依然与美国、英国针锋相对。在这个问题上，安理会成员的立场分歧严重，壁垒分明。

会外，我分别会见了美国、俄罗斯、英国、法国、德国、墨西哥、西班牙、巴基斯坦等国外长以及联合国秘书长安南。

从会议本身及我与各国外长接触的情况看，一方面，萨达姆政权确实不得人心，各方对美国对伊拉克动武已经有了一定的心理准备；另一方面，美英两国还在全力争取安理会通过一个授权动武的新决议，从而使对伊拉克动武合法化，最大限度地争取国际支持，至少可以通过一个内容和措辞模糊的决议，以便美英对决议做出于己有利的解释。

但是，美英绝不会为此耗费过多的时间。如果美国认为各方实在无法在短时间内达成共识，很可能会联合一些国家自行采取军事行动。

三赴纽约　战和相持

根据联合国的安排，2003年2月14日，联合国监核会与国际原

2003年2月13日晚抵达纽约，准备出席14日举行的联合国安理会伊拉克问题会议。这是我一个月内三赴纽约。

子能机构负责人将再次向安理会提交对伊拉克的核查报告。

2月11日，法国总统希拉克就伊拉克问题与江泽民主席通电话。希拉克总统说，伊拉克局势正处于关键时刻，为争取更多安理会成员支持政治解决的努力，法国、德国、俄罗斯三国外长将在2月14日赴纽约出席安理会有关会议。希拉克总统强烈希望江主席同意派中国外长与会。

为继续体现中国在伊拉克问题上的建设性作用，支持避免战争的外交努力，中央决定派我与会。就这样，我在10天内再赴纽约，出席安理会伊拉克问题外长会。

2月14日，联合国安理会举行公开会议，听取两机构负责人报告对伊拉克武器核查情况。安理会15个成员中，中国、法国、俄罗斯、英国、美国等10国派外长出席了会议。

这一次，两机构负责人向安理会提交的报告以介绍具体核查情况为主。他们一方面表示，仍然没有发现伊拉克拥有大规模杀伤性武器，另一方面又说，还不能证明伊拉克确实没有这类武器。报告在肯定伊拉克向联合国核查机构提供了一些新合作的同时，又批评伊拉克最新提交的文件并没有澄清核查中发现的问题，要求伊拉克提供实质性合作。

在关于伊拉克是否"实质性违反"联合国决议、是否需要继续核查、加强核查机制等关键问题上，两机构强调决定权在安理会。

可以看得出，他们这样做是为了照顾各方关切，对各方都有所交代。

2003年2月14日，出席联合国安理会关于伊拉克问题外长紧急会议，与德国副总理兼外长菲舍尔握手。

2002年9月14日，在纽约联合国总部会见法国外长德维尔潘。

针对两机构的报告，各国随后进行了发言。

美国指责伊拉克未能对联合国的核查工作采取合作态度，也没有执行安理会1441号决议，称伊拉克仍在继续隐瞒、欺骗联合国，并再次表示，增加核查人员或延长核查时间已经没有任何作用，安理会应于近期采取行动。

英国、西班牙、保加利亚等国呼应美国的立场。英国称，和平解除伊拉克武装应该以武力为后盾。

伊拉克则驳斥了美国的指责。

中国、法国、德国、俄罗斯等多数安理会成员在发言中重申，应在联合国框架内政治解决伊拉克问题；认为前段核查已有进展，应继续进行，并加强核查机制；敦促伊方加强与联合国的合作。

我在发言中对大多数成员的意见明确表示赞同，认为核查是有作用的，有必要继续进行下去。应该给予核查人员必要的时间，落实好第1441号决议，完成安理会赋予的使命。

我重点强调了政治解决、避免战争的主张。我说，和平与发展是全世界人民的共同期待。作为安理会成员国，我们没有理由不为之付出最大的努力，采取一切措施尽力避免战争。只有沿着政治解决的方向走下去，我们才不会辜负国际社会对安理会的信任和期望。

那天给我印象最深刻的是法国外长德维尔潘的发言。

德维尔潘出生在摩洛哥首都拉巴特。他身材修长，一头灰白卷发，有着艺术家的气质。他也的确是一位热爱写作、著作颇丰的作家和诗人。正是这种诗人的性格，使德维尔潘在讲话和做事时都富于激情。

这一天，在安理会的讲台上，德维尔潘发表了一篇激情洋溢的讲话。他用充满诗意的语言，旗帜鲜明地表明了法国反对美国发动伊拉克战争的立场。

德维尔潘在发言中说，从表面上看，选择战争似乎更快一些。但我们不要忘记，打赢战争后，还需建设和平，那将是漫长而困难的。而核查提供了另一种选择，通过核查，我们可以在有效、和平解除伊拉克武装的道路上每天向前迈进。

他强调，战争之路并不比核查之路更短，也不能通向一个更安全、更公正、更稳定的世界。战争的结果历来是失败。在当前情况下，使用武力毫无道理。

他最后激动并富有感情地说，法国是一个古老的国家，一贯真诚面对历史和人类，希望同国际社会所有其他成员一道坚定地采取行动，共同建设一个更加美好的世界。

他发言后，安理会会场内响起了长时间的掌声。

从这次会议的情况看，安理会成员主战、主和两派泾渭分明，各持己见。多数国家与美英立场大相径庭，反对在当时形势下对伊拉克动武。法国、德国等国更是公开与美国唱反调。

美英短期内寻求安理会明确授权动武的难度很大。下一步，美英很可能退而求其次，重点推动安理会通过一个决议，将伊拉克定性为对国际和平与安全构成威胁的国家，并为伊拉克与联合国全面合作设定时限。

四赴纽约　力争和平

两机构向安理会提交报告十天后，北京时间2003年2月25日凌晨，美英两国，这一次又加上西班牙，再次向安理会提交了新的决议草案。

正如我们估计的那样，草案明确提出伊拉克没有向联合国提供充分合作，已经违反安理会决议，对国际和平与安全构成威胁。安理会决定根据《联合国宪章》第七章采取行动。

《联合国宪章》第七章是构成联合国集体安全机制的核心内容之一。它在给威胁、破坏和平以及侵略行为定性，采取防止局势恶化的临时办法，实施武力和非武力的制裁措施，执行安理会决议，以及会员国的自卫等问题上，都有具体和明确的规定。也就是说，根据《联合国宪章》第七章，联合国可以采取集体强制行动，包括使用武力。

这样看来，虽然美国等国提交的新案文中没有明确授权动武的内容，但案文明确将伊拉克定性为对国际和平与安全构成威胁的国家，并决定根据《联合国宪章》第七章采取行动。这样的案文一旦通过，也将会被视为美英获得了联合国的动武授权。

美英方面虽然表示欢迎各方就案文提意见，但又强调不会做实质性改动。从美英两国的态度可以看出，美国“打伊倒萨”决心已定，而且军事部署已经基本到位，有没有这个新决议都不会影响其对伊拉克动武。

几乎就在同一时间，法国、俄罗斯、德国在安理会散发了关于加强联合国对伊拉克武器核查的“联合备忘录”，并明确表示反对安理会通过任何新决议。

安理会围绕伊拉克问题的较量进入摊牌阶段。

我们对美英搞新决议草案当然是不赞成的。

为了尽最大努力给和平争取机会，江泽民主席、胡锦涛总书记分别出面做美国、英国、法国、俄罗斯、德国领导人的工作，强调要继续加强核查，争取在联合国框架内政治解决，没有必要搞新决议。江主席、胡总书记还强调要和平解决伊拉克问题，战争对谁都没有好处。政治解决问题需要的时间可能长一点，但代价最小，也最符合各方利益。

3月7日，安理会举行公开会议，听取联合国监核会和国际原子能机构通报对伊拉克核查的最新情况。

这次会议本来是英国提议召开的，属于安理会例行会议。但后来在法国、俄罗斯两国的推动下扩大为外长会。他们这样做，主要是为巩固和扩大反战阵营，牵制美英两国。

鲍威尔和斯特劳起初都不打算与会，后来突然改变主意，决定出席会议。看来，主要大国都意识到伊拉克问题已经进入最后摊牌阶段，想利用此次会议施加影响，争取支持。

考虑到安理会各方对此次会议都高度重视，中央决定派我再次出席会议。当时正值“两会”期间，人大代表和中外记者高度关注伊拉克问题和我们的立场。

按惯例，外长要在每年的“两会”期间举行一次记者会，全面介绍中国外交工作，并就重大国际和地区问题回答中外记者的提问。记得那年的“两会”外长记者会是在3月6日下午3点在人民大会堂举行的，也就是第三次安理会伊拉克问题外长会的前一天。

在那天的记者会上，伊拉克问题成为最热门的问题，先后有六位记者问到这个问题。对此，我是有心理准备的。

全场第一个提问的是中央电视台记者。她请我评价和展望中国的外交工作，随后紧接着问道：“当前伊拉克战争一触即发，您认为战争还有没有可能避免？”

2003年3月6日，在人民大会堂出席“两会”记者招待会。

我正好可以利用这个机会，在记者会一开始，就阐明中国在伊拉克问题上的立场，介绍中国为争取和平所做的工作，也可以借机宣布我马上要去纽约出席安理会外长会的消息，明确告诉外界，我这次与会的目的和宗旨，就是要为争取政治解决伊拉克问题尽最大努力。

于是，我借着她这个问题回答说，伊拉克问题正处于武力解决还是政治解决的关键时刻。中国的立场大家都很清楚，我们希望在联合国安理会的框架内求得政治解决。正是在中国担任安理会轮值主席期间，安理会成员于去年11月份一致通过了1441号决议。这项决议所规定的任务还没有完成，应该继续和加强核查，弄清问题，求得政治解决，尽量避免战争。因此，中国认为在当前情况下提出新决议是没有必要的。

我对记者们说，今天这个记者会结束后，我将从会场直奔机场，赶赴纽约。我将在会上向全世界表明，作为安理会常任理事国，中国不会放弃任何和平的希望。只要有百分之一政治解决的可能，中国就会尽百分之百的努力。

随后，法新社一名记者问我："中国多次说希望和平解决伊拉克问题，你刚才也说如果有百分之一的和平希望，中国也会尽自己的努力。这包括中国在联合国安理会使用否决权吗？在决定是否使用否决权上，中国会不会考虑中美关系的因素？"

我回答他说，我觉得你现在提出这个问题，为时还稍许早了一点。我们认为，到目前为止，使用政治外交手段解决伊拉克问题的可能性仍然是存在的。至于你提及的投票态度，中国在处理这类问题上，从来都是根据客观事物本身的是非曲直，按照中国的外交政策和方针，从中国人民和世界人民的根本利益出发，独立自主做出判断的。

总之，那天的记者会几乎成了"伊拉克问题专场"。直到我走出人民大会堂，还有很多记者围住我问关于伊拉克的问题。

离开人民大会堂，我驱车直接奔赴机场，飞往纽约。

在从北京至纽约的飞机上，我的心情很不轻松。这次会议前，美英为了对伊拉克动武，已经在军事上做了充分准备，可以说箭在弦上。在舆论上大造声势，他们现在急需安理会给予政治上的支持。这次会议上，他们一定会竭尽全力，推动安理会通过一项新的决议，为他们攻打伊拉克开绿灯。

我们面临的形势十分严峻。

纽约时间2003年3月7日上午9点半，当我在一个多月内第四次来到联合国总部大楼，看着楼前随风飘扬的联合国会员国国旗和浅蓝色的联合国旗帜，一种复杂的心情油然而生。

1946年1月召开的第一届联合国大会决定选择纽约作为联合国总部所在地。后来美国的洛克菲勒家族将纽约东河畔的一块土地赠予联合国。这就变成了今天联合国总部的所在地。

联合国总部由四个相连的建筑物组成，包括一座39层高的秘书处办公大楼、一座会议大楼、一个大会堂及哈马舍尔德图书馆。这些建筑是在1952年才全部竣工的。

50多年过去了，这栋灰色的大楼依然矗立在这里。随着时代的变迁，联合国为维护世界和平、促进共同发展，越来越发挥着不可替代的作用。

今天，当我们再次面临着战与和这样大是大非的问题时，联合国还能够继续坚定地站在和平一边吗？

那天的外长会，15个安理会成员中有11个国家派外长与会。阿盟外长代表团也调整日程，赶赴纽约同各方会晤。联合国秘书长安南列席了会议。由此可见，各方都认为这次会议十分关键和重要。

两机构负责人在会上再次通报了武器核查的最新进展情况。这次通报基本上以事实陈述为主，没有做出任何结论。

两机构负责人通报情况后，各国与会代表开始发言。主战和主和两派仍然阵线分明。

法国、俄罗斯、德国、叙利亚等国不支持对伊拉克采取军事行动。他们认为，核查已经取得了一些进展，应该继续并加强，最终以和平方式解除伊拉克武装，没有必要通过新决议。他们同时要求伊拉克全面履行安理会决议规定的裁军义务，更加积极主动地与联合国合作。

墨西哥、智利、安哥拉、喀麦隆、巴基斯坦、几内亚等国也主张通过多边努力和平解决问题，强调要发挥安理会的重要作用，希望安理会保持团结，特别是“五常”要尽快弥合分歧，找到解决办法。

与法国等国的立场相反，美国、英国、西班牙、保加利亚等国则认为，继续核查已没有意义，安理会应该果断采取行动，维护其权威和信誉。美国更是明确地要求安理会做出政治决定，通过军事手段解除伊拉克武装，并称将于近期要求安理会就新决议草案进行表决。

我很清楚，美国对伊拉克动武的决心已定，有没有安理会决议并不影响它的行动。但是安理会必须维护自身权威，支持正义，决不能给使用武力开绿灯。历史不允许我们这样做。

我坐在会场内，面前摆放着“CHINA”（中国）的桌牌，我代表的是中国，必须抓住哪怕是最后一丝希望，为和平尽最大努力。

我在发言一开始就强调，四个月前，安理会本着团结、合作的精神，在这里一致通过了1441号决议，充分体现了安理会关于销毁伊拉克大规模杀伤性武器的决心，也如实反映了国际社会希望政治解决伊拉克问题的意愿，受到了世界各国的普遍欢迎和广泛支持。

我接着说，切实落实安理会有关决议，全面、彻底地销毁伊拉克的大规模杀伤性武器，是摆在我们面前的一个艰巨任务。从两机构的报告看，1441号决议的执行情况总体上是好的，是有进展、有成效的。核查进程中出现的问题和困难也说明核查是十分必要的。我们相信，只要朝着政治解决的方向走下去，销毁伊拉克大规模杀伤性武器的目标是能够实现的。

我强调，当前形势下，我们既需要决心和勇气，更需要耐心和智慧。安理会尤其需要保持团结和合作，维护安理会的权威地位。

我在会上清楚地表明了中方立场。我说，我们要求安理会继续对两机构的核查工作予以有力的指导和支持，继续核查，弄清问题，直至其完成1441号决议的授权。同时，中方也敦促伊拉克政府进一步采取有效措施，切实加强与核查人员的实质性合作，为政治解决问题创造必要条件。

我明确指出，我们没有理由关闭和平的大门。中方不赞成搞新决议，尤其是含有授权动武内容的新决议。

我说，伊拉克问题关系到海湾地区乃至世界的和平与发展。解决伊拉克问题，必须充分考虑各国的共同利益，充分考虑人类发展的长远利益。进入21世纪，和平与发展仍然是时代的主题，世界各国都面临着维护和平与走向发展、繁荣的共同任务，也都迫切需要一个稳定、安宁的国际环境。

我最后表示，万物人至上，万事和为贵。过去几个月来，在这个大厅里，我们已经多次听到联合国广大会员国关于政治解决伊拉克问题的强烈要求。在这个大厅外，我们也多次听到了各国人民“要和平，不要战争”的正义呼声。安理会的权力来自于联合国所有会员国，来自于各国人民。我们没有理由不为这些强烈的要求和呼声所动。从对历史负责的角度出发，从维护各国人民的共同利益出发，中国政府强烈呼吁安理会切实负起责任，竭尽全力避免战争，坚持不懈地实现政治解决。

公开会后，安理会又在当天举行了内部磋商，美国、英国、西班牙阐述了对决议草案的修改意见，称为体现灵活，愿给伊拉克十天的时间。如果十天后安理会仍然不能够得出伊拉克提供了全面、及时、积极、无条件合作的结论，就应该自动判定伊拉克错过了最后的机会。

美英等国将17日定为最后期限，实质是向伊拉克发出了最后通牒。

这次会议是各方在摊牌前的最后一轮试探和摸底，会上、会下的较量都很激烈。

情况表明，美国如果要推动安理会通过它起草的决议草案，仍有较大困难。

那次在纽约我只逗留了不到14个小时，会议结束后立即启程回国，因为行前中央领导曾指示我“快去快回”。

在回国的航班上，我们抓紧时间对会议情况做了分析和总结。得出一个结论就是，各方摊牌已近，战争不可避免。

一到北京，我就直接去中南海向中央和国务院领导同志汇报了会议情况，也汇报了我们的分析和结论。事后证明，这个结论是正确的，为中央做好各项准备工作提供了重要参考。

战火虽起 正义仍在

在反复向各方施压仍得不到安理会多数成员支持的情况下，美国、英国、西班牙三国首脑于3月16日在葡萄牙的亚速尔群岛就伊拉克问题进行紧急磋商。

会后发表了联合声明。三国在联合声明中重申，安理会1441号决议给予了伊拉克最后机会，但伊拉克没有能够与联合国充分合作，已经“实质性违反”决议，对伊拉克动武是必然的选择。但表示三国仍将进行“最后的外交努力”。

3月18日，美英等国宣布不再寻求安理会表决其决议草案。

当晚，布什总统发表全国电视讲话，向伊拉克发出最后通牒，限令萨达姆及其子在48小时内离开伊拉克。

3月20日，布什再次对全国发表电视讲话，宣布美国“对伊拉克早期军事行动已经开始”。

伊拉克战争终于打响了。

在伊拉克战争打响前的这几个月里，虽然美英等国向安理会施加了强大压力，但安理会最终顶住压力，没有给美英等国对伊拉克动武开绿灯，坚守住了道义和公理。

当天，中国外交部就此发表声明，对美英等国绕开联合国安理会，对伊拉克发动军事行动表示严重关切，重申应在联合国框架内政治解决伊拉克问题，要求伊拉克政府全面、切实执行安理会有关决议，同时尊重伊拉克的主权和领土完整，认为1441号决议仍然是政治解决伊拉克问题的重要基础。声明还强烈呼吁有关国家停止军事行动，重新回到政治解决伊拉克问题的正确道路上来。

时光荏苒，六年多的时间倏忽而过。回顾这段历史，我感到欣慰的是，在对伊拉克战与和这个大是大非问题上，我们的立场是一贯的、坚决的、鲜明的，始终坚持原则，维护和平，反对战争，在关键时刻为争取百分之一的和平希望付出了百分之百的努力。孰是孰非，伊拉克的现实已经做出了结论。

Not recount content US-PRC negot. Link other issue. US offers re exchange..
Not recount French, RF urging to adopt tougher stance, & taking bigger role.

Not go beyond already published speeches/statements!

中俄黑瞎子岛问题谈判

黑瞎子岛位于中华人民共和国版图的最东端。

2008年10月14日那天，中俄双方在岛上举行了两国国界东段界碑揭幕仪式。仪式简朴而庄重，奏两国国歌，升两国国旗。一块宽大的仪式背景板伫立在秋天的原野上。当天碧空如洗，万里无云。仪式结束，中国边防军人登上黑瞎子岛开始执行防务，那里成为中国东部边境第一哨。

黑瞎子岛上的界碑是中俄边界上竖立起来的最后几座界碑。

当我从中央电视台的报道中看到这一组画面时，心情十分激动。我在担任外交部长和国务委员期间亲身参与解决的这一棘手问题，终于尘埃落定了。

2008年10月14日，中俄国界东段界碑揭幕仪式上，中华人民共和国国旗冉冉升起。

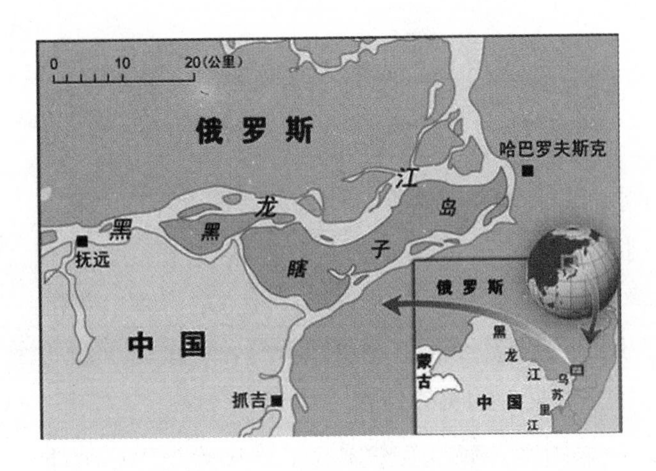

黑瞎子岛示意图。

当年的情景又一幕一幕地浮现在我的眼前。

黑岛溯源　任务艰巨

中俄边界是从中苏边界承袭下来的。当年苏联解体后，长达7600公里的中苏边界被分为中国同俄罗斯、哈萨克斯坦、吉尔吉斯斯坦、塔吉克斯坦四个国家的边界。其中，中俄边界长达4300多公里，绝大部分已通过谈判划定，黑瞎子岛是唯一一块悬而未决的土地。

按边界长度计算，黑瞎子岛一段只占中俄边界全长的1.4%。比例虽然不大，但战略地位重要，加上多年来双方对边界条约各执一词，一直相持不下，成为两国边界谈判中最困难、最敏感的问题之一。中国人说它是“啃不动的硬骨头”，俄罗斯人则称它为“咬不动的硬核桃”。

“黑瞎子”在东北方言中是“黑熊”的意思。据当地老百姓说，早年间此地常有黑熊出没，所以，当地人把这个岛称为“黑瞎子岛”。西方媒体把它翻译为“Bear Island（熊岛）”，我认为是准确而形象的。

黑瞎子岛，也叫抚远三角洲。位于黑龙江省抚远县城以东，三面环水，北面是黑龙江，东南是乌苏里江，西南是黑龙江与乌苏里江之间的一条水道，称为抚远水道，俄方称为卡扎克维切沃水道。

黑瞎子岛北面的岛岸线长60公里，东南长约40公里，抚远水道长约35公里。黑瞎子岛由两个大岛和大约90个岛屿、沙洲组成，岛屿和沙洲的数量因江水冲刷和潮汐涨落等自然力量的作用时有增减。

全岛面积约335平方公里，比北京四环以内的城区面积还大些。岛上地势平缓，杂草、灌木丛生，还生长着一些北方的乔木。周围水域盛产大马哈鱼、鲟鳇鱼等名贵江鱼，鲟鳇鱼籽（黑鱼籽）和马哈鱼籽（红鱼籽）经常是餐桌上的美味佳肴。

据中方史料记载，我国汉、赫哲、鄂温克、鄂伦春等民族的居民曾长期在岛上居住。他们有的在那里烧制陶器，有的挂幌子开酒肆，也曾有人种植罂粟。

辛亥革命前后，中国国内局势混乱，沙皇俄国乘机将黑瞎子岛纳入俄国版图。此后历届中国政府同俄（苏）方进行了多次交涉，均无结果。

1929年，苏联借中东铁路事件[1]出兵占领了黑瞎子岛。此后近80年的时间里，黑瞎子岛一直在苏（俄）方的实际控制和管辖之下，已经没有中国人居住。那里所有建筑和设施都为俄方所建。

黑瞎子岛与俄罗斯远东最大的城市哈巴罗夫斯克市隔江相望，站在黑瞎子岛的最东端，可以清晰地看到哈巴的城市建筑。因此，俄方将该岛视为哈巴罗夫斯克的天然屏障和门户。

苏（俄）方从未放松在黑瞎子岛的防务，他们在岛上建了不少军事设施，在该岛面向中国一侧的沿岸架设了长约40公里的铁丝网，并派炮艇驻守抚远水道上下口，当地人把这种铅灰色的炮艇叫做“大灰狼”。

1974年，苏联方面在乌苏里江距哈巴罗夫斯克26公里处建了一

1　1929年7月，东北军首领张学良以武力收回由沙俄在我国东北修建的中东铁路所有权，并逮捕了苏联驻哈尔滨总领事等数十名苏联人。苏方一边向中国政府进行外交交涉，一边调集重兵，开进“满洲”，与东北军开战。激战数月，东北军惨败，苏方夺回铁路。

座舟桥。它由107条漂浮在水面上的铁船连接在一起组成，每条船宽6米，舟桥全长800米，两端建有固定桥墩。舟桥上平时可通行汽车，航道处的舟桥每天上午9时半至11时开启一个半小时，供船只通过，但苏方常常“因故不开”，中方船舶经常在此受阻，或停泊在江面上，忍气等待，或被迫返航。中方曾为此多次与苏方交涉。

多年来，苏方一直利用实际控制黑岛之便，在岛上进行经济开发和利用。在岛北侧中部建有一所工厂和居民区，在岛上修建了公路，还建有奶牛场等设施。俄方居民每年上岛打草、休闲、晒太阳，苏俄报刊将该岛称做“哈巴罗夫斯克的郊区”。

划界的前几年，俄方提出要将黑瞎子岛的开发建设纳入哈巴罗夫斯克发展计划，建为自然保护区、封闭狩猎区和郊外避暑区，开发旅游资源，并继续扩大农业生产，修桥铺路，统一管理。

领土争议　激烈持久

近四十年来，中苏（俄）双方围绕边界问题进行过三次谈判。

第一次谈判在1964年2月至8月期间进行，当时中国政府代表团团长为外交部副部长曾涌泉。他是一位革命战争年代的老将军。在谈判中，他与苏方进行了激烈的争论。由于当时中苏关系公开恶化，根本不具备解决边界问题的条件。

第二次中苏边界谈判是1969年10月开始的。这一次中国政府代表团首任团长是时任外交部副部长乔冠华。这次谈判一谈就是十年，中方代表团团长也换了几任。但是，由于这期间两国关系一直尖锐对立，谈判前双方甚至在珍宝岛发生过激烈的武装冲突，十年的谈判没有能够解决任何一段边界问题，更不用说解决黑瞎子岛问题了。

不过，这十年的谈判也有收获。双方因此形成了一个谈判机制。在涉及边界问题时，彼此都保持克制，至少未再发生像珍宝岛事件那样的武装冲突。

第三次边界谈判始于1987年2月，中国政府代表团团长是时任外交部副部长钱其琛。1986年7月，当时的苏共中央总书记戈尔巴乔夫在海参崴的一个公开场合发表讲话时，讲到解决中苏边界问题，表示中苏两国可以按照主航道原则划界。

这向我们发出了一个积极信号。我们很快对此做出回应，同意与苏方重启谈判。

这次谈判颇具戏剧性，谈判对手先是苏联，后来则变成了俄罗斯。也许是特殊的时空提供了历史性的机遇，谈判的结果是，解决的问题最多，成果最大。双方分别于1991年、1994年签署了《中苏国界东段协定》和《中俄国界西段协定》，两国绝大部分边界得以划定。但是，在黑瞎子岛问题上，双方经过多次激烈交锋，未能取得进展，不得不留下一个悬案。

此后，双方多次回到这个问题上来，但由于各自仍固守多年来的立场和论据，坚持对黑瞎子岛拥有全部主权，谈判没有任何进展。

中方主张，根据1860年《中俄北京条约》，中俄两国以黑龙江和乌苏里江为界。既然以江为界，按照公认的国际法准则，就应该以主航道中心线为界，而黑瞎子岛恰恰位于两江主航道中心线中方一侧，应该属于中国。

而俄方依据的是，《中俄北京条约》的条约附图也是《中俄北京条约》的一部分。根据这个附图，划界红线标在卡扎克维切沃水道即抚远水道上。所以，俄方主张两国应以这条水道为界，黑岛应属于俄方。俄方还提出，根据1861年沙俄与清政府签订的《中俄勘分东界约记》，双方曾经在抚远水道与乌苏里江会合处的中方一侧岸边立了一块界牌。俄方认为，这块界牌是个有力的证据，证明黑瞎子岛属于俄方。

从1964年中苏首次边界谈判开始，断断续续谈了近四十年，双方一直就黑瞎子岛归属问题争执不下。

历史告诉我们，国与国之间的边界问题如果得不到妥善解决，将始终是双边关系的隐患，甚至可能引燃战火，为双方带来麻烦。

高层出面　推动谈判

在中俄尚未就黑瞎子岛归属达成一致的情况下，俄罗斯哈巴罗夫斯克市又加大了对黑瞎子岛的开发力度，而且还有向西部扩展的趋势。

特别引人注意的是，1999年9月18日至11月7日，俄方在黑瞎子岛南端乌苏里江岸边修建起一座高达28.5米的东正教堂，教堂呈深红色，很显眼。当时俄方的一些军政高官及宗教界人士还出席了开工仪式。俄方这样做的目的显然是要证明黑瞎子岛是“属于俄罗斯”的。

他们开发利用的程度越深、范围越广，我们解决问题的难度也就越大。这引起了中方严重关切。我们以各种方式向俄方提出交涉，但收效并不明显。

2000年3月，普京就任俄罗斯总统。新人上台，总该有新面貌，新气象，新做法，也许能为解决这个问题带来转机。

2000年7月17日，刚刚正式就任俄罗斯总统三个多月的普京，应江泽民主席邀请对中国进行国事访问。在准备接待普京总统的过程中，我们建议利用高峰会晤的机会，从最高层推动黑瞎子岛问题的解决。

在普京总统来访之前，外交部向中央提出请江主席在与普京总统小范围会谈时谈这个问题。

小范围会谈是相对于大范围会谈而言的，是目前在国际交往中经常采用的一种会谈方式。大范围会谈是双方多数成员都参加的会谈，小范围会谈是指双方领导人及其主要助手参加的会谈，人数往往有严格限制。一般情况下，涉及非常重大、敏感的议题，都放在小范围会谈去谈，双方可以谈得更直接、更坦率些，谈不拢也没关系，至少有助于双方更清楚地了解对方的想法，不会影响大范围会谈时的气氛。

7月18日，江泽民主席在与普京总统进行的小范围会谈中，谈了黑瞎子岛问题。江主席说，中方对俄地方当局在黑瞎子岛上加紧经济开发，修建永久性设施，加强军事活动，感到严重关切。江主席建议责成双方有关部门就黑瞎子岛地区归属问题抓紧谈判，尽快找到相互都能接受的解决方案，以全面彻底解决中俄边界问题。

普京总统的回应很干脆。他说，俄中尚未解决的边界问题应该得到尽快解决。他并补充说，他将下达指示，要求俄罗斯有关部门就此问题同中方进一步磋商。

两国领导人还决定将有关边界问题的原则性表态写入作为总结高峰会晤成果的《中俄北京宣言》，强调双方将继续谈判，加快制定剩余边界地段的解决方案。

同年9月，两国领导人在纽约出席联合国千年首脑会议期间再次见面，普京总统又向江主席谈到边界问题。他表示，希望在新世纪的中俄两国关系中，边界问题不再是一个问题。

两国元首就解决边界问题都表示了积极的态度，但在具体落实过程中，却绝非易事。

此后，双方虽然进行了两轮副外长级磋商和专家级磋商，但俄方立场无任何松动，仍坚持黑瞎子岛应全部属于俄罗斯。当然，中方也毫不松动地坚持原有立场，坚持黑瞎子岛应全部属于中国。

但不管怎样，谈总比不谈好。

拜会普京　再谈黑岛

2001年4月29日，应俄罗斯外长伊万诺夫邀请，我对俄罗斯进行正式访问。

按照通常的外交礼仪，重要国家的外交部长正式出访时，东道国的国家元首或政府首脑一般都与之会见。此次访俄，根据俄方的安排，我与伊万诺夫外长会谈后，就直接去克里姆林宫拜会普京总统。

这不是我第一次见到普京总统，却是第一次同他谈边界问题。

我第一次见到普京总统是在一年多前。我清楚地记得，那是2000年3月1日，我当时应邀对俄罗斯进行正式访问，其间在克里姆林宫拜会了他，并转交江泽民主席给他的一封信。当时他是代总统。

普京在俄罗斯政坛的出现颇具传奇色彩。从他就任叶利钦总统办公厅主任到成为总统，其间只有半年多的时间。此前，国际上对他知之甚少。

普京长期就职于前苏联的安全机构，曾在前苏联驻民主德国使馆工作。他会使用各种武器，并能驾驶飞机。他还是一名运动健将，酷爱柔道，是黑带级高手。

进入政坛后，他曾担任圣彼得堡市副市长，后来被叶利钦总统任命为总统办公厅主任。那段时间，俄罗斯政坛像走马灯似的，一年内更换了三位总理。最后，叶利钦选中普京作为他的接班人。叶利钦总统在一次外交场合曾经公开赞扬普京谦逊、忠诚。俄罗斯人则说叶利钦做了件大好事，给俄罗斯选了一位好总统。

不满48岁即入主克里姆林宫，领导俄罗斯这个偌大的国家，普京颇受世人瞩目，成为国际媒体跟踪和热议的焦点。

他外表温和，性格刚毅，在俄罗斯民众心目中具有独特魅力。后来在俄罗斯民间流传两首歌曲，一首叫“做人就做普京这样的人”，另一首则叫“嫁人就嫁普京这样的人”。

普京作风严谨、沉稳，决策果断、坚决。执政后，他在传媒、金融、能源等关键领域采取果断措施，整顿社会经济秩序，并对车臣恐怖分子进行无情打击。

他担任总统期间，俄罗斯政局保持稳定，经济走出低谷，国力明显增强，社会秩序安定，俄罗斯民族自豪感和自信心得到恢复和提升。

2000年7月，他访问中国时，我又见过他。

我这次访俄有机会同他第三次见面。

俄罗斯礼宾官将我引领到普京总统的办公室。这时，普京总统从他那张宽大的办公桌旁站起身向我走来，同我热情握手，随后把我引到办公室另一侧的椭圆形会客桌旁落座。

普京总统位于克里姆林宫1号楼二层的宽大办公室，是俄罗斯历任总统的办公之地，有人说这是俄罗斯“最富能量的地方”。办公室装饰考究，据说其颜色和风格是按照普京的品位爱好选定的。色调以淡青色为主，明快、清新。乳白色的会客桌镶着金边，桌面平滑如镜。

我首先向普京总统转达了江泽民主席对他的亲切问候和良好祝愿，并简要地介绍了他访华半年多以来中俄关系的最新发展情况。

我讲话时，普京总统始终注视着我，全神贯注地听着，还不时地点点头。

他感谢江主席的问候，也希望我向江主席转达他的问候和祝福。之后，他很快转到了双边关系的一些实质性问题，重点谈边界问题。

他说，两国的边界问题已经解决了98%以上，目前尚未协商一致的地段只有不足2%。尽管剩下的问题有一定复杂性，但俄罗斯方面仍希望双方加紧谈判，早日彻底解决边界问题。这样，双方就可以把精力全部集中到重要合作领域上来。

普京总统略微停顿了一下说，我希望在江泽民主席今年7月访俄之前，双方能就剩余边界问题的解决方案达成原则一致。

我马上意识到普京总统此番讲话发出的信息明确而重要。

我当即对此做出了原则性的积极回应。我说，中俄双方领导人对解决剩余边界问题都非常重视和关心，都给予了积极的指导和推动。中国外交部将根据两国领导人的重要共识与俄罗斯同行努力磋商，竭尽全力地工作，力争尽快解决剩余边界问题。

可以看出，普京总统并没有把这次会见作为一次纯礼节性的活动，而是要利用这个机会，就解决中俄剩余边界问题向中方明确表明他的观点。

说实话，当时距7月份江主席访俄只剩下两个多月时间，在这么短的时间里解决如此复杂、敏感的问题，实在有很大难度。此前，双方都没有提出解决这一问题的时间表，只是在努力创造条件，等待时机成熟再予解决。

我相信，俄罗斯最高领导人的表态绝不是信口开河的。当时，中俄关系发展很快，已经与前三次边界谈判时的情况大不相同。1996年，中俄双方建立起了战略协作伙伴关系，为解决剩余边界问题创造了良好的政治环境。两国互利互惠的经济联系日益紧密，展现出空前的发展潜力。两国关系的民意基础明显增强，边境地区早已不是剑拔弩张的状态，边境贸易热火朝天。两国战略利益及共同点的不断增加，客观上也要求双方尽快解决这一历史遗留问题。

因此，我认为两国外交部门应该趁热打铁，加紧商谈具体的落实办法。

俄方释信　主动试探

会见普京总统后我们感到，俄外交当局在解决剩余边界问题上的态度有了变化，出现一些积极迹象。

俄罗斯外交部开始向中方发出种种试探信号，说双方应该换一个思路讨论这个问题，不能再像过去那样，黑瞎子岛“要么全部归俄罗斯，要么全部归中国”。

鉴于这一新情况，我指示外交部立即抓紧研究各种方案。

2001年6月15日，普京总统到上海出席上海合作组织成立大会，又做出了建设性的暗示。他在一个双边场合对江主席说，如果将黑瞎子岛全部划归中国，就像边界线穿过上海市，将浦东划分出去一样，俄方难以接受。普京总统建议与江主席一道，共同指示两国外交部寻求新的、双方都能接受的解决办法。

从俄方发出的一系列信号可以看出，他们处理这一问题的基本脉络越来越清晰了，虽然不会同意将黑瞎子岛全部划归中方，但也不再坚持黑瞎子岛全部属于俄罗斯的原有立场。

确定原则　开始谈判

很快，两国外交部根据两国领导人达成的共识，以新的思路就解决剩余边界问题开始了谈判。

我们首先要解决的就是确定谈判原则，以便双方工作层就具体问题进行谈判时有所遵循。

经过几轮商谈，双方确定了三条谈判原则，即谈判要“以有关目前中苏（俄）边界的条约为基础；按照公认的国际法准则；公正合理，互谅互让，相互妥协”。

双方还商定由两国领导人出面确定这三条原则。在具体做法上，双方同意在江泽民主席对俄罗斯进行国事访问期间，两国元首会晤时，由普京总统提出这三项原则，江主席当面予以确认。

2001年7月16日，应普京总统邀请，江泽民主席对俄罗斯进行国事访问。当日上午，江主席与普京总统在克里姆林宫举行小范围会谈。

普京总统说，在两国合作问题上，我们常常遇到一些阻力，其中一个重要原因是两国边界问题还没有彻底解决。一些外部势力也不时“提醒”我们，并且千方百计地突出边界问题，企图以此破坏俄中两国关系的正常发展。我们双方没有任何理由把边界问题留给下一代去解决。我建议两国领导人给予政治支持，使两国剩余边界问题在明年春天之前得以彻底解决。

江主席对普京总统的建议表示赞赏。他说，边界问题始终是困扰两国关系稳步发展的潜在不安定因素，越早解决越好。我们可以责成两国外交部长抓紧谈判，在一年之内找到双方都能接受的最终解决方案。

两位最高领导人发出了明确的指令。一位说要在明年春天之前解决，一位说要在一年之内解决，虽然在具体时间上略有不同，但态度都很积极。

那次会谈气氛热烈，江主席和普京总统谈得兴致很高，令双方在场的人都深受鼓舞。两国领导人的坚定决心，为谈判解决剩余边界问题带来了新的希望并注入了活力。

可是，不知为什么普京总统并没有像双方约定的那样，提出解决剩余边界问题的三项原则。因此，在这次首脑会晤中，双方未能就此加以确认。

两个月后，我又陪同朱镕基总理访问俄罗斯。这期间，我再次同伊万诺夫外长就解决剩余边界问题举行了会谈。

伊万诺夫说，根据两国元首达成的协议，双方应在一年内解决剩余边界问题，现在只剩下十个月的时间。我们必须在这段时间内尽快确定剩余地段的边界线走向，并将其标示在地图上，拟定相关协定。

我同意他的意见，强调为此双方应以只争朝夕的精神加紧工作。接着，我指出，本来双方商定，在江主席访俄期间两国元首小范围会谈时，由普京总统提出上述原则，江主席加以确认。可是当时普京总统并没有提出。为使双方专家在谈判中掌握大方向，我建议我们应首先正式确认指导原则。

伊万诺夫立刻表示，我现在正式向你通报，双方事先商定的指导原则已经得到普京总统的批准。普京总统本来也打算在与江主席小范围会谈时提出，请江主席确认。但由于当时气氛十分友好热烈，这一话题不知不觉地被岔开了。

伊万诺夫强调，这完全是技术性原因造成的。他当场建议以两国外长互致信函的方式，立即予以正式书面确认。我表示同意。

当天下午，我就收到了伊万诺夫外长给我的信函。他在信中表示，俄方将恪守关于解决中俄剩余边界问题的指导原则。我也于当日立即复函确认。

谈判原则确立后，我们还就谈判的具体工作安排交换了意见。

伊万诺夫说，鉴于边界问题十分复杂且高度敏感，双方应注意严格保密。在谈判初期，首先由两国外交部在小范围内具体磋商，然后根据谈判进展情况，经双方商定，再请两国其他部门代表参加。谈判后期也可以考虑邀请双方地方代表参与工作。

他特别强调，在向新闻媒体透露任何关于谈判进程的消息时，双方一定要事先协商一致。

我理解伊万诺夫外长的担心。据我所知，俄罗斯内部还是有不少不同意见的。因此，我同意先将双方的谈判限定在小范围，同时注意严格保密。

此后，双方关于黑瞎子岛问题的谈判进入实质阶段。

直入正题　协商划界

那段时间，我与伊万诺夫外长的接触非常频繁，我们多次利用双边或多边场合进行会晤，探讨和解决边界谈判中出现的各种问题。

莫斯科会谈一个月后，我与伊万诺夫外长在上海举行的亚太经合组织领导人非正式会议（APEC）期间，就边界问题再次交换意见。

会见时，我们商定具体谈判可通过专家组级别和副外长级别两个渠道进行，并通报了各自人选。我们还商定，必要时可以由两国外长直接商谈。

会见结束后，我把伊万诺夫外长请到一边，同他进行了个别交谈。

我对伊万诺夫外长说，鉴于今天参加会见的人很多，有些话只能单独和你谈。这主要是指下一步两国专家磋商的工作方法。我们考虑可采用两个方法。一个是双方各自提出在黑岛上的划界主张线，另一个是首先就黑岛的划分比例达成共识。我们倾向于第二种方法，请俄方予以积极研究。

伊万诺夫外长表示将研究后尽快答复。

不久，俄方告诉我们，他们倾向于第一种方法，认为调整边界线走向比较易于接受。

看来，俄方还是比较谨慎。其实，究竟采用哪种办法谈判，都只是技术问题，只要能够解决问题，哪种方法都可以。我们认为，关键是无论用哪一种方法，双方都要直入正题，以新的思路和姿态来推进谈判，避免“炒冷饭”，重复老论据、老观点。

三位外长　风格各异

随着边界问题的谈判日益进入实质性阶段，我对伊万诺夫外长的了解越来越深入。

会见拉夫罗夫外长。

我担任外长和国务委员期间，曾先后和三任俄罗斯外长打过交道。一位是普里马科夫，一位是拉夫罗夫，打交道最多的则是伊万诺夫。

这三个人各有特点。普里马科夫是俄罗斯知名的学者和国际问题专家，富有战略眼光，看问题有深度。他年长资深，后来担任过俄罗斯总理。我称他为“老前辈”。

拉夫罗夫是2004年3月起任外长的，我那时已经担任国务委员，和他直接打交道的机会不多。他长期担任俄罗斯常驻联合国代表，在那里练就了一副铁嘴钢牙，反应极快，说得一口地道的美式英语。

拉夫罗夫在正式场合常常十分严肃，一副不苟言笑的样子。但人们很难想到，在他严肃的面孔背后有着独特的幽默。他经常忙里偷闲画漫画，他画的肖像能准确抓住人物的相貌特征和神情。他曾给我画过一张肖像画。2004年，上海合作组织在塔什干召开峰会期间，他还送给我一张自己创作的漫画。画的中间是上海合作组织俄文缩写，左侧是俄罗斯，右侧是中国，下方是会议的地点塔什干和会议的时间2004年6月17日。

我打交道最多的就是伊万诺夫外长。他出生于1945年，比我小七岁，精通英语和西班牙语，是欧洲问题专家，精明干练。

伊万诺夫担任外长期间，忠实地贯彻俄罗斯“双头鹰”对外政

拉夫罗夫外长赠画。

与伊万诺夫外长。

策。他重视发展对华关系。2002年他曾以《松与竹》为题在俄罗斯报纸上撰文，热情赞颂中俄关系，称中俄有如松竹相辅，像松树那样巍然屹立，像竹子那样牢牢扎根，颇有诗情画意。《人民日报》把这篇文章翻译成中文刊登出来。有一次我在莫斯科请他吃饭，席间，我起身讲话，专门提到了这篇文章，他听了十分高兴。

我还记得，2000年“上海五国”[1]外长在塔吉克斯坦首都杜尚别会晤时，晚宴后由于我要赶赴欧洲，在他的倡议下，参加会晤的其他各国外长一齐去机场为我送行，一直送我到飞机舷梯旁。

2004年3月卸任外长后，他还担任过俄罗斯国家安全会议秘书，统筹外交部、国防部、国家安全总局、内务部等所有涉及国家安全的强力部门。

伊万诺夫是一个爽快人，我和他很谈得来。我们两人几乎在同时期担任外长。在解决中俄剩余边界问题的过程中，他是我的谈判

1 上海五国是上海合作组织的前身，由中国、俄罗斯、哈萨克斯坦、吉尔吉斯斯坦和塔吉克斯坦五国于1996年在上海共同创建。

对手；在发展两国关系上，他是我的合作伙伴。我们有幸在各自的岗位上携手合作，为推动中俄战略协作伙伴关系的发展做出了自己的努力。

艰难推进　寸土必争

中俄双方都不只一次地表示尽快解决剩余边界问题的决心，确定了谈判原则以及谈判的范围和方式。接下来应该是就解决具体问题迈出实际步伐了。

鉴于黑瞎子岛实际上全部掌控在俄方手中，解铃还须系铃人，我们提出应由俄方采取主动，首先提出妥协性解决方案。俄方则强调应由双方同时采取主动。

折中的结果，还是俄方先迈出了第一步。

2001年11月15日至22日，双方专家组在莫斯科举行磋商。当时担任中方专家组组长的孙延珩大使是俄罗斯问题专家。他同时在边界领土谈判方面有着丰富的经验，曾担任过中英香港土地委员会中方首席代表，为成功解决香港1997年回归之前过渡期土地问题，发挥过重要作用。

在这次专家组磋商中，俄方提出可以将黑岛西部约80平方公里的地方划给中方。

这个方案离我们的目标差得太远，当然不能接受。但是，这80平方公里是具有重要意义的，因为这80平方公里包括了抚远水道，而此前俄方一直坚持抚远水道是两国的界河。现在俄方把抚远水道划给中方，意味着俄方甘愿把所谓的“中俄界河”变成了中方内水。用谈判的术语说，这是“破线”了。

凭着丰富的谈判经验，孙大使立刻意识到这是一个重大转机，谈判有望取得重大突破。但同时，俄方的建议肯定不会是最终建议，只是第一步，谈判的任务仍然很艰巨。

于是，我们也打出了一条划界线，提出可以将黑瞎子岛东部靠近哈巴罗夫斯克市的约60平方公里划给俄方。当然，俄方也不接受。

虽然双方都对对方的方案不满意，但在黑瞎子岛地区的谈判中迈出这样的步伐，是中苏（俄）谈判40年来从未有过的，称得上有了良好的开端。

常言道，好的开端是成功的一半。我想，只要双方坚定地按照两国最高领导人确定的方向朝前走，一定能够寻找出一条双方都可以接受的边界线。

此后，双方又在副外长级和专家级进行了多次磋商。因为边界和领土事关国家最高利益，双方举手投足都很谨慎，每走一步，都要反复斟酌，仔细掂量。这是因为双方彼此心里都很清楚，边界谈判非同小可，领土一旦划定，就很难再更改了。

在一次专家组磋商中，中俄双方分别打出6条划界主张线，但这12条主张线所涉及的领土面积差异加在一起还不到17平方公里，新打出的主张线和前一条线相比，有的面积相差还不到1平方公里。

谈判进行得十分艰苦，双方辩论很激烈，有时甚至争得面红耳赤，难解难分，但毕竟是相向而行，差距在逐步缩小。

2002年1月9日至11日，双方专家组在北京举行磋商。这轮磋商中，谈判又取得了新的较大进展。俄方提出可以将黑瞎子岛西部约120平方公里划归中方，中方则提出可以将该岛东部约90平方公里划归俄方。

在十几天后的新一轮专家组磋商中，俄方提出可以将黑瞎子岛西部135平方公里（约占总面积40%）划给中方，中方提出可以将东部105平方公里（约占总面积30%）划给俄方。这是谈判开始以来双方迈出的最大步伐。

此后一个月，俄方没有再打出新的方案，磋商一度止步不前。

山穷水复　俄方逆转

正当中方在观察等待、期待新的进展时，出乎意料的是，谈判不仅没有取得新的进展，俄方的态度反而突然倒退了。

2002年3月1日，刘古昌部长助理与俄罗斯副外长洛休科夫在北京举行磋商时，俄方态度骤然强硬起来，竟收回了上一轮谈判中提出的方案，转而强调黑瞎子岛长期在俄方实际控制之下，最多只能将黑瞎子岛20%—22%的面积划给中方，这已经是俄方所能承受的最大政治风险了。洛休科夫还说，俄方不可能为解决剩余边界问题而不计代价。如果边界问题一时解决不了，索性就放在那里好了。

刘古昌对俄方言而无信、出尔反尔的做法表示了强烈不满。他再次向对方阐明妥善解决边界问题对双边关系发展的重要性，强调尽快解决中俄剩余边界问题是双方领导人达成的共识，两国外交部门有责任认真贯彻落实，不断推动谈判向前迈进。

他明确指出，俄方这样做，是为谈判设前提、关大门、开倒车，这是中方绝对不能接受的。

此后一段时间，俄方立场进一步后退，甚至提出只能将约60平方公里的土地划给中方，这连黑瞎子岛总面积的20%都不到。

此后，中方不只一次向俄方严正交涉，指出俄方对待谈判的态度是不严肃的，与两国领导人确定的谈判方向和原则相悖，中方绝对不能接受俄方提出的最新方案。我们还明确告诉俄方，不要以为实际占领和控制着黑瞎子岛，俄方就可以说了算。

这期间，我也多次在多边场合与伊万诺夫外长会面，反复做他的工作，但都没能取得进展。

柳暗花明　重现转机

后来，俄罗斯副外长洛休科夫再次来北京进行磋商时，并没有提出新的方案，只是为俄方立场后退做了一番“解释”，说是俄外交部面临“国内其他部门和地方的压力”。

他说的也许反映了一些客观情况，但也不排除是一种谈判策略。不管俄方的态度发生什么样的变化，我们都始终坚持自己的主张不动摇，并继续努力推动谈判取得新进展。

我们分析，在俄方立场发生倒退、谈判势头出现逆转的情况下，如果不及时采取措施，谈判有可能夭折，中俄剩余边界问题又会无休止地拖下去，解决将遥遥无期。我们必须采取措施，掌握主动。

为了推动俄方继续向前走，中央同意我们在这次磋商中打出一个新的方案：将黑瞎子岛“大体平分”。

这次磋商的两周后，俄方专家组长突然造访北京，表示俄方仍然可以考虑将黑瞎子岛40%的土地划给中方，并说双方划界主张线的中间地段还可以继续讨论。这意味着俄方又回到了建设性的道路上来。谈判柳暗花明，重现转机。

三天以后，2002年10月25日，我在出席墨西哥APEC双部长会议期间再次会见了伊万诺夫外长，就解决中俄剩余边界问题在小范围做他工作。我对他说，为了推动谈判，对双方最新划界主张线之间的地段，中方可以考虑本着均衡的原则加以解决。

伊万诺夫表示双方可以就此继续进行谈判。他说，我们每见面一次，双方的立场就会接近一大步，相信11月23日我们在莫斯科见面时，就可以结束剩余边界问题的谈判了。他还半开玩笑地说，我们可以在这个地区找到一条“伊戈尔—唐线”（伊戈尔是他的名字）。

看来他对在我们俩担任外长期间解决中俄剩余边界问题还是颇有信心的。

2002年11月23日，在莫斯科克里姆林宫会见普京总统。

再见普京　谈判有果

一个月以后，2002年11月23日，我去莫斯科出席上海合作组织成员国外长会议。虽然这是一次多边活动，但俄方还是专门安排普京总统单独会见了我。我是他唯一单独会见的外长，他主要就中俄剩余边界问题与我交换了意见。

普京总统这次看上去比上一次轻松多了，脸上带着笑容，话也多了。

其实，普京总统是一位很健谈的人。他在担任总统期间曾经四次举行大型记者招待会，每次都长达三四个小时。大批新闻记者对他进行“密集轰炸”，他们就俄罗斯内政外交提出大量问题，有些相当尖锐，甚至带有攻击性和挑衅性。普京总统都对答如流，全过程现场直播，社会反响颇佳。

普京总统和我握手寒暄后，一落座就对我说，伊万诺夫外长已经向我报告，两国外交部就解决剩余边界问题的磋商已取得重大进展，我感到很高兴。

我对普京总统说，我们确实已经取得积极进展。在墨西哥APEC会议期间，我同伊万诺夫外长已经就彻底解决边界问题进行了富有成效的商谈，这次我将在莫斯科进一步听取他的意见。

我还说，彻底解决历史遗留的边界问题，将对全面深入发展中俄长期稳定、睦邻友好的战略协作伙伴关系产生积极深远的影响。我愿同伊万诺夫外长一道尽最大努力，积极落实两国元首在这一问题上达成的共识。

普京总统听后微笑着点点头。他赞同地说，俄中两国领导人一致认为，我们不能把两国剩余边界问题留给子孙后代。他顿了顿又明确地说，我今年底将要访华，希望届时双方能在现有基础上进一步向前迈进。

普京总统的话虽然不多，但他再次明确表达了尽早解决中俄剩余边界问题的积极态度。

我从普京总统的谈话中，隐约感到我这次莫斯科之行在边界问题上会有收获。

见过普京总统后，我立即赶去参加六国外长多边活动。

当天下午5时，我又与伊万诺夫外长举行了双边会谈，会谈先在小范围进行，主要谈剩余边界问题，之后又进行大范围会谈，就双边合作问题交换了意见。

这两场会谈都是在俄罗斯外交部的一处小别墅进行的。

俄罗斯外交部在莫斯科有几处别墅，或掩映于林间，或坐落于河畔，环境都很幽雅。我们会谈用的这座小别墅位于莫斯科市中心二环以内的一条幽静小街，是一闹中取静之地，离俄罗斯外交部大约两公里。

这里原本是旧俄国一位名叫莫罗佐夫的大富豪的私人宅邸，建于1898年，陈设相当考究。那气势非凡的枝形水晶吊灯，镶嵌着彩绘玻璃的门窗，敦敦实实的深咖啡色桌椅，精美绝伦的陈年老画和壁毯，舒适的沙发，都表明这栋房子厚重久远的历史年轮和昔日主人的高雅品位。如今，这里是各国政要、外交家们经常会晤的地方，他们在既严肃又轻松的氛围中，不知解决了多少重要而复杂的难题。

我曾几度来此，就中俄双边关系中重大敏感的问题与俄罗斯同行交换意见，这所外交别墅也给我留下了深刻的印象。

我和伊万诺夫外长的小范围会谈是在一间较小的会谈室进行的。请我入座后，他坐在我的对面。因为是老朋友了，他省去了繁琐的客套，直接对我说，已向普京总统汇报了我们两人在墨西哥就解决剩余边界问题交换意见的情况，普京总统感到很满意。

伊万诺夫接着郑重地说，俄罗斯联邦政府已经做出决断，在你我墨西哥会晤的基础上实现两国边界问题的政治解决。我们可责成双方代表团和专家继续工作，把达成的一致以文本的形式确定下来。我们两个人可以签署一个备忘录，确定划界的具体参数，之后我们双方可以在这个备忘录的基础上，进一步具体谈判。

伊万诺夫最后说，普京总统希望在他今年12月访华之前能够解决两国遗留的边界问题。

伊万诺夫的话我听得很清楚。俄罗斯方面其实已经接受在中俄外长墨西哥会晤的基础上解决剩余边界问题。

我立即意识到，解决边界问题已进入一个非常关键的阶段，在这个关键时刻绝不能有半点含糊，一定要搞得明明白白，扎扎实实。

于是，我一板一眼地对伊万诺夫说，今年10月在墨西哥时，我曾向阁下阐明了中方对解决剩余边界问题的态度，即对黑瞎子岛中方主张线与俄方主张线之间的剩余地段予以均衡解决。我的理解是，俄方进行研究后已经同意了。

伊万诺夫回答说："完全正确。"

我接着说，阁下的上述谈话意味着双方就解决中俄剩余边界问题已达成原则协议，这也意味着历史遗留的中俄边界问题原则上已

2003年2月27日，在北京与伊万诺夫外长签署备忘录。

经得到了解决。我们应该向两国领导人报告这一工作成果，并指示两国专家根据我们达成的原则协议，加紧磋商，尽快确定剩余地段边界线的具体走向。

我再一次同伊万诺夫外长确认，双方在这次会谈中已经就解决剩余边界问题达成一项口头原则协议。我们还商定，普京总统访华期间，两国元首发表的《联合声明》中，将加入一段关于两国剩余边界问题的原则性表述。之后，两国外长可以签订有具体划界参数的备忘录。

伊万诺夫当即表示同意，并且立刻拿出了俄方的备忘录草案。看来，俄方早已准备好了。

大约十天以后，2002年12月2日，普京总统对中国进行正式访问。访问结束时，中俄两国元首发表了《联合声明》。在《联合声明》中，两国元首指出，“为解决中俄边界尚未协商一致地段的边界线走向问题，找到双方均可接受的方案，当前已具备最为有利的条件。为此，责成两国外交部早日结束边界谈判进程”。

这表明，黑瞎子岛问题已基本解决，谈判已近尾声。

第二年初春，2003年2月27日，我邀请伊万诺夫外长再次来华访问。他这次访华的主要活动内容，就是与我共同签署《中俄两国外交部长关于彻底解决两国剩余边界问题的备忘录》。这是我卸任外交部长前签署的一份重要外交文件。

虽然这只是一份备忘录，不是两国解决边界问题的正式协定，但它构成了解决黑瞎子岛问题的基础。

两国元首　确认成果

三个月后，胡锦涛主席访问俄罗斯时，与普京总统又签署了一份解决剩余边界问题的《备忘录》，确认了我和伊万诺夫外长签署的《备忘录》内容。

在这次访问中，两国元首对双方为解决剩余边界问题所付出的艰苦努力给予了高度评价。一致认为，双边关系中的所有问题都在逐步获得解决，包括几十年来无法解决的边界问题。这表明，只要双方共同努力，就没有解决不了的问题。彻底解决剩余边界问题，将使两国漫长的边界线成为把中俄联系在一起的和平、友好的纽带。

胡锦涛主席与普京总统共同签署的关于解决中俄剩余边界问题的《备忘录》，在两国边界谈判中具有里程碑式的意义，标志着距离两国解决剩余边界问题只有一步之遥。

此后，经过专家组数轮磋商，双方终于在2004年7月26日至8月2日，谈定了剩余地段边界线的具体走向。

双方专家根据谈判的结果，按照惯例，以1∶100000的比例，把这段千辛万苦达成一致的边界线，精心地用红线标绘在边界地图上。在绘图的过程中，专家们自始至终全神贯注，不敢有一丝一毫的马虎。

这条红线凝结着无数人的心血，结束了两国长期边界争端的历史，预示着双边关系将迎来更加美好的前景。

在绘制好的新的边界地图上，经高科技测量仪量取显示，黑瞎子岛地区总面积为335平方公里，其中中方划得171平方公里，俄方划得164平方公里。

2004年10月14日，普京总统访华期间，时任中国外长李肇星和俄罗斯外长拉夫罗夫签署了《中俄国界东段补充协定》，确定了双方在剩余边界地段的领土划分。至此，中俄两国4300多公里长的边界线全部划定，再没有一处空白。

胡锦涛主席和普京总统作为见证人亲自出席了签字仪式。

那天，我作为主管外交、外事的国务委员，也出席了签字仪式。这是一个历史性的时刻，我感慨万千。

黑瞎子岛地区的边界占中俄边界全线的比例虽然不大，但历经数十载，迟迟不能解决。历史经验告诉我们，只要遗留的边界问题不解决，就一直是两国关系的隐患。

纵观古今中外，因边界问题引发的战争不胜枚举。想当年，中苏曾因珍宝岛问题兵戎相见。其实珍宝岛的面积只有小小的0.74平方公里，而黑瞎子岛的面积是它的四百多倍。可见，如果黑瞎子岛问题久拖不决，不排除有一天会给两国关系带来麻烦。中国人民热爱和平，在和平、发展、合作为主流的当今世界，我们一贯主张通过和平谈判，妥善解决邻国之间的边界问题，并为此坚持不懈地努力。

中俄剩余边界问题的解决，消除了两国关系中的长期隐患，这是双边关系不断改善、发展的生动体现，也有利于进一步深化和推进中俄战略协作伙伴关系，增进双方的睦邻友好和相互信任。从此，双方更可以集中精力，把人力、财力、物力资源用于发展国民经济，提高人民生活水平。

中俄剩余边界问题的妥善解决，对解决我国同其他邻国的边界问题亦具有一定的示范作用和参考价值，对我们搞好周边外交、为

2009年6月22日，在黑瞎子岛上的界碑前留影。

国内经济建设营造良好的外部环境，具有重要意义。

解决复杂敏感的边界问题，需要极大的政治魄力。正是因为中俄两国领导人富有远见卓识，决策果断，才为双方解决边界问题创造了良好的政治条件。两国领导人亲力亲为，先后13次在双边和多边的各种场合，就解决剩余边界问题深入交换意见。他们高瞻远瞩，既坚持捍卫和维护各自的国家和民族利益，又能照顾对方的关切，求同存异，找出双方利益的接合点，并在关键时刻及时给予指导，指明方向，推动谈判克服困难，取得进展。

解决复杂敏感的边界问题，需要付出极为艰辛的努力。在谈判中，我的同事们坚决贯彻落实中央决策，既坚持原则，又表现出适度灵活，不怕曲折和反复，锲而不舍，忘我工作。这期间，我和伊万诺夫先后进行了8次会晤，两国副外长进行了11次会谈，双方专家组进行了10次磋商。令人欣慰的是，大家的辛苦劳动最终取得了双方都可以接受的积极成果。我很高兴能够成为这一工作群体中的一员。我的同事们为了祖国和民族利益做出了最大努力，我为他们感到骄傲。

2005年4月27日，全国人民代表大会常务委员会审议通过了《中俄国界东段补充协定》。俄罗斯国家杜马（下院）于同年5月20日审议通过了这一协定。25日，俄罗斯联邦委员会（上院）也审议通过。

此后双方进行勘界工作。2008年10月，黑瞎子岛地区的勘界作业全部完成，双方举行了界碑揭幕仪式。

“黑瞎子岛”几个字经常出现在我的脑海中。我一直有个心愿，希望能有机会到岛上去看一看，看看这片让我们付出无数心血的土地，看看那块刚刚竖立起来的界碑。

2009年6月22日，我终于实现了这一夙愿，登上了黑瞎子岛。

登岛的前一天夜里，下起了瓢泼大雨，但当我们开始登上黑瞎子岛时，却已是晴空万里。这里对我来说并不陌生，相反感到十分亲切。

三辆军用越野吉普车，载着我们一行，沿着中俄双方新划定的边界线，在泥泞的土路上颠簸不断、在一人多高的灌木林中“匍匐”前行，由南向北纵贯黑瞎子岛。

一个多小时后，我们终于来到了中俄第259/4（1）号界碑前。我走到那块掩映在草丛中的界碑前，手抚着界碑基座，围绕着界碑，整整走了三圈，凝视长久，心潮起伏。

界碑是由结结实实的灰色花岗岩制成的，上面镌刻着鲜红的中华人民共和国国徽。界碑坐标为北纬48度21分30.2秒，东经134度46分03.7秒，这里现在是我国领土的最东端，是中国每天迎接第一缕曙光的地方。由此，我们的祖国见到日出的时间也比以前提前了58秒钟。

黑瞎子岛风光。

当地的好几位朋友都对我说，这里的春天很美。我相信，这里的明天一定更美。

别看现在这片土地还很荒凉，到处都是草丛和灌木。我相信在不远的将来就会热闹起来。黑瞎子岛将会成为中俄合作示范区，成为生态文明之岛、合作发展之岛、友好和谐之岛。

我国驻南联盟大使馆被炸事件

1999年5月8日凌晨，夜色尚未完全褪尽，一阵急促的电话铃声将我惊醒。我心中不由一震。多年的外交工作经验使我对午夜和凌晨时分来的电话异常敏感。我预感一定有重大突发事件。

电话是我的秘书打来的。就在十几分钟前，以美国为首的北约悍然轰炸了我国驻南斯拉夫联盟共和国大使馆，人员伤亡情况严重，使馆馆舍遭到严重破坏。由于与前方联系中断，使馆受损的详情还不十分清楚。

听完汇报，震惊、愤怒、悲伤、焦虑，种种思绪一齐聚集心头。

对这一突如其来的噩耗，我一时难以置信。堂堂中华人民共和国的驻外使馆，竟会遭受如此严重的侵袭！

我努力抑制住内心的义愤，立刻让秘书通知有关部门，要想尽一切办法与使馆联系，直到联系上为止。一定要尽快了解我们在前方同事的安危，掌握使馆受损情况。

我还让秘书通知外交部相关部门的负责同志，请他们火速赶到外交部开紧急会议，进行形势会商和对策研究。我自己也即刻起身，迅速赶往办公室。

在前往外交部的路上，我梳理了一下思绪。

那段时间，南联盟和科索沃问题是我们关注的热点问题之一。尽管大家都非常关心巴尔干地区的局势变化，但没人会想到，那里燃起的战火竟然会殃及中国使馆。

南联邦解体　科索沃问题浮现

提起南斯拉夫，国人并不陌生。一部热映于20世纪70年代的经典电影——《瓦尔特保卫萨拉热窝》，使南斯拉夫在中国变得家喻户晓。

南斯拉夫地处巴尔干地区，战略地位十分重要。第一次世界大战便发轫于此。二战期间，铁托领导的南共游击队同德意法西斯展开殊死战斗，为欧洲地区取得反法西斯战争的胜利作出了重大贡献。《瓦尔特保卫萨拉热窝》和《桥》等前南斯拉夫电影，都是讲述南共游击队同法西斯战斗的故事。

二战后，铁托领导的南斯拉夫保持了国家统一，经济社会显著发展，取得了辉煌的成就。铁托在南斯拉夫享有至高无上的威望。

冷战时期，南斯拉夫一直是东西方竞相争夺的对象。

南斯拉夫是个多民族国家，由六个共和国和两个自治省组成。历史上，虽然也存在一些问题，但在铁托的领导下，南斯拉夫基本上政治稳定，经济发展，民族团结。南斯拉夫曾是我国改革开放初期学习的主要对象。当时，贝尔格莱德农业联合体“PKB”（取谐音译为“背靠背”）是中国经常组团参观的“定点项目”。南斯拉夫人曾戏称，连“背靠背”的牛都认识中国人，都会用汉语说“你好”。

然而，1980年铁托逝世后，南斯拉夫各种矛盾开始显露。到了90年代，受东欧剧变、苏联解体的影响，南斯拉夫社会主义联邦共和国（简称南联邦）也解体。1992年4月，南联邦中的塞尔维亚、黑山两个共和国组建了南斯拉夫联盟共和国（简称南联盟）。南联盟自成立之日起就命运多舛，一直遭受国际制裁。

长期潜伏的科索沃问题也在此时浮出水面。

科索沃是原塞尔维亚共和国的一个自治省。其中90%的人口是阿尔巴尼亚族，同塞尔维亚族长期存在矛盾，一直寻求从南联盟独立。20世纪80年代中期，米洛舍维奇在南联邦塞尔维亚共和国执政后，对科索沃采取强硬立场。

米洛舍维奇在南联盟历史上饱受争议。他出生于1941年，年轻时从事金融业，曾担任南斯拉夫贝尔格莱德银行行长。80年代初期开始步入政坛，1986年出任南联邦塞尔维亚共产主义者联盟中央委员会主席，1989年当选南联邦塞尔维亚共和国总统。我没有见过他

Milesovic

本人，但许多文章都称，米洛舍维奇机智善谈、性格刚毅，甚至连当时塞尔维亚反对党一位领导人也称赞他是颇具魅力的人物。

尽管米洛舍维奇在塞尔维亚也实行了多党制，但西方仍将他视为共产党的代表。

米氏上台后，塞阿两族矛盾更加激化。1998年2月，宣称为科索沃独立而战的阿族武装——“科索沃解放军”同塞尔维亚军警发生冲突，造成多人死亡。这一事件为西方插手干涉提供了口实。

1998年10月，以美国为首的西方大兵压境，要求南联盟塞尔维亚政府给予科索沃高度自治。经过多轮磋商，米洛舍维奇被迫签署“城下之盟”，同意就恢复科索沃自治地位同阿族谈判，并接受国际观察团进入科索沃。

1999年1月，科索沃拉查克村突然发现45具阿族人尸体。美国人领衔的国际观察团“认定”这些人是被南塞军警杀害的阿族平民，并宣称“拉查克村事件”是一场“人道灾难”，再次威胁对南动武。这成为科索沃战争的导火索。

同年2月，塞尔维亚政府被迫在法国的朗布依埃就政治解决科索沃问题同阿族代表展开谈判。谈判伊始，美国特使就拿出一份早已准备好的协议草案，声称协议内容不容谈判，更不可修改，要求谈判双方必须在一周内签字。

这份不容更改的“协议”内容主要包含：给予科索沃高度自治，解除“科索沃解放军”武装，北约向科索沃派遣多国部队等。阿族代表坚持要求将科索沃“独立”写入协议，并拒绝解除武装；而南塞方面则坚决反对北约部队进驻。双方立场南辕北辙，谈判自然无果而终。

但在一个月后谈判重启时，阿族代表却在西方的诱导下，一反当初的强硬立场，单方面签署了《朗布依埃协议》。南塞方面仍然坚持原来立场，拒绝在协议上签字。西方以此作为借口，将谈判破裂的责任全部推到南塞身上，并向南联盟政府发出最后通牒。

3月22日，美国特使霍尔布鲁克前往贝尔格莱德，向米洛舍维奇摊牌。双方谈判最终破裂，战争的厄运降临。

战火纷飞　全力以赴护侨胞

3月24日晚，以美国为首的北约绕开联合国安理会，悍然对南联盟发动空袭。科索沃战争全面爆发。

这场战争严重违反了《联合国宪章》和国际关系准则，损害了联合国安理会的权威，在现代国际关系史上开创了一个极其危险的恶劣先例。战争导致巴尔干地区力量格局失衡加剧，对地区稳定及世界和平造成严重影响。

战争引起国际社会强烈反响。俄罗斯总统叶利钦发表声明，对北约侵略一个主权国家表示义愤。白俄罗斯、印度等多国均谴责北约并敦促其立即停止军事行动。希腊、奥地利等欧洲国家也公开表示不赞成北约对南动武。

从支持公平正义、维护世界和平与联合国权威的一贯立场出发，中国对北约的野蛮行径迅速做出反应。江泽民主席、李鹏委员长、朱镕基总理等国家领导人多次严正阐明中方的原则立场。中国外交部也发表声明，对科索沃局势深表忧虑，反对以美国为首的北约对南发动空袭，反对北约绕开联合国自行其是，强烈要求立即停止军事行动，呼吁国际社会及南当事各方共同努力，早日恢复巴尔干地区的和平。中国还积极推动联合国安理会召开紧急会议，讨论科索沃问题。

在密切关注南联盟局势变化的同时，我们也高度重视中国驻南联盟大使馆人员和旅南华侨华人的安全。

空袭之初，以美国为首的北约幻想速战速决，轰炸目标主要集中于南联盟的防空系统和军事设施。后来，随着北约对南联盟狂轰滥炸不断升级，民用设施也成为打击目标，许多工厂、学校、医院等民用设施被肆意摧毁，造成大量平民伤亡。这场以所谓“维护人道”名义进行的战争，实际上酿成了二战后欧洲最大的人道主义灾难。

随着形势的发展变化，我多次指示前方使馆要提高警惕，不仅要注意自身安全，还要保护华侨华人安全，及早制定应变措施，并授权使馆党委在紧急情况下自行决定疏散方案。

在潘占林大使的领导下，使馆积极制定各种应变计划。当时，使馆的工作生活条件异常艰苦。北约的大规模轰炸导致南境内经常断水断电，食品和蔬菜供应十分困难。使馆的同志们牢记祖国的重托，不辱使命，既承担着超出平常的繁重任务，还要不时冒着生命危险，在轰炸持续期间外出工作。

战火纷飞中，使馆从未忽视保护华侨华人的安全。当时，华侨华人被困在南联盟各个城市，由于都是第一次遭遇战乱，情绪难免波动，有许多华侨华人提出希望在使馆帮助下转移到安全地带。

想他人所想，急他人所急，使馆克服了重重困难，设法稳定大家的情绪，同时想方设法联系撤侨渠道。经过认真筛选，最终确定将人员撤至南联盟的邻国——罗马尼亚境内。

4月3日上午，旅居南联盟的华侨华人、留学生、公司人员等211人，乘坐使馆颇费周折才租到的四辆大巴，经过两个半小时的颠簸跋涉，安全撤至罗马尼亚境内。这次有组织的撤侨工作受到当地华侨华人的高度赞赏。大家都说，只要有使馆在，就有主心骨，就会感到安全。

我获悉前方使馆所做的大量工作后深感欣慰，更为我们的外交官在紧急关头能以国家和人民利益为重感到骄傲。与此同时，我也十分牵挂使馆人员的安全。

但万万没有想到，我的担心竟成了残酷的现实，身负和平使命、保护了许多人员安全的使馆竟成了以美国为首的北约轰炸目标。

飞来横祸　中国使馆遭突袭

我一到办公室，就和其他部领导及相关人员开会，决定立刻成立三个工作组，迅速投入工作。

经过多方努力，我们终于与前方使馆取得了联系，了解到使馆被炸后的有关情况。

那天夜里，使馆遭到以美国为首的北约轰炸，三位同志在睡梦中被夺去了宝贵的生命。他们是新华社记者邵云环同志、《光明日报》记者许杏虎同志和他的爱人朱颖同志。二十多位同志受伤，其中数人伤势严重。使馆馆舍也遭到严重损坏。

当时，共有30人住在使馆内。除使馆工作人员外，还有驻贝尔格莱德的新闻记者。他们住进使馆，就是考虑到战争时期使馆是最安全的地方。但不幸的是，他们却在使馆遭遇的轰炸中遇难了。

由于南联盟当地仍是深夜，北约还在袭击使馆附近的一些目标，进一步核实使馆被炸的具体情况存在一定困难。根据目击者最初描述，轰炸我国使馆的可能是三枚导弹。

但据事后了解到的详情，轰炸是由从美国本土起飞的B—2隐形轰炸机执行的，使用的并非导弹，而是五枚精确制导的重型炸弹（即“联合直接攻击弹药”JDAM）从不同角度对中国驻南联盟大使馆和大使官邸进行了野蛮轰炸，造成使馆人员严重伤亡，馆舍严重毁坏。

党中央十分重视使馆被炸事件，也十分关心我们在前方人员的安危。我们在最短的时间内准备了一份向中央汇报的材料，尽可能详尽地报告了我们掌握的第一手情况，同时还拟就一份措辞有力、法理依据充足的政府声明稿。

当天上午，我前往中南海，向中央做了汇报。

在去中南海的途中，我心潮起伏，心情沉重。

众所周知，根据《维也纳外交关系公约》和有关国际法准则，

中国驻南联盟大使馆被炸前的照片。

驻外使馆是主权国家的代表机构，是这个国家神圣不可侵犯的领土的延伸，是受到《维也纳外交关系公约》和有关国际法准则严格保护的。一国或一个军事集团轰炸一个主权国家的使馆，是外交史上罕见的、粗暴违反国际法准则的野蛮行径。

我曾看过一段有关炸馆情况的录像。录像是从各个角度拍摄的，从画面上可以清楚地看出使馆严重受损，已经被炸得不像样子。

当时，我国驻南联盟大使馆还是建成不满三年的新馆舍，坐落在南联盟首都贝尔格莱德的新城区，距南联盟政府大厦不到一公里，离美丽的多瑙河仅有几百米之遥。馆舍建筑包括主楼和大使官邸。主楼是一座五层的建筑，总面积约六千平方米。大使官邸是一座二层楼的建筑，面积约一千平方米。两座建筑均以灰色花岗岩和绿色玻璃为立面，顶部是绿色琉璃房檐，堪称中西合璧的建筑佳作，既庄严神圣，又华丽典雅。

使馆建成后成为贝尔格莱德的地标式建筑，不光是来过使馆的南政府各级官员和外交使团人员啧啧赞叹，许多当地百姓和游客也慕名前来参观、留影。可是谁也没想到，北约的炸弹竟会对准这两座美丽的建筑。

当时，我们得到的消息还是使馆受到三枚炸弹的袭击。画面虽无法显示出使馆内部的受损情况，但仅从表面看，主楼和官邸的花岗岩立面及大部分玻璃全被炸掉，主楼后面和靠近官邸的一侧已被炸塌。

看到这些令人发指的画面，谁都会感到义愤填膺。

面对这一突如其来的变故，以江泽民同志为核心的第三代中央领导集体，强忍心中悲愤，深入分析了国际国内形势及此次事件的性质和影响，果断决定既要严正交涉、坚定不移地维护国家主权和民族尊严，又要统筹考虑改革开放大局，着眼于中华民族根本利益

1999年5月8日，中国驻南联盟大使馆被北约JDAM炸毁。图为使馆建筑一侧墙壁被全部掀掉。

1999年5月，无声的哀悼：人们在中国驻南联盟大使馆门前的铜牌上献上鲜花，悼念死难者。

和长远发展。

我向中央汇报了外交部事先准备好的政府声明稿。中央决定立即发表这份政府声明，表明中国政府的严正立场。

中央还决定紧急向美国提出严正交涉和最强烈抗议，并派遣专门小组乘专机前往贝尔格莱德处理使馆遭袭事件，用专机把我们三位烈士的骨灰运回来，把能行动的受伤人员全部接回国。

派遣专机和专门小组赴境外处理紧急事件，在我几十年的外交生涯中还是第一次。这突出表明中央对此事的高度关注。江主席曾就此非常严肃地对我说："唐家璇同志，一定要确保我们专机以及机上人员绝对安全，这是外交部的责任。"后来江主席还亲自打电话给国内有关部门，关心专机的落实情况。

之后，新华社立即发表了中国政府严正声明，对以美国为首的北约粗暴侵犯中国主权、肆意践踏维也纳外交关系公约和国际关系基本准则的野蛮暴行，表示极大愤慨和严厉谴责，并提出最强烈抗议。声明指出，以美国为首的北约必须对此承担全部责任。中国政府保留采取进一步措施的权利。

群情激愤　强烈谴责

当中国驻南联盟大使馆遭到以美国为首的北约野蛮轰炸，多名同胞伤亡的消息在国内传开后，立即引起全国民众的强烈反应。广大群众和学生群情激愤，纷纷举行示威游行，严厉声讨美国的暴行，抗议以美国为首的北约的呼声一浪高过一浪，对美国及北约形成了强大的民意压力。

以美国为首的北约这一公然违反国际法准则的行径震惊了全世界，受到国际社会的强烈谴责。8日，俄罗斯总统叶利钦发表声明，强烈谴责北约袭击中国使馆的野蛮行径。10日，叶利钦总统还主动给江泽民主席打来电话，再次严厉谴责北约轰炸中国驻南联盟大使馆的野蛮暴行。亚洲、非洲、拉丁美洲多国领导人也分别致电致函我国领导人，谴责以美国为首的北约轰炸中国驻南联盟大使馆，积极声援中国政府，并向遇难者家属表示慰问。

但以美国为首的北约却百般辩解，宣称这一事件是“误炸”，企图逃脱责任。8日事发当天，美国总统克林顿正在俄克拉荷马州视察龙卷风灾情。克林顿在当地对记者表示，中国使馆被炸事件是一起并非故意制造的不幸事件，对由此给中方造成的人员伤亡和财产损失，向中国领导人和中国人民真诚地表示深切哀悼和遗憾。

针对国际国内的反应，为进一步表明中国政府在此问题上的坚定立场，维护国内稳定大局，根据中央部署，时任中央政治局常委、国家副主席胡锦涛9日就“炸馆事件”发表电视讲话。胡锦涛同志在讲话中首先表达了对烈士的哀悼之情和对以美国为首的北约的强烈抗议，要求美方对这一事件负全部责任，并表示中国政府保留采取进一步措施的权利。

胡锦涛同志在讲话中还强调，中国将坚定不移地奉行独立自主的和平外交政策，坚持改革开放，坚定不移地维护国家主权和民族尊严，坚决反对霸权主义和强权政治。同时，中国将依据有关国际法和国际关系准则，根据中国的有关法律，保护外国驻华外交机构和人员，保护外国侨民和来华从事经贸、教育、文化等活动的人员。这充分体现出中华民族的优良文明传统。

胡锦涛同志的讲话得到全国人民的坚决拥护和坚定支持，在国际上也引起积极反响。

义正辞严　交涉升级

向中央汇报结束后，我立即返回外交部，在全部范围内进行统一部署，决定从几个方面尽快落实会议精神。一是立即向美方提出严正交涉，表示最强烈的抗议和谴责。二是从双边层面上采取一系列措施，推迟或中止与美国的交往和对话。三是在联合国等多边场合，推动国际社会强烈谴责美国和北约的暴行。

8日下午，外交部副部长王英凡奉示紧急约见美国驻华大使尚慕杰，就以美国为首的北约用精确制导重型炸弹袭击我国驻南联盟大使馆，提出最强烈抗议。

尚慕杰听后并未过多表态，只是说将立即把中方交涉内容报告美国政府。他还说，虽然现在还不清楚谁应当对此次事件负责任，但愿意代表美国政府就中方人员伤亡和中国驻南联盟大使馆所受的损失，表示深切遗憾。

由于克林顿总统和尚慕杰等仅对此次事件造成的人员伤亡和财产损失表示哀悼和遗憾，并没有正式做出真诚道歉，我决定再次召见他，代表中国政府，再次向美方提出严正交涉。

召见尚慕杰前，我专门请美大司有关同志来到我的办公室，向他们口授了交涉说帖的主要内容，明确提出中方的四项要求。

5月10日，尚慕杰准时来到外交部。

我曾在多个场合见过尚慕杰，他给我留下的印象是待人热情，处事务实。他是美国资深参议员，曾连续三次当选，但并不是“中国通”，甚至在就任驻华大使前从未访问过中国。1996年，尚慕杰来华工作后，对华了解逐步加深。他认为中国是21世纪最重要的国家之一。美国应该以平和的心态看待中国发展。作为美国驻华大使，有责任使美中关系实现互利互惠，并应努力建立两国间的互信。

当时，会客室内气氛十分严肃。我向尚慕杰表示，以美国为首的北约悍然使用精确制导重型炸弹袭击中国驻南联盟大使馆，造成重大人员伤亡和馆舍的毁坏。这是对《联合国宪章》和国际关系基本准则的公然践踏和严重破坏，是对中国主权的粗暴侵犯。中国政府已就此发表严正声明，对这一野蛮行径表示极大愤慨，予以强烈谴责，并向以美国为首的北约提出最强烈抗议，要求以美国为首的北约必须对这一事件承担全部责任。中方将继续密切关注情况的发展。

我说，事发当天下午，王英凡副部长已经紧急约见你，代表中国政府提出最强烈抗议。现在，我代表中国政府，再次向以美国为首的北约提出以下严正要求：

一、必须公开、正式向中国政府、中国人民和中国受害者家属道歉。

二、必须对北约用精确制导重型炸弹袭击中国驻南斯拉夫联盟共和国大使馆事件进行全面、彻底的调查。

三、迅速公布调查的详细结果。

四、严惩肇事者。

我对尚慕杰强调，以美国为首的北约对南斯拉夫联盟共和国的军事行动给该地区人民造成了深重灾难，必须立即停止对南联盟的军事行动，使科索沃问题早日回到政治解决的轨道上来。

尚慕杰说，我十分仔细地听取了外长先生代表中国政府所做的交涉，将立即报告美国政府。尽管我已经就中国驻南联盟大使馆发生的导致中国公民无辜伤亡的悲剧性事件向中国外交部的同事表示了哀悼，今天我愿向你表示深切的道歉。我本人也对这一事件给中国人民带来的伤痛深表哀悼。

最后，尚慕杰提出，克林顿总统希望与江泽民主席通话。尚慕杰解释说，克林顿总统在事件发生当天就为此发表了声明，对这起悲剧性事件深表遗憾和哀悼。克林顿总统一直希望与江泽民主席通话，亲自向江主席道歉，并表达真诚的哀悼。

我对尚慕杰说，当务之急是以美国为首的北约必须认真对待我刚才代表中国政府所做的严正交涉和提出的严正要求，采取切实行动，迅速做出积极回应。

为向美国进一步表明中方对我国驻南联盟大使馆被炸的强烈愤慨，并向国际社会表明中方的严正立场，我们决定从双边层面对美国采取进一步措施：推迟中美两军高层交往；推迟中美防扩散、军控和国际安全问题磋商；中止中美在人权领域的对话。10日，外交部发言人发表谈话，对外公布了中国政府的上述决定。

失道寡助　国际社会共谴责

8日下午5时40分，应中国的要求，联合国安理会召开紧急公开会议，非正式磋商中国驻南联盟大使馆遭受以美国为首的北约重型炸弹袭击事件。

会上，中国常驻联合国代表秦华孙大使奉示宣读了中国政府的声明，对以美国为首的北约轰炸中国驻南联盟大使馆并造成中方人员伤亡和财产严重损失，表示极大愤慨和强烈谴责。秦大使表示，中方强烈、坚决要求安理会主席即向新闻界发表谈话，并立即召开安理会正式会议。

在磋商过程中，美国、英国百般阻挠，强调情况并不明朗，甚至以安理会在审议同一事项时，没有在非正式磋商和公开会议之间由主席向新闻界发表谈话的先例为由，反对由主席发表新闻谈话。

在中方据理力争下，主席最终裁定安理会有权自行决定议事方式，可以在此特殊情况下向新闻界发表谈话。经过3小时激辩，安理会主席在非正式磋商结束后，向新闻界发表谈话，对中国驻南联盟大使馆被重型炸弹击中、遭受重大人员伤亡和损失表示震惊和关切，对中国政府和受害者家属表示同情和哀悼，并表示安理会将密切关注事态发展，期待北约对此的调查结果。

14日，安理会举行正式会议，讨论北约轰炸中国驻南联盟大使馆问题。在会前举行的多轮磋商中，中方坚决要求安理会发表主席声明，谴责北约行径，并散发了主席声明稿。美、英等北约国家仍极力阻挠，不同意中方声明稿中关于“谴责北约违反国际法”等字句，甚至要加上“误炸”的内容。

在中方坚决反对下，“误炸”未被写入，国际公认原则等内容则得到体现，最大限度地维护了中方利益和尊严，伸张了正义。

14日的安理会会议最终通过并发表了关于北约轰炸中国驻南联盟大使馆的主席声明。声明表示，安理会对中国使馆遭到轰炸深表悲痛和关注，谨对中国政府和死难者家属表示深切的同情与哀悼；对轰炸事件深表遗憾，对轰炸造成人员伤亡和财产损失深表痛心，重申依据国际公认的原则，在任何情况下都必须尊重外交人员和馆舍不容侵犯原则；强调必须对北约轰炸事件进行全面、彻底的调查并等待调查结果。

应中方要求，安理会还打破惯例，在正式会议开始前，为中国在“炸馆事件”中牺牲的人员集体默哀。

竭尽全力　处理善后慰忠魂

在对美国进行严正交涉的同时，外交部也在抓紧协调，全力落实中央关于尽快派遣专门小组赴南联盟处理善后事宜的决定。

向中央汇报后，在从中南海返回外交部的路上，我一直在考虑由谁率领专门小组前往南斯拉夫。

在当时空袭仍在进行的情况下，派任何人前去对我来说都是一个艰难的抉择，因为这意味着我要亲手将与我朝夕相处的同事送上前线。

当时，我首先想到的就是外交部领导成员王国章同志，因为这个专门小组应该是个综合工作组，属于他的工作范畴，他又善于协调，是合适人选。

我一回到办公室，便把当时主管干部工作的杨文昌同志请来。杨文昌同志当时并不知道中央的有关精神，但他也在考虑下一步需要做些什么工作。

杨文昌一进我办公室就主动建议说，我们恐怕要派个工作组去。我对他说中央也有这个精神。接着，我问他谁带队合适？杨文昌说：“根据工作需要，要么王国章同志去，要么我去。”

在征求王国章同志意见时，他毫不犹豫地接受了任务。在征求其他几位副部长的意见后，这件事很快就定了下来。

随后，我立即召集外交部相关部门负责人开了紧急会议，布置成立专门小组赴南联盟处理善后的各项工作。

部内相关部门的同志们踊跃报名参加。有的同志工作繁重，有的同志身体状况并不好，有的同志家庭有这样那样的困难，但在危难关头，大家不顾个人安危，不畏艰险。这种精神令我十分感动。

与此同时，在中央的直接安排下，北京医院和国家民航总局迅速做好了选派精干医疗队和专机组等有关准备工作。外交部也及时

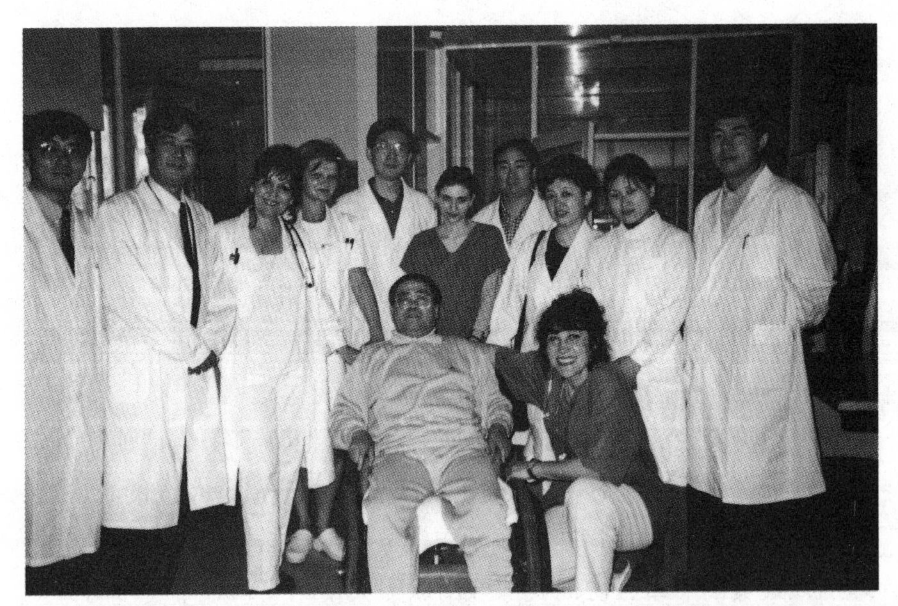

1999年5月，中国和南斯拉夫医务人员与伤员合影。(左明章摄)

与他们取得了联系，并制定了周密的工作方案。

由外交部、新华社、光明日报社、北京医院等有关部门组成的34人专门小组迅速成立，外交部领导成员王国章同志任组长。

与此同时，根据江主席的指示，外交部和我本人也在为专机和人员的绝对安全做着艰苦的努力。

当时，南联盟上空被北约划为禁飞区，我们的专机要进入南联盟，必须得到北约的安全保证。为确保安全，我指示驻美国和驻比利时等国使馆，向美方及北约提出交涉，要求以美国为首的北约采取一切必要措施，不仅口头上做出保证，而且再三强调必须是书面确保中国政府专机在南斯拉夫降落、起飞、停留和飞行期间的绝对安全，停止轰炸中方伤员接受治疗所在的南联盟医院。

即便如此，我还是不放心，又亲自指示驻美使馆和驻比利时使馆，提醒他们一定要做到万无一失。我在电话里告诉驻上述两国使馆的同志，我会守在办公室的电话机前，连夜坐等北约的答复。

当时我想，一定要在专机出发前把这件事落实到位，使奔赴前线的同志放心，使他们的亲属放心，使大家体会到党中央细致入微的关怀。

终于，在9日凌晨2时30分左右，北约向中方做出了书面保证。

在接到北约的书面保证后，我立即在外交部召开动员会，为专门小组壮行。当时，已是夜深人静，但小组的同志们在王国章同志的召集下已经等候在外交部党委会议室里了。会议室里，大家都在做着最后的准备，气氛紧张、凝重，忙而有序。

在动员会上，我对专门小组明确提出了四项任务，请他们一定要把党中央、国务院对一线同志们的亲切关怀送到每个人的心坎上；要抓紧时间在当地治疗并接回受伤人员及需要撤离的人员；妥善处理牺牲人员的后事；协助我国驻南联盟大使馆安排好下一步对外对内工作。我还向同志们通报了关于要求以美国为首的北约书面确保我们的专机和人员安全所做工作的情况。

2008年3月，我从国务院领导岗位上退下来后，在一个非常偶然的机会见到了北京医院麻醉科主任左明章同志。他是当时专门小组中的医护人员之一。

左明章主动跟我聊起那次南联盟之行，他说："我其实早就认识您了。那天夜里两点半，您把我们都请到外交部召开紧急会议。您一进门就说今天是个壮行会。您着重向我们介绍了坚决、强烈要求美国和北约出具正式外交文件，书面保证飞机不受袭击、安全抵达，书面保证不对中国伤员接受治疗所在的南斯拉夫医院进行轰炸或扫射。您的讲话令我们在场的全体人员感到非常温暖，因为这体现了组织上的关心。外交部的工作确实周到、细致。"

这次交谈让我感触很深。时隔近十年了，他对当时开会的情景，对我的讲话、言词依然记得清清楚楚，说明这件事留给他的印象十分深刻。

1999年5月9日拂晓，中方专门小组乘中国民航专机赴贝尔格莱

1999年5月10日，中国驻南联盟大使馆遭北约轰炸事件三位遇难者遗体告别仪式在贝尔格莱德新公墓教堂举行。中国驻南联盟大使馆工作人员、中国政府解决该事件专门小组成员、旅南华人华侨代表、南联盟及塞尔维亚共和国政府官员和贝尔格莱德市民数百人来到这里，与遇难的三位中国新闻工作者做最后告别。

德执行任务，小组从筹备成立到出发，仅用了14个小时。

在处理“炸馆事件”的那段时间，通宵不眠是经常的事。动员会后，我决定亲赴机场为大家送行。

我提前赶到专机边，在同志们登机前，一个一个地握手道别。这是战友之间的惜别，在一定意义上讲，他们此行是冒着一定危险出征。

我们工作在外交战线上的同志们，在外人眼里经常是西装革履，举止优雅，出入各种令人羡慕的场合，觥筹交错。实际上，在我们的工作中，经常会面临各种复杂的斗争场合和突如其来的危险，甚至是生与死的考验。令人骄傲和欣慰的是，每一次重大抉择的关头，我们的同志们都经受住了考验，为祖国和人民的利益，不顾个人的生死安危而努力工作。我由衷地为我们的外交官们感到骄傲和自豪。

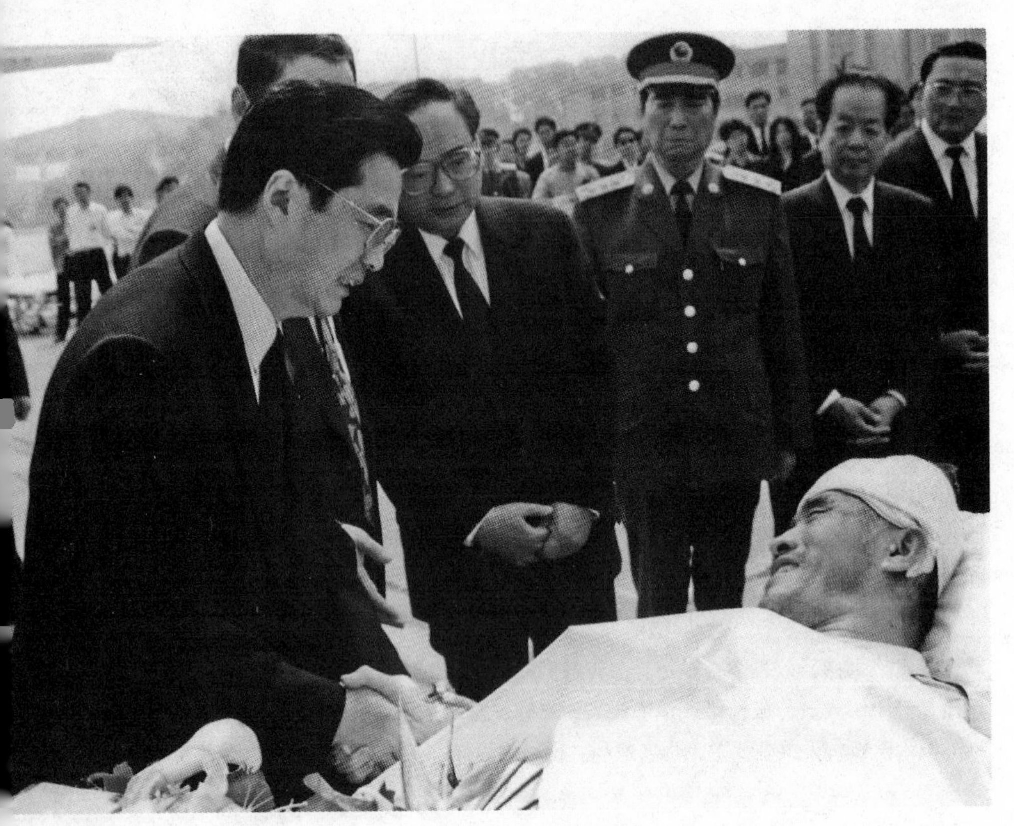

1999年5月12日，胡锦涛同志专程前往机场迎接伤员。

今天，又是一场生与死的考验，不仅是外交部的同志们，专门小组的每一位同志都这样义无反顾地走上前线，为了祖国的尊严和人民的利益，他们将自己的安危置之度外。当时没有人向我诉说过任何困难和不安，后来我才了解到，有的同志在上飞机前是写好了遗书的。

我叮嘱每一位成员，希望大家不要辜负祖国重托，全力做好各项工作。专门小组的成员们纷纷表示，一定牢记祖国重托，不辱使命，圆满完成任务。

王国章同志抵达贝尔格莱德后，便给我打来报平安的电话。这时，我的心里才一块石头落了地。我向他详细询问了使馆和同志们的情况，请他代表我向大家表示慰问和敬意，叮嘱他们无论如何要处理好善后事宜，把同志们安全地接回国内。

此后几天，我同王国章同志始终保持热线联系，随时了解当地形势及有关问题的处理情况，并及时向中央做了汇报。

专门小组带去了使馆人员急需的药品和医疗器械、方便食品及各种生活日用品，下飞机后便径赴医院看望伤员，详细了解每位伤员的病情和治疗情况，逐一为全馆同志进行体检，筹备并出席邵云环、许杏虎和朱颖三位烈士的遗体告别仪式，反复全面查看被炸馆舍。

经过近六十个小时的连续奋战，专门小组出色地完成了在贝尔格莱德的各项任务后，于1999年5月12日上午护送三位烈士的骨灰和六名重伤员及使馆部分撤离人员，平安回到北京。

胡锦涛副主席代表党中央、国务院和江泽民主席专程前往机场迎接，有关部门领导和首都各界群众也到机场迎接。

12日上午10时整，运载着三位烈士骨灰和我国驻南联盟大使馆负伤人员及部分工作人员的专机，缓缓降落在首都机场。

当三位烈士的骨灰由家属护送走下飞机时，哀乐奏起，胡锦涛同志神情凝重，分别将烈士的骨灰护送至灵车。场面庄严肃穆，催人泪下。

当抬着重伤员的担架出现时，胡锦涛同志迎上前去，深情地紧紧握住伤员们的手，俯下身去亲切地说："我代表党中央、国务院，代表江泽民主席，向你们表示慰问。祖国人民感谢你们，祖国人民迎接你们归来。"胡锦涛同志还与被医务人员搀扶走下舷梯的伤员一一拥抱，并亲切地对他们说："你们受苦了！祖国人民一直牵挂着你们。"场面庄严凝重，感人至深。

为沉痛悼念三位烈士，国务院决定，1999年5月12日在北京天安门、新华门、人民大会堂、外交部，各省、自治区、直辖市人民政府所在地，香港特别行政区政府所在地，新华社澳门分社下半旗志哀。美国、法国、德国、意大利、埃及等国家的驻华使馆同日也降半旗志哀。

当天下午，党和国家领导人专程前往新华社和光明日报社悼念三位烈士，并看望烈士家属。

13日，党中央、国务院在人民大会堂隆重集会，江泽民总书记在会上发表重要讲话，朱镕基总理主持会议，在京政治局常委全体出席。邵云环、许杏虎、朱颖三位同志被授予“革命烈士”称号。

因为工作需要，潘占林大使并未随专机回国，而是带领使馆留守人员继续坚守前线。我时刻记挂着他的安危，几次叮嘱他一定要注意安全。

1999年6月11日潘大使回国时，我亲自到机场迎接他。在我的记忆里，外长亲自到机场接驻外大使回国是少见的。后来，我还偕同外交部全体部领导，请他吃了一顿团圆饭。

据理施压　克林顿正式道歉

1999年是克林顿上台执政后的第六个年头。六年中，中美关系一波三折。我们与美国有过几次较量，包括“银河”号事件[1]、李登辉访美、台海危机等。1997年江泽民主席访美、1998年克林顿总统访华，才使中美关系出现转机。1999年4月，我刚刚陪同朱镕基总理访问美国。突如其来的“炸馆事件”使中美关系遭到重大挫折。

中国驻南联盟大使馆遭重型炸弹袭击后，中方做出一系列强烈反应，其激烈程度令美方始料未及。

起初，美方只是百般辩解，仅对给中方造成的人员伤亡和财产损失表示深切哀悼和遗憾。但同时，美方又提出克林顿总统要同江主席通话，亲自向江主席做出解释。由于美方迟迟不肯对我国使馆

1　1993年7月23日，美国无中生有地指控中国“银河”号货轮将制造化学武器的原料运往伊朗，制造了震惊世界的“银河”号事件。“银河”号货轮被迫在达曼港接受检查，结果美国一无所获，尴尬收场。

被炸事件做出正式道歉，我们对克林顿总统希望通话的要求，没有做出任何回应。

面对中方的坚定立场和多轮外交攻势，面对中国国内强大的抗议声浪和国际舆论的压力，美方最终不得不改变态度，向中方表示道歉。

9日，克林顿总统就此事致信江泽民主席，表示“对发生在中国驻贝尔格莱德大使馆的悲惨场面和人员伤亡表示道歉和诚挚的哀悼”。克林顿总统在信中强调两国元首直接通话十分必要，他期待着在江主席方便的情况下尽快实现通话。

13日，克林顿总统在白宫会见中国驻美国大使李肇星，并在李大使专门带去的使馆吊唁簿上留言：“对死难者表示深切哀悼，对其家属和中国人民表示真诚的歉意。”

考虑到美方态度发生了变化，克林顿总统又一再强烈要求，江泽民主席于14日同克林顿总统通了电话。

克林顿没有太多寒暄，直入正题说道，“主席先生，我愿对发生在贝尔格莱德的悲剧表示由衷的道歉，尤其是向受伤人员和遇难者的家属表示慰问。我保证查清事件发生的原因，并尽快让中国人民了解事实真相”。

克林顿反复强调，美中关系非常重要，他将尽最大努力处理好这场“悲剧”，使两国关系恢复正常发展。

江主席重申了中国政府的严正立场，并强调指出，中国政府十分关心本国公民的生命安全。我们是一个有12亿人口的国家，每个中国人的生命都是极其宝贵的。这是中国政府必须维护的最根本的人权。

江主席说，袭击中国使馆的严重事件极大地伤害了中国人民的民族感情。事件发生后，中国人民自发地用各种形式表达自己的义愤，举国上下形成了声势浩大的抗议浪潮，这是理所当然的。中国政府和中国人民的这一正义斗争，得到了国际社会和世界人民的广泛同情、理解和支持。以美国为首的北约必须对这一事件承担全部责任。当务之急是美国政府应该对这一事件进行全面、彻底、公正的调查，并迅速公布调查结果，满足中国政府和中国人民提出的全部要求。

追查真相 反复交锋不放松

1999年6月16日，美国总统特使托马斯·皮克林来华向中国政府报告美国政府对以美国为首的北约袭击中国驻南联盟大使馆事件的调查结果。我在外交部会见了皮克林。

皮克林当时担任克林顿政府负责政治事务的副国务卿，是美国国务院第三把手。皮克林在四十多年的外交生涯中，曾担任过美国驻俄罗斯、印度、以色列、萨尔瓦多、尼日利亚和约旦大使、美国常驻联合国代表，通晓法语、西班牙语、斯瓦希里语、阿拉伯语和希伯来语等多种语言。

丰富的外交经历为他赢得了美国外交界最高荣誉——“职业大使”的头衔。皮克林曾公开表示，外交是他终身的事业，他想象不出任何其他更有吸引力、更能给人回报的职业。

在皮克林这次来华解释美方关于“炸馆事件”的调查报告结果前，我还没见过他。后来了解到，他与中国其实颇有渊源。早在1973年11月，就曾作为特别助理陪同基辛格访华。

克林顿总统此时派遣这样的重量级人物来华，用意很明显。但是，皮克林来华不过是奉命行事。在会见、会谈中，他一改外交官的潇洒和雄辩，总是拿着备好的稿子照本宣科，生怕出现任何纰漏。

皮克林首先向我递交了克林顿总统致江泽民主席的信。他说，他是代表克林顿总统来北京执行重要使命的，他已向中方详细通报了美国关于中国驻南联盟大使馆被炸事件的调查结果。

皮克林说，美方对这一事件承担责任，造成这一悲剧性错误主要有三个原因：第一，确定南联盟军需供应采购局（FDSP）目标的方法有严重缺陷；第二，美军方和情报部门的数据库未输入中国驻南联盟大使馆正确位置的数据；第三，美核查目标的程序未能纠正上述两方面的错误，美有关部门也未向任何知道该目标是中国使馆而非FDSP的人员进行过了解。

他反复说，美方绝非故意轰炸中国使馆。因为这样做是完全违反美国的原则和政策的。从决策的角度来说，这是完全不可想象的，因为它从根本上有悖于美对华政策，不符合美解决科索沃问题的政策目标，因为美国认为中国作为联合国安理会常任理事国，应在科索沃问题上发挥重要作用。

皮克林还说，美国内部还在就此事进行调查，调查结束后将决定是否对有关人员进行处分。美方愿意解决中方人员伤亡和财产损失问题，并愿就此与中方进行讨论。

我十分严肃地对皮克林说，我们注意到了美方向中国政府和人民再次做出道歉，也注意到美方表示将继续对轰炸中国驻南联盟大使馆事件进行调查。但我也愿坦率地指出，美方目前关于事件原因的说法是难以令人信服的，由此得出"误炸"的结论是中国政府和人民不能接受的。

我明确指出，中国驻南联盟大使馆遭到以美国为首的北约的野蛮轰炸，中国是受害者，北约特别是美国是加害者。美国政府必须从这个角度充分认识这一事件的严重性。

众所周知，外交机构是一个国家主权的象征，外交机构及其人员受到国际法的保护，任何人不得侵犯，这一直是国际社会共同遵守的一条基本准则。然而，美国居然用五枚精确制导重型炸弹轰炸中国使馆，造成中方人员重大伤亡和馆舍严重毁坏。这一行径公然侵犯中国主权，践踏《联合国宪章》以及国际关系和国际法的基本准则。如果世界上允许这种事件肆无忌惮地进行，必将威胁整个国际社会的稳定与安全，加剧国际紧张局势，那就根本谈不上和平与安宁。

我进一步指出，在这一事件中，中国驻南联盟大使馆外交官和新闻记者有三人牺牲，二十多人受伤。这一事件严重伤害了12亿中国人民的感情。中国各地很快出现了抗议怒潮。对中国政府和人民来说，每一个中国人的生命都是极其宝贵的。中国的国家主权和尊严必须维护，中国人民最根本的人权，也就是生存权必须得到维护。在中国主权和尊严受到损害时，中国人民做出强烈反应，是理所当然的。

我再次重申，以美国为首的北约轰炸中国驻南联盟大使馆事件，给中美关系造成了严重损害，这一责任完全在美方。如果美方确实希望消除这一事件造成的严重后果，就应该以实际行动体现出诚意，必须充分认识到事件的严重性，高度重视中国政府的严正立场和要求，切实进行全面、彻底的调查，严惩肇事者，以实际行动向中国政府和人民做出满意的交代。

皮克林认真地听取并逐字逐句地记录了我的讲话。他最后表示，外长先生的讲话对我很有启发，回国后会立即将中方立场和要求报告克林顿总统和奥尔布赖特国务卿。美方赞同中方关于应尊重和保护外交机构的立场。美方对中国使馆被炸这一悲剧性错误多次表示过道歉。美方将尽最大的努力，以现实的态度处理好这一事件。

此后，中方一直就此事向美方提出交涉，要求美方尽快做出积极回复。

2000年4月8日，皮克林代表美国政府在华盛顿向李肇星大使通报美方对“炸馆事件”的责任调查结果。当然，美方仍重复那些老套说法，只承认使用了不合适的目标定位方法，而且每一级审查都未发现其中的错误，表示美方已对美国情报部门的八名人员进行了惩处，其中一名已被解雇。但皮克林也再三强调，美方将争取尽早兑现对中方的财产损失赔偿，希望美中双方就此了结轰炸事件，共同开辟两国关系的未来。

对此，我们再次向美方表明中国政府的立场，强调美国轰炸中国使馆，造成中方重大人员伤亡和馆舍严重毁坏的行径，严重违反了有关国际公约和国际关系基本准则，严重侵犯了中国主权，极大地伤害了中国人民的感情，也严重损害了中美关系。中国政府强烈要求美国政府对美国轰炸中国使馆事件切实进行全面彻底的调查，严惩肇事者，给中国政府和人民一个满意的交代。

有理有节　坚持索赔不让步

自1999年7月15日起，中美双方代表在北京就我国驻南联盟大使馆被炸索赔案进行谈判。这是新中国成立50年来首例直接针对外国政府的索赔案件，不仅涉及复杂的法律问题，也关系到我们重大国家利益及民族感情，意义重大。这既是一场严肃的政治斗争、外交斗争，也是一场复杂的法律斗争。

中美双方共进行了五轮谈判，每轮谈判都十分艰苦。中方代表团本着对党、对国家、对人民负责任的高度责任感，以充分有力的法律依据为武器，牢牢把握谈判的主动权，迫使美方在谈判中始终都不得不采取低姿态。

第一轮和第二轮谈判分别于1999年7月15至16日和7月18至30日在北京举行，并于7月30日就中方人员伤亡和个人损失的赔偿达成协议。双方还商定将就解决中方财产损失继续谈判。

8月，美方按协议支付了中方伤亡人员赔偿金450万美元，由中国政府直接分付给三位烈士家属和受伤人员。

其后，双方又就中方财产损失进行三轮谈判，并于12月就此问题达成协议。

协议达成后，中方多次敦促美方切实履行承诺，尽快落实赔偿款项。

2001年1月17日，美政府最终向中国政府支付了轰炸中国驻南联盟大使馆财产损失赔偿金2800万美元。

“炸馆事件”发生后，在中方坚决斗争下，迫使美方包括克林顿总统在内多次向中国人民道歉，承诺进行责任调查，兑现向中方进行人员伤亡和财产损失赔偿，美方在政治和道义上始终处于被动和受谴责的处境。

我们最大的收获是让美国知道，今天的中国、今天的中国人民是不可欺负的，中国人民不怕鬼，不信邪，为了捍卫国家主权和民族尊严，是不惜牺牲一切的，我们坚决反对霸权主义行径。

亲赴前南　鲜花寄哀谒英灵

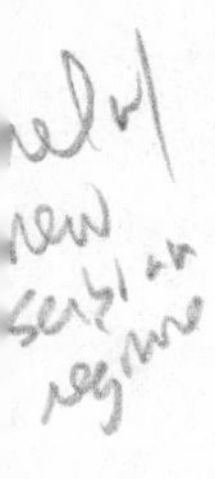

2000年12月，我出访部分欧洲国家。想到这次出访的几个欧洲国家离南联盟不远，我决定增加一站，到南联盟访问，一方面实地看一看那里的情况，增进中国与南联盟新政府的了解与信任，推动中南关系平稳过渡和顺利发展，同时也看望一下我们在那里工作的同志。

当时，南联盟国内政局已经发生重大变化，米洛舍维奇在总统选举中失利，在野党候选人科什图尼察当选。南联盟新政权中的主要人士过去同中方接触不多，缺乏了解。

我于2000年12月2日抵达贝尔格莱德。尽管南联盟国内局势发生巨大变化，但我在当地仍然充分感受到南联盟人民对中国人民的深情厚谊。南联盟政府对我的访问十分重视。南联盟总统、总理、副总理、外长分别同我会见、会谈。

我在会见、会谈中，着重阐述了中方尊重南联盟人民的选择和继续发展中南关系的立场，表明了中方尊重南联盟独立主权和领土完整及支持其经济重建的政策。我明确提出，中国对南联盟政策不是出于意识形态考虑，也不是为了支持某一个政党、个人，而是为了伸张正义，主持公道，为了维护南联盟人民的根本利益。南联盟方面听后都深受感动，认为我此时来访并宣示中方的原则立场，是对南联盟的宝贵支持，强调发展同中国的关系对南联盟具有战略意义，表示南联盟同中国发展友好合作的政策不会改变，南中关系要发展得更好。

访问期间，我在驻南联盟大使温西贵同志的陪同下，专门视察了驻南联盟大使馆被炸得千疮百孔的馆舍，凭吊了三位烈士。

站在这片洒下同胞鲜血的土地上，我的心情久久不能平静。伫立在面前的使馆大楼惨不忍睹。使馆工作人员带我踏上废墟，一一查看炸弹袭击的地点和几位烈士遇难的位置。看着眼前惨状，我不禁泪水盈眶。

最后，我代表外交部在大楼废墟前，向三位牺牲的英烈献上了鲜花做成的花圈，祈愿他们安息。

这件事已过去十年了，但每每回想起来，都心潮翻滚，难以平静。以美国为首的北约悍然轰炸代表我们国家主权的外交机构，并造成中方人员伤亡和重大财产损失，这的确是一件震惊世界的严重事件。如何应对这场突如其来的变故，不仅是对中国政府执政能力的严峻考验，同时对我国的发展，甚至对全世界的和平与稳定也至关重要。

关键时刻，以江泽民同志为核心的中央第三代领导集体准确判断国际和国内形势，既坚决维护国家主权和民族尊严，又全面考虑国家长远发展和改革开放大局，果断做出了明确和正确的决策，这是我们处理好这场重大突发事件的根本保障。在中央正确、有力的指导下，我们始终以大局为重，以国家和人民的利益为重，既坚持原则，敢于斗争，又注意有理、有利、有节，妥善处理了“炸馆事件”，不仅赢得了民族尊严，也保证了我国的改革开放进程不受干扰。

世纪之交拉美行

2009年1月，杨洁篪外长从巴西访问回到北京，给我送来一张照片，照片中是一棵小树，树底标志牌上写有几行葡萄牙文说明，内容是：钟花树——中华人民共和国外交部长唐家璇于2000年9月23日植。

看到照片使我想起，杨外长出访前我曾向他提到，我2000年访问拉美期间，在巴西的伊瓜苏市伊泰普水电站曾种下一株钟花树。杨外长是个有心人。他访问巴西参观该水电站时，特地拍下了那棵树的照片。

当年的一株小苗已经长成一人多高的小树，枝繁叶茂，绿意盎然。

这张照片让我回想起当年访问拉美的情景。

2000年9月23日种植的钟花树已经长大。

2000年9月，我作为外长对古巴、墨西哥、巴西、智利四国进行了正式访问。这是我担任外长后首次访问拉丁美洲和加勒比地区。当时中拉关系已经处于稳步、顺利发展的阶段，并因其不断呈现的发展潜力广受关注。

天涯比邻　世纪之交访拉美

“拉美”是拉丁美洲和加勒比地区的简称。这是一片辽阔的地域，总面积2070万平方公里，位于西半球美国以南，处于大西洋和太平洋之间，包括地理位置属于北美洲的墨西哥、中美洲地峡、南美洲大陆及位于加勒比海的西印度群岛。赤道从巴西、哥伦比亚、厄瓜多尔穿过。

“拉美”更多是一个政治、文化概念，与该地区的殖民历史有关。当年这里多为西班牙、葡萄牙殖民地，语言属拉丁语系。拉美人口众多，风景秀美，资源丰富，发展潜力巨大。据2007年的数字，拉美地区总人口已经达到5.61亿，人均国内生产总值约5540美元。

这个地区有33个独立国家和13个未独立地区，大多数国家讲西班牙语。只有巴西因遭受葡萄牙三百多年殖民统治，讲葡萄牙语。加勒比地区多为英语岛国，也有个别讲法语、荷兰语的国家。

拉美同中国相距遥远，但双方交往源远流长。早在四百多年前，就有中国商人、工匠、水手等沿着从中国经菲律宾直至墨西哥之间的太平洋贸易航路，到墨西哥和秘鲁经商或做工。

1949年新中国成立后的二十多年里，中国与拉美之间以民间交往为主。1960年，古巴成为第一个与新中国建交的拉美国家。20世纪七八十年代，新中国已经同这一地区中的大多数国家陆续建立了外交关系。此后，双方交往和接触日益增多。

目前，新中国已经与拉美33国中的21个国家建立了外交关系。

随着中国综合国力和国际地位的提升，拉美国家越来越重视发展同中国的关系，双方相互理解和信任不断加深，经贸投资合作日益扩大，实效彰显。

我访问拉美那一年，中拉贸易额有史以来首次突破了百亿美元大关，达到125亿美元。特别是1999年中国与巴西联合研制的第一颗地球资源卫星成功发射，成为在高科技领域南南合作[1]的一个典范。

可以说，经过多年积累，新世纪的中拉关系已经初步具备了快速、全面发展的良好条件。

而此时，步入新世纪的拉美，正孕育着一些新的变化。

在一些拉美国家，主张变革的声音迅速上升，一批新兴左翼力量逐渐崛起。

经受了1998—1999年经济动荡的冲击后，拉美地区各国普遍对新自由主义[2]带来的失业增加、贫富差距拉大、社会矛盾尖锐等弊端进行深刻反思。他们在积极推动地区一体化的同时，更加注重拓展同欧盟和亚太国家的关系。

在谋求自身发展的过程中，拉美各国纷纷把目光投向中国，把中国视作重要的合作对象。

我们一直十分重视发展与拉美国家的关系。这是因为拉美是国际上一支重要力量，大力做好对拉美工作，是我们外交全局的需要，也是中国自身发展的需要。

我就任外长后，深感有必要尽快去一趟拉美。当时我的主要考虑是进一步加强与拉美国家的相互了解，促进合作。

---

1 指发展中国家同发展中国家之间的合作。因发展中国家多在南半球，又被称为南方国家。

2 系一种西方经济学理论，产生于20世纪20至30年代。新自由主义系对古典自由主义加以改造而来，更加强调自由化、私有化和市场化。20世纪90年代中期，新自由主义成为在拉美占主导地位的发展模式，其主要内容一是贸易自由化，即降低关税壁垒，开放市场；二是金融自由化，即放松政府对金融部门的控制，通过开放金融市场、放松对外资的限制、允许外资参与私有化等方式吸引外国直接投资；三是国有企业私有化，即以直接出售、股份上市、管理人员购买、合资及特许经营和租赁方式将国有企业私有化；四是经济体制市场化，即减少国家和政府对经济生活的直接干预，提高市场机制在经济发展中的作用。

中国与拉美地区地理上相隔遥远，从中国到拉美当时没有直航，要取道欧洲或北美，旅途时间超过一天一夜。这种交通上的不便，在某种程度上制约了双方在各层次、各领域的交流。而世纪之交，中国和拉美都在积极探索符合各自情况的发展道路，迫切希望增进政治理解和信任，加强往来，深挖合作潜力。

我把出访拉美的考虑对当时主管拉美工作的杨洁篪副部长讲了，他对我的想法很赞同。在他的积极筹备下，并经请示中央同意，我在2000年对古巴、墨西哥、巴西和智利四国进行了正式访问。

这四个国家分别位于北美、加勒比和南美大陆，各具特色。

古巴是西半球唯一的社会主义国家。墨西哥是拉美文化大国，加入北美自由贸易区后，经济发展迅速。巴西是拉美综合国力最强的国家，也是第一个与中国建立战略伙伴关系的发展中国家。智利是中国在拉美的重要贸易伙伴和在亚太经合组织中的重要合作伙伴。

这四国在拉美地区很有代表性，也有重要影响。加强与这四国的关系，可以有效带动中国同整个拉美地区关系的发展。

卡斯特罗　加勒比的“不老松”

2000年9月16日上午，在美国纽约出席联合国大会后，我率代表团乘包机从纽约肯尼迪机场出发，开始了对拉美四国的正式访问。

这一年恰好是中国与古巴建交40周年。于是，我就任外长后的首次拉美之行就从古巴开始了。

古巴素有“加勒比明珠”的美誉，人口1100万，地域面积约11万平方公里，风景优美，气候宜人，是著名的蔗糖大国和优质雪茄烟、朗姆酒的生产地。

20世纪50年代，古巴著名领导人菲德尔·卡斯特罗率领28人从墨西哥乘“格拉玛”号船登陆古巴，向巴蒂斯塔独裁政权宣战，并于1959年攻入哈瓦那，宣告古巴革命成功，在美国眼皮底下建立了一个社会主义国家，让世界为之震惊。

从此，充满浪漫和传奇色彩的古巴革命，留着大胡子、一身戎装的古巴领导人卡斯特罗，“要古巴，不要美国佬”的响亮口号，古巴糖，还有那首脍炙人口的歌曲《美丽的哈瓦那》，就成为那个年代中国人对古巴深刻而珍贵的记忆。

和我的同龄人一样，我对古巴也一直怀有向往之情。作为外长首次访问古巴，终于使我有机会近距离感受古巴，接触卡斯特罗。

飞机上，我仔细地研究了美洲地图。从美国南部佛罗里达州到古巴的最近距离只有不到100海里。但因为美国对古巴实行的封锁政策，这不足100海里的佛罗里达海峡却成为一道屏障，将两个隔海相望、比邻而居的国家阻隔了半个世纪之久。海峡的一端是世界上最大的资本主义国家，另一端是西半球唯一的社会主义国家。不知道这一阻隔还将持续多久。

2000年9月16日下午1点，飞机准时抵达哈瓦那何塞·马蒂国际机场，古巴同志和中国驻古巴大使王成家已在机场等候。一下飞机，我们就感受到古方的热情和友好。对于我的到访，古方表示热烈欢迎，认为中国外长在古中两国建交40周年之际访问古巴，表明了中国同志对古巴同志的友好情谊和对古中关系的高度重视。

在前往宾馆的路上，哈瓦那的秀美风光和宜人气候让我和代表团成员顿感轻松。

“美丽的哈瓦那”果然名不虚传，蓝天白云下加勒比海一望无际，满城的“国树”王棕榈高大挺拔，绿荫掩映下的各式建筑风格各异，构成了一幅如诗如画的美景。

哈瓦那，这座16世纪由西班牙殖民者建造的古城，充满了浓郁的文化气息。哈瓦那老城于1982年被联合国教科文组织列为世界文化遗产，殖民时代遗留下来的一大批古建筑至今都保存完整。城中随处可见花岗石修建的楼宇，显示出残旧和斑驳的殖民主义印记。奔跑在哈瓦那大街小巷的20世纪五六十年代制造的“甲壳虫”和老爷车，是这个城市一道独特的风景线。

当天下午4点，我与古巴外长举行了会谈，就加强中古双边关系等问题深入交换了意见。会谈后，我们共同签署了两国外交学院间的合作协议。离开外交部前，古巴同志告诉我："总司令晚上将在革命宫会见并宴请您。"

古方所说的"总司令"，正是古巴国务委员会主席兼部长会议主席菲德尔·卡斯特罗。因为卡斯特罗曾带领古巴人民武装推翻独裁统治并一直担任古巴革命军总司令，因此古巴人民喜欢亲切地称他为"总司令"。

中国人对于古巴的认识大多源于卡斯特罗。这位深受古巴人民爱戴的领导人出生于1926年。他的父亲是一位甘蔗种植园主，家境富裕。据说他从小就很有正义感，经常为穷苦学生打抱不平。青年时期的卡斯特罗曾在哈瓦那大学学习法律。20世纪50年代初，他率领一批志同道合的革命者，多次发动反抗巴蒂斯塔独裁统治的斗争。

1953年，卡斯特罗因率领游击队攻打蒙卡达兵营而被捕入狱，那一年，他年仅27岁。在法庭上，卡斯特罗慷慨陈词，发表了著名的辩护演讲《历史将宣判我无罪》。这篇著名的演讲震撼了古巴，震撼了世界。从此，全世界都知道了卡斯特罗。

面对美国长达四十多年的封锁和制裁，卡斯特罗在极其困难的条件下，尤其是在苏联解体后，依然坚定地领导古巴人民捍卫国家独立主权，坚持社会主义，依靠自己的力量，开辟了古巴建设和发展的独特道路。

这是我在短时间内第二次与卡斯特罗主席会面。就在此次访问古巴前，我陪同江泽民主席出席在纽约举行的联合国千年首脑会议，曾亲身感受了卡斯特罗主席在国际舞台上的魅力。

联合国千年首脑会议上，因为有多位国家元首和政府首脑先后发言，时间安排得很紧，联大规定每位领导人发言时间不得超过5分钟，并在演讲台上摆放了一盏计时提示灯。当轮到以长篇演讲著称

2000年9月16日，与卡斯特罗主席（右三）会谈。

的卡斯特罗上台时，一向严肃的他出人意料地用一块手帕遮住了计时灯，暗示不要中止他的演讲，这一幽默举动引起在场各国领导人的一片笑声。但当所有人都认为卡斯特罗将要发表长篇演说时，他却言简意赅、字字珠玑，在规定时间内完成了发言。结束前，卡斯特罗还不忘将手帕取下来，听众席上再次爆发出掌声和笑声。

就这样，在联大这个纵横捭阖的国际舞台上，卡斯特罗别具匠心地“幽默了一把”，再次展现了他独特的个人魅力。

晚上8点，我和代表团一行准时前往革命宫。古巴革命宫位于哈瓦那革命广场附近，中部为古巴国务委员会办公地，左、右两侧分别是古共中央和部长会议办公地。革命宫建筑宏伟，庄严肃穆，是古巴党和国家举行重大国事活动的地方。

知道中国代表团到来，卡斯特罗主席特意提早从三楼办公室来到二楼大厅迎接我们。当我们抵达时，身材高大的卡斯特罗主席身着标志性的绿色军装，精神抖擞地站在大厅中央等待我们的到来。

他热情地和我拥抱，像老朋友聊天一样拉开了会谈的话题。

会谈中，卡斯特罗主席始终强调对发展古中关系的高度重视，谈话间充满了对中国和中国人民的深厚感情。他多次提起江泽民主席1993年对古巴的访问，动容地说："我始终记得，1993年当世界上不少人以为古巴将不复存在的时候，我们的中国朋友江泽民主席访问了古巴，成为当年唯一访问古巴的外国领导人，令我们十分感动。江主席及中国人民给予我们极大的政治支持和宝贵帮助，坚定了我们坚持走社会主义道路的信心，古巴人民将永远铭记。"

卡斯特罗主席十分看重中国的发展中大国地位，认为中国在国际舞台上发挥着越来越重要的作用，中国的强盛是发展中国家的希望。

我对卡斯特罗主席表示，中国人民也十分关注古巴的建设和发展。古巴人民在他的坚强领导下度过了最困难的时期，走上了恢复和发展的道路，十分不易，相信古巴一定能够在国家建设中取得更大的成就。卡斯特罗主席听后默默地点头。

我访问古巴期间，正值古巴儿童埃连事件闹得沸沸扬扬，古美关系成为媒体的焦点。

卡斯特罗主席向我详细介绍了争取埃连回国的过程。他挺直了身体，时而神情严肃，时而加重语气地给我讲述着整个事件跌宕起伏的经过。

他告诉我，1999年11月，年仅6岁的埃连被母亲带离古巴，乘船偷渡前往美国。途中他们遭遇了海难，埃连的母亲等罹难，小埃连自己则幸运逃生。获救后，他被送到美国迈阿密的亲戚家中。后来，美国国内一些别有用心的人不仅不允许小埃连返回古巴，而且将他打扮成"民主小战士"，当做反古宣传的工具。在古巴政府的支持下，埃连的父亲坚决要求美国交还孩子，但遭到美方的极力阻挠。

卡斯特罗激动地告诉我，为了争取小埃连回国，他亲自率领古巴人民举行百万民众示威游行。经过七个多月坚持不懈的斗争，2000年6月，埃连终于回到自己的祖国。

讲到最后，卡斯特罗满怀深情地说道："埃连是古巴的儿子，是每一位古巴人的儿子。这场斗争从一开始就注定了是古巴人民的胜利。"

的确，卡斯特罗不仅是一位极富传奇色彩的领导人，更是一名极具魅力的演说家。会谈和宴会整个过程中，时龄74岁的卡斯特罗主席纵论国际形势，始终精神饱满，口若悬河。他的讲话总是幽默风趣，妙语连珠，铿锵有力，并经常引经据典，"嬉笑怒骂皆成文章"。他对中国革命历史进程和中国当前形势、政策都十分熟悉，对中国的改革开放和经济建设很感兴趣，对许多具体问题都"刨根问底"，一定要问个究竟。

不知不觉已过午夜时分，因为担心影响卡斯特罗主席休息，我几次试图告别，都被他挽留下来。

就这样，和这位著名领导人的会谈始终沉浸在热情友好的气氛中，一直持续了六个半小时，直到凌晨2点半，卡斯特罗主席依然谈兴未减。但考虑到代表团第二天的活动，他不得不遗憾地结束了这次会谈。

临别前，卡斯特罗主席专门送给我和代表团成员每人一盒"COHIBA"牌雪茄烟。他幽默地说道："我已经戒烟了，现在只能做古巴雪茄的推销员。就像我喜欢吃中国菜一样，希望更多的中国朋友能够喜欢古巴雪茄，相信你们抽雪茄时会想起我。"

会见和宴会结束后回到饭店，我久久未能入眠。这次会面让我对卡斯特罗主席又有了更多鲜活的认识。作为古巴共和国的奠基人，卡斯特罗对古巴人民充满了无比深厚的感情，对古巴革命充满了坚定必胜的信心。为了古巴国家和人民的利益，他不辞辛劳，不知疲倦。正因为如此，卡斯特罗在古巴人民心中有着不可替代的感召力。

半日偷闲　漫游玛雅古迹

墨西哥是我这次拉美之行的第二站。

墨西哥是拉美重要国家和文明古国，以悠久历史和灿烂文明著称于世，是美洲三大古印第安文明中的玛雅文化和阿兹特克文化的发源地。

由于日程衔接等方面的原因，在从哈瓦那到墨西哥城的途中，根据墨方建议，我们在墨西哥南部海滨名城坎昆做技术性停留。但整个访问的日程安排非常紧张，我们只能在这里停留半天，正是“偷得浮生半日闲”。

我们一行于2000年9月18日抵达坎昆市。坎昆曾于1981年举办过关于合作与发展的“南北首脑坎昆会议”，是世界文化旅游名城，著名的玛雅遗址就在这里。

我曾在1997年陪同江泽民主席访问墨西哥时到过坎昆，但那次访问时间很短，没有能够充分领略坎昆秀美的景色和独特的文化，更没有时间到玛雅遗址参观。

9月的坎昆依然烈日炎炎。下午2点，我们乘坐的包机徐徐降落在坎昆国际机场。中国驻墨西哥大使沈允熬、墨西哥驻华大使塞西利奥以及墨西哥外交部、坎昆市政府的官员们已经等候在舷梯旁。

在机场贵宾室，塞西利奥大使代表墨西哥政府对我的来访表示热烈欢迎。他对我说，墨西哥政府非常重视这次访问，为体现对中国的友好，特意安排他回国参加接待。坎昆市政府也做出了专门安排。

稍事休息后，我们直接从机场驱车前往玛雅文化遗址图伦古城参观。

图伦古城位于坎昆以南127公里，是玛雅文化后古典时期重要遗址之一，也是唯一临海而建的玛雅城邦。

经过两个多小时的车程，我们到达图伦古城。“图伦”在玛雅语中是“城墙”的意思。古城东临加勒比海，北、西、南三面都被石头城墙所围绕，“图伦城”即由此得名。

图伦古城曾经是一个非常繁华的玛雅人城邦，城内居民生活安逸、富足。但不知出于什么原因，玛雅人突然放弃了这个完好无损的城市，重新回到丛林生活，这个谜至今没有揭开。图伦古城从此淹没在浩瀚的热带雨林中长达四个世纪，直到20世纪中叶才被发现。

古城及其周围的建筑沿加勒比海滨绵延六公里。为保护古迹，我们在城外下车，从一个低矮的城门进入内城，徒步参观。据说当初出于安全防护的考虑，玛雅人把城门设计得十分狭窄，只容一人进出。玛雅人身材矮小，城门建造得也不高，现代人出入必须低头弯腰。

走进这个狭小的城门，视线豁然开朗。首先映入眼帘的是当年城内最高的建筑，曾经是玛雅大祭司的神邸。神邸用坎昆城富有特色的火山石筑成，建在一个石台一样的基座上，上面刻有红色的浮雕。因年代久远，浮雕的颜色已经斑驳。基座上的神邸，曾经是城内最豪华的建筑。神邸宽6米，进深5米，高3米，全部用切割好的石块和石板搭建而成。随着岁月的流逝，神邸外表虽然宏伟依旧，但是内部已空空如也，我们只能用想象去感受它当年的豪华与显赫了。

2000年9月18日，在墨西哥图伦古城与导游合影。

除神邸外，城内随处可见各种市政和宗教建筑，城堡、各种神庙、祭坛等遗迹依然保护得很好，墙壁上都清晰地保留着各种精美的浮雕，这些浮雕曾经色彩鲜艳、美妙绝伦，虽然经过数百年的风雨侵蚀，色彩褪去了，但仍然可以从中看出玛雅文化的非凡魅力。

古城历经沧桑，有一种震撼人心的力量。我们在碧海蓝天的映照下漫步古城，聆听对古城遥远历史的追溯，对玛雅文化灿烂成就的崇敬之情不禁油然而生。

此次参观使我深有感触。文化是人类交流的永恒语言。墨西哥和中国虽然地处两大洲，远隔千山万水，但同样有着悠久辉煌的历史文化，为人类的文明与进步作出过巨大贡献。这种深厚的文化底蕴是两国人民相互理解、增进交流的纽带，也是加强两国交往与合作的重要基础。在新世纪的背景下，中墨两国加强沟通、交流与合作，一定能够为造福两国人民，为世界的和平与进步，作出新的更大贡献。

新老更替　两位总统话友谊

2000年既是跨越世纪之年，也是墨西哥历史上具有特殊意义的一年。

这一年，执政党革命制度党候选人在大选中不敌反对党国家行动党候选人，革命制度党自1929年连续执政的历史戛然而止，71年来总统职位首次旁落他家。2000年12月1日，新任总统福克斯将正式入住总统府“松林别墅”，就任墨西哥第64届总统。

当我们在2000年9月19日抵达墨西哥城时，距离新总统的就职仪式只有短短两个月的时间，新老政府的交接工作正在紧锣密鼓地进行。

无论是对即将执政的国家行动党，还是对福克斯总统本人，我们都了解不多。我决定在拜会在任总统塞迪略的同时，也拜会候任

2000年9月19日，会见塞迪略总统。

总统福克斯。

在一次访问中拜会同一个国家的两位总统，也是一种难得的机缘吧。

塞迪略总统是一位深受墨西哥人民爱戴的总统。1994年就职后，他带领墨西哥人民，克服金融危机带来的重重困难，在国家建设和社会进步的事业中，取得了骄人成就。2000年，墨西哥外贸总值和国民生产总值分列拉美第一和第二位，墨西哥成为拉美经济发展最快的国家之一。

但是，根据墨西哥宪法，总统不能连选连任，也不得再次参选。塞迪略总统也不能例外。

塞迪略总统是中国人民的老朋友，在六年任期中，他十分重视对华关系，曾于1996年访华，为推动中墨友好合作作出了重要贡献。

9月19日下午，我从饭店出发，驱车前往总统府“松林别墅”，拜会塞迪略总统。我曾在1997年陪同江泽民主席访问墨西哥、1999

年出席奥克兰亚太经合组织领导人非正式会议以及塞迪略总统访华期间，三次与他会面。他身材不高，谈吐温文尔雅，是一位典型的学者型总统。从他佩戴着一副金丝边眼镜的双眼中，我能够清楚地感受到他的坚毅与睿智。

我和塞迪略总统的会见是在热情友好的气氛中进行的，他的话语中充满了对中国人民的友好情谊，充满了对墨中两国人民世代友好的祝福。

会见中，塞迪略总统几次谈到，墨中两国同为发展中大国，在许多重大国际问题上观点一致，共同坚定地捍卫着国际法的基本原则。墨西哥人民珍视与中国人民的友谊。

他动情地说，虽然我即将在年底卸任，但卸任后，一定会再次访华，去看望我在中国的老朋友，继续为墨中友好做出更多工作。

我对他说，你永远是中国人民尊敬的好朋友。我们欢迎你再次访华。原定半小时的会见，持续了近一个小时才结束。

塞迪略总统卸任后履行了他的承诺。在出任联合国发展基金会主席和美国耶鲁大学全球化研究中心主任期间，他仍关心和推动中墨友好，曾多次访华，并应邀出席博鳌亚洲论坛，为发展两国互利友好合作关系作出了重要贡献。

我同他也保持着良好的工作关系和个人友谊。2004年和2006年，我在陪同胡锦涛主席访问美国和出席博鳌亚洲论坛时，再次与这位老朋友会面。

与曾经多次会面的塞迪略总统不同，我与新当选的福克斯总统还从未谋面，只是听说墨西哥媒体把他称做“牛仔总统”。这格外引起了我的好奇。

拜会当天，当我们走进他的办公室时，福克斯总统向我大步走来。他身材高大，蓄着整齐的胡髭，用浑厚的嗓音热情地向我们问候，丝毫没有初次见面的拘谨与矜持，让我们很难相信他就是即将就任的新总统。

2000年9月访问墨西哥期间，会见候任总统福克斯。

就座后，我突然发现，福克斯总统的西装裤下，露出一双长筒马靴，上面还雕刻着墨西哥传统的牛仔图案。

后来沈允熬大使告诉我，福克斯总统来自墨西哥著名的牧区瓜纳华托州，牛仔装束是他的一贯风格，也体现了他亲民务实的作风。他只在正式场合才穿上西装，即便如此，脚上的马靴仍是必不可少的。联想到福克斯总统热情奔放的待客之道，他的“牛仔总统”之称果真名不虚传。

会见中，我向福克斯总统转达了江泽民主席对他的访华邀请，他非常高兴地接受了，并表示就职后尽快访华，将中国作为他亚洲之行的第一站。

就职后，福克斯总统果然如约访华。

福克斯总统和国家行动党虽然是首次执政，但他对中国的友好态度，让我对中墨友好合作关系在新世纪继续深入发展充满了信心。

释惑解疑　艰苦努力为“入世”

墨西哥是拉美经济大国，由于产业结构与我国相似，墨西哥国内对中国加入世界贸易组织后中国产品对墨西哥产品可能造成的冲击，存在较大疑虑。而在此时，我国正处于“入世”的最后冲刺阶段。在37个与我国提出举行双边磋商的世界贸易组织成员中，我国已同35个成员结束了谈判，仅剩下墨西哥和瑞士。此前，中墨已经就此举行了四次磋商，但尚未达成一致。我在访问中的另外一个工作重点，就是推动双方尽快就我国加入世界贸易组织达成一致。

在会见塞迪略总统时，我把这个问题作为一个重点，深入地与他交谈。我说，中国有着12亿人口，对外贸易居世界第九位，连续七年为吸收外资最多的发展中国家，不断发展的中国是经济全球化发展不可缺少的重要组成部分。而中国加入世界贸易组织，也将为经济全球化拓展新的发展空间和增添活力，有利于促进中国经济和世界经济共同发展。中国和墨西哥就中国加入世界贸易组织早日达成协议，符合两国人民的根本利益，必将促进两国经贸关系的长期、稳定发展，也会对多边贸易体制作出积极贡献。

塞迪略总统认真地听完后向我表示，墨西哥热切期盼并支持中国加入世界贸易组织。他还责成墨西哥工商部尽快就相关细节与中国政府相关部门商谈，并达成一致。他甚至表示，有些问题如果在技术层面无法解决，他愿意亲赴北京，推动这一问题获得政治解决。

毕竟塞迪略总统卸任的日子近在眼前了。由于谈判中众多的技术性细节难以解决，中墨“入世”谈判还是未能在塞迪略总统任期内完成。但双方良好的谈判势头得到保持，福克斯总统执政后不久，双方即重启谈判，并终于在我访问墨西哥整整一年后的2001年9月13日达成了相关协议。

这一历史性的时刻标志着中国与所有世界贸易组织成员的双边

市场准入谈判全部结束，中国长达15年的“入世”努力终于到达胜利的彼岸。

“南美巨人” 南南合作谱新篇

离开墨西哥城，我马不停蹄地前往巴西访问。

这是继1993年钱其琛外长访巴以后，中国外长再次到访巴西。

考虑到巴西在拉美的地位和影响，行前，我特别对巴西的基本情况和中巴关系进行了认真梳理。

巴西是拉美第一大国，面积、人口和综合国力都位居拉美之冠。幅员辽阔，资源丰富，土地、森林、淡水、矿产、能源、物种资源位居世界前列，发展独具先天优势。

巴西政局长期保持稳定，经济持续发展。特别是1967至1974年，巴西经济连续八年以年均10.1%的速度递增，创造了举世闻名的“巴西奇迹”。

在外交方面，巴西有很强的独立性和进取性，主张世界多极化和国际关系民主化，积极推动国际政治经济新秩序向更加公正、合理的方向发展，谋求在国际和地区事务中发挥更大作用。

中国和巴西都是发展中大国。在和平与发展成为时代主题的国际形势下，中巴关系发展历程既是两个发展中大国相互了解、相互接近的历程，也是双方不断探索和深化互利合作的进程。

巴西是第一个同中国建立战略伙伴关系的发展中国家。1993年11月江泽民主席访问巴西时，双方就建立中巴跨世纪长期、稳定、互利的战略伙伴关系达成重要共识。此后，两国关系不断加速向纵深发展，各领域合作取得积极进展。

其中最为引人瞩目的是中巴地球资源卫星合作。在当时的历史背景下，这毫无疑问是件大事。

长期以来，地球资源卫星这样的高科技成果一直被发达的资本主义大国所垄断，也有少数几个发展中国家在这一领域努力地探索着，但总体水平相对落后，更谈不上彼此合作。

中巴地球资源卫星合作的成功，不仅对中国发展同拉美国家的关系产生了积极影响，而且为中国同广大发展中国家开展科技合作树立了典范。

双方的合作始于1988年。时任巴西总统萨尔内访华时，两国正式签署了核准研制地球资源卫星的议定书，拉开了中巴地球资源卫星合作序幕。双方约定将利用各自的技术特长，共同研制两颗地球资源卫星。

在两个发展中国家之间开展高科技领域的合作，还是南南合作的一种全新尝试。受相距遥远、语言障碍和资金匮乏等因素的影响，双方的合作并非一帆风顺，曾遇到不少意想不到的困难，但合作信念从来没有动摇过。

在双方的不懈努力下，1999年10月14日，中巴地球资源卫星01号星终于在太原卫星发射场发射升空。它的成功，彻底结束了中国和巴西在资源卫星数据上依赖西方发达国家的历史，推动两国航天科技实现了历史性跨越。

在取得经验和成功的基础上，双方很快着手第二颗卫星的研制。与此同时，双方均表达了继续推进资源卫星合作的强烈愿望，希望研制更多的资源卫星，并将资源卫星的使用推向商业化。

在我访问巴西前夕，中巴卫星合作正处在这样一个承前启后、继往开来的发展阶段。

桑巴国度　友谊合作显真诚

2000年9月21日，我抵达巴西利亚空军基地，开始巴西之旅。

巴西利亚是一座年轻的现代化城市。历史上，巴西曾先后在海滨城市萨尔瓦多和里约热内卢建都。为了改变东南沿海和内陆发展不平衡的状态，保卫国家的统一和安全，从1956年开始，在时任总统库比契克的领导下，巴西人民历时三年，在一片原本是荒野的内陆腹地建造了一个崭新的首都——巴西利亚。1960年4月21日，巴西正式把首都迁到这里。

包机抵达巴西利亚时，已是凌晨1点半，窗外一片漆黑，代表团一行都有些倦意。

一出舱门，一阵嘹亮的军号声在夜空中响起，代表团成员们精神为之一振。我首先看到中国驻巴西大使万永祥，在他身后，是巴西外交部高级官员和排列整齐的巴西空军仪仗队。中国驻巴西大使馆主要官员以及旅居巴西的华人华侨代表也前来机场迎接。

万大使敏感地注意到我的表情有些意外，就向我解释说，巴西方面对此次访问非常重视，巴西外长专门做出部署，安排了今天的机场欢迎仪式。通常情况下，只有外国元首或政府首脑来访才举行这样的仪式。

看来，巴方对我这次访问的确非常重视，这充分体现了巴西对发展同中国关系的热情。

这是我第一次来到巴西利亚，这座设计精致的城市给我留下了深刻印象。1987年12月7日，联合国教科文组织宣布巴西利亚为“世界文化遗产”。一座只有27年历史的年轻城市能够获此殊荣，主要归功于整座城市的规划设计。

巴西利亚城市布局均匀合理，建筑构思新颖别致，寓意深刻的现代艺术雕塑随处可见。它以南北向的公路轴和东西向的纪念碑轴为总体框架，俯瞰犹如一架驶向东方的巨型飞机：机头是三权广场，机身是联邦政府机构和联邦区政府所在地，机翼则是现代化的立体公路和商业、住宅区。

公务活动多集中在三权广场附近。这里的建筑大多是玻璃钢架结构，具有轻盈明快的风格，与三权广场遥遥相对的是国会大厦的两座34层办公楼，呈“H”形并肩而立，高耸入云，气势非凡。陪同我的巴西朋友告诉我，因为“H”是葡萄牙文“人类”的第一个字母，所以这个造型寓意为“以人为本”的理念。

参众两院分列两侧，被设计成朝下和朝上的碗形，众议院碗口向上，参议院碗口向下。据说，碗口朝上意思是征集民意；碗口朝下则意味着综合民意。总统府和联邦最高法院分列广场两侧。这三栋建筑呈三足鼎立之势，象征着巴西三权分立的政治制度。

这样的城市设计让我感到，巴西利亚所追求的是一种人与自然和谐相处、人与人平等相待的发展理念。这或许就是巴西能够跻身新兴大国之列，呈现出巨大发展潜力的原因之一。

2000年9月21日上午，我同兰普雷亚外长在水晶宫举行会谈。水晶宫是巴西外交部所在地，也是巴西举行重要外事活动的地方。

水晶宫的主楼以玻璃幕墙为装饰，楼前是一个长满热带水生植物的巨大水池，玻璃墙面与水面相互辉映，真有点置身水晶宫的感觉。从远处看，水池里“漂浮”着一块圆形巨石，走近细看，才发现是由五块形状奇特的石块绞合在一起形成的，据说其寓意是世界五大洲人民的大团结。

此时，巴方礼宾人员向我介绍说，巴方为我来访再次做出了特别安排，请我们一行从正门进入水晶宫，并铺上了红地毯，地毯两旁还有龙骑兵护卫队列队。通常情况下，这是给外国元首的礼遇。

仪仗队气势非凡，队员们一个个身着巴西帝国时代军装，手持护卫杖，军容齐整，仪态威严。

我的老朋友兰普雷亚外长已经在水晶宫正门前迎候我了。

兰普雷亚外长是一位职业外交官，1995年1月出任卡多佐政府外长，1999年1月连任。他非常重视发展对华关系，对中国的经济发展抱有浓厚兴趣。

我同他第一次会面是在1998年。当时，他应我邀请访华。我同他举行了友好、富有成果的会谈，并在位于外交部大楼十九层的宴会厅请他品尝了地道的中餐。会谈前，得知他对中国宗教和文化十

1998年12月1日，会见兰普雷亚外长。

分感兴趣，我特地安排他参观了雍和宫。

在巴西利亚同老朋友再次会面，我感到格外高兴。我们就双边关系以及共同关心的国际和地区问题广泛、深入地交换了意见，一致同意中巴应在新世纪进一步充实两国战略伙伴关系内涵。

双方还特别就进一步扩大高科技合作进行了深入探讨。我认真地对兰普雷亚外长说，中方是从加强南南合作的战略高度来看待两国在高科技领域合作的。两国联合研制的第一颗地球资源卫星发射成功，是发展中国家之间开展高科技合作的第一个成功范例，是具有代表性的南南合作，有着特殊的政治意义。双方应继续推进这一领域的有效合作，并在此基础上，拓展在其他高精尖技术领域的交流与合作。

我的看法和建议得到了兰普雷亚外长的赞同和积极回应。他一再重申，巴方对两国高科技合作高度重视，赞同两国以空间技术合作为基础，推动在信息、生物技术、全球气候变化、环保、能源等领域广泛开展交流与合作。

会谈结束后，我同兰普雷亚外长共同签署了《中国政府和巴西政府关于空间技术合作的议定书》，确定双方联合研制第三、第四颗卫星，从而搭建了中巴合作开发第二代地球资源卫星的法律框架。

巴方对中巴地球资源卫星项目的确非常重视，签字仪式的隆重程度非比寻常。兰普雷亚外长专门邀请了巴西司法部长、科技部长、众议院外交和国防委员会副主席、航天局局长等近二百位嘉宾共同出席。据万大使说，这样规模的安排在巴西外交部举行的签字仪式中是少见的。

兰普雷亚外长和巴西科技部长在仪式上发表了热情洋溢的讲话，我也现场发表了演讲。整个活动气氛热烈、友好。

当天下午，我前往总统府拜会卡多佐总统。

巴西总统府被称做“高原宫”，因巴西利亚位于巴西中部高原而得名。长方形的建筑用曲线构成的廊柱支撑，端庄典雅而不失轻盈明快。

这是我第一次会见卡多佐总统。这位看上去非常儒雅、风度翩翩的总统是巴西著名的研究社会发展问题的学者。他学识渊博，在拉美和国际学术界有一定影响和声誉。他撰写的《拉美的依附性及发展》曾被译为中文，在中国出版发行，受到读者欢迎。

我首先向卡多佐总统转达了江泽民主席和朱镕基总理的亲切问候和良好祝愿，并转交了江主席致他的亲署信。

我表示，中方高度赞赏卡多佐总统多年来为中巴关系发展作出的积极贡献，对巴西国家建设所取得的巨大成就表示钦佩。

卡多佐总统对收到江主席的亲署信感到非常高兴。他说，七年前，巴西和中国建立了战略伙伴关系，两国关系发展势头很好，他感到十分满意。

卡多佐同时是一位具有全球视野的领导人。他在会见我时一再说，人类的和平与进步需要一个多极世界，而多极世界的建立需要巴中共同努力。所以，巴西把发展对华关系放在外交政策的优先位置。他告诉我，巴西之所以积极支持中国加入世贸组织，不仅仅是出于经贸利益考虑，更重要的是，中国尽早加入世贸组织，将对维护全球战略平衡有利。

风格各异　城市之间品巴西

离开巴西利亚，我来到了巴西之行的第二站——里约热内卢。

巴西人喜欢把里约称为“魅力之城”。巴西有句谚语，“上帝用七天时间创造了世界，用第八天创造了里约热内卢”。可见巴西人对这座城市的钟爱。

据使馆的同志介绍说，在所有巴西城市中，里约或许是自然风光、人文历史和社会经济发展结合得最完美的一个城市，也是巴西人心目中最“巴西化”的城市。

在里约，我会见了里约州州长加罗蒂尼奥，就进一步加强中国同里约州关系等进行了友好的交谈，并参观了里约的标志性建筑耶稣山和号称世界第一大球场的马拉卡纳体育场。

巴西之行的最后一站是举世闻名的伊瓜苏市。“伊瓜苏”是当地印第安土著居民瓜拉尼人的语言，意思是“大水”。它位于巴西、巴拉圭与阿根廷三国交界处，也是巴拉那河与伊瓜苏河汇合处，著名的伊瓜苏大瀑布和伊泰普水电站都在这里。

伊瓜苏大瀑布是世界五大瀑布之一，1984年被联合国教科文组织列为世界自然遗产。瀑布位于巴西与阿根廷交界处的伊瓜苏河上，是由275个小瀑布组成的瀑布群，总宽度超过3000米，平均落差80米。湍急的河水咆哮着从天而降，蔚为壮观。

给我留下深刻印象的是，以伊瓜苏大瀑布为中心的周边旅游很有特色。巴西政府特地建造了伊瓜苏大瀑布国家公园，开发旅游的同时十分注意保护环境。沿途随处可见自由觅食的南美浣熊，景点附近设有专供土著印第安人出售纪念品的小摊，一派人与自然和谐相处的景象，值得称道。

随后，我们驱车来到伊泰普水电站。“伊泰普”也是印第安人土语，意思是“会唱歌的石头”。在三峡水电站未完工之前，伊泰普水电站一度是世界上最大的水电站。

水电站位于伊瓜苏市北14公里处巴西与巴拉圭的界河——巴拉那河上，是巴西政府和巴拉圭政府共同兴建的，为两国能源供应和经济发展发挥了举足轻重的作用。

我国在修建三峡水电站时，曾同伊泰普水电站开展了许多技术交流，这里也因此成为中巴友谊的又一见证地。

参观结束后，我们来到大坝附近的“名人园”植树。正是在这里，我种下了那株象征中巴友谊的钟花树苗。巴西朋友告诉我，钟花树是巴西的象征，代表着友谊和美好。

访问智利　历史信件传佳话

2000年9月24日，我从伊瓜苏飞往智利首都圣地亚哥。

智利地处南美太平洋沿岸，国土南北长4333公里，东西平均宽约180公里，最窄处仅90公里，是世界上最狭长的国家。

智利是拉美经济较发达的国家之一，综合经济实力仅次于巴西、墨西哥和阿根廷，位居拉美第四。自然资源丰富，对外开放活跃，经济持续快速增长，被誉为拉美经济发展的橱窗。

智利也是拉美地区与中国交往较早、较多的国家之一，是第一个与新中国建交的南美大陆国家。我访问智利期间，正值两国建交30周年。尤其值得一提的是，1999年，智利与中国签署了关于中国加入世贸组织的双边协议，成为第一个与中国签署此类协议的拉美国家。

在筹备访问的过程中，我专门听取了外交部拉美司关于中智建交30周年的有关情况汇报。其中，时任拉美司司长的李金章同志向我讲述了中智关系中的一件往事，引起我的注意。

据他介绍，1970年中智建交后，智利总统阿连德与中国第一代领导人毛主席、周总理保持书信往来，经常就各自国内的经济和社会发展、双边关系及国际问题交换意见。

1973年，周恩来总理曾委托访华的智利外长阿尔梅达给阿连德总统带去一封亲署信。周总理在信中说，发展中国家要克服面临的困难，除了相互帮助外，最根本的还是要依靠自己的力量，自力更生为主，争取外援为辅，如果经济不能立足国内，这是很危险的。周总理还说，对于第三世界国家来说，要自主地发展民族独立经济，就需要进行长期的艰苦奋斗，要付出一定的代价和牺牲。此信后来在智利报纸上公开发表，引发很多有识之士的深思。

遗憾的是，此函原件在智利随后发生的军事政变中遗失，阿连德总统本人也在这次政变中殉职。

我访问智利时，时任智利总统是拉戈斯。他曾在20世纪70年代担任过阿连德总统的重要助手，对这封信的经纬非常了解。

2000年9月25日，在智利总统府受到热情接待。

2000年9月25日，会见拉戈斯总统。

1998年拉戈斯以社会党和争取民主党两党共同领袖身份访华时，特地向中方提到此事。他对中方接待人员表示，这封信是智中两国领导人之间沟通和往来的历史见证，信的内容深邃而且十分重要，凝聚了两国老一辈领导人的高瞻远瞩和远见卓识，是智中关系建立和发展的重要历史文物。他希望中方能够提供这封信的影印件，智方将作为记录智中关系发展的珍贵历史资料加以收藏。

我听后，感到此事对中智关系具有历史和现实意义，当即嘱咐拉美司的同志认真查找。囿于当年技术条件限制，周总理的亲署信没有影印留存件。但我们还是设法找到了这封信的文字稿副本。我这次访问智利，将这份珍贵的历史文献带在身上。

2000年9月25日上午，我前往莫内达宫拜会拉戈斯总统。

莫内达宫是智利总统府所在地，其建筑风格属于浓郁的新古典主义。1973年9月11日，智利发生军事政变，莫内达宫遭到飞机轰炸，受损严重。后来经过修复，仍作为总统府使用。

我在智利外长阿尔韦亚尔女士的陪同下，接受了卫兵的致意，然后来到位于二层的总统会客室，见到了早已等候在此的拉戈斯总统。

拉戈斯总统有着学者的风范，目光睿智，谈吐文雅。他在处理智利前军政府总统皮诺切特在英国受审案中表现出的老练和强硬令人钦佩，也让我对这次会面增添了几许期待。

我首先向拉戈斯总统转达了江泽民主席对他的亲切问候。在积极评价中智建交30年来两国关系的发展时，我特别提到两国老一辈领导人的交往，特别是毛泽东主席、周恩来总理和阿连德前总统为两国关系的建立和发展倾注了大量心血。两国领导人之间的信函往来是两国关系发展的重要见证。

说到这里，我拿出了专门带来的周总理致阿连德总统信函副本的影印件，交给了拉戈斯总统。

我看得出，拉戈斯总统有些激动。他接过信函，显得非常兴奋，脸上露出掩饰不住的惊喜。

他对我在智中建交30周年之际来访表示欢迎，然后滔滔不绝地谈起了这封信。他说，感谢你带来了这封信的副本影印件，这份珍贵的历史文献反映了周总理和阿连德总统的友谊。周总理在信中阐述了内因和外因的关系，以及各国要通过自力更生实现发展的观点。当年我担任阿连德总统的助手，多年来我一直希望能够得到这封信的复印件，今天你终于帮我了却了一桩心事。

拉戈斯总统接着说，今年是智中建交30周年，尽管我们各自的内外条件都发生了不少变化，但双边关系始终富有活力。在新世纪来临之际，国际形势经历了重大变化，智中两国都面临着在融入世界经济的同时，促进各自国家经济社会发展的重要任务。中国是大

2000年9月访问智利期间，会见阿尔韦亚尔外长。

国，只有中国这样重要的国家积极参与，才会有全球化的多样化，这就是智利不断发展与中国合作关系、支持中国加入世贸组织的主要原因。

我表示完全赞同拉戈斯总统的讲话。我对他说，从周总理致阿连德总统的信函可以看出，当年中智外交关系的建立和发展凝聚着两国老一辈领导人的心血，中国政府和人民缅怀并高度评价阿连德总统为两国建交作出的巨大贡献。抚今追昔，我们有责任在世纪之交推动双边关系向更高水平发展。

整个会见过程中，拉戈斯总统的手上一直拿着这封信的复印件，真是爱不释手。会见结束后，他一直将我送到门口。

2000年9月访问智利期间，在拉美经委会发表演讲。

在我访问智利期间，我再一次见到了老朋友、智利内政部长、前外交部长因苏尔萨，并会见了智利外交部长阿尔韦亚尔女士。

因苏尔萨是我1998年担任外长后接待的第一位拉美国家外长，他向我赠送了他的著作《论智利外交政策》，这对我了解智利政府的对外政策和对重大国际问题的立场十分有益。此次重逢，我们有机会畅叙友谊，纵论国际风云。

阿尔韦亚尔外长是智利政坛的女中豪杰，我和她首次相见是在2000年7月里约集团“三驾马车”外长集体访华期间，她的见解和魄力给我留下很深的印象。

时隔两个月，我们在智利再次见面。我们在会谈中一致认为，平等互利、长期稳定和全面合作的中智关系，完全具备在新世纪发展成为“全天候”合作关系的条件。

阿尔韦亚尔外长邀请我出席即将于2001年3月在智利举行的东

亚—拉美论坛首届外长会议，我愉快地接受了邀请，并于半年后成行。

宣示政策　天堂谷地望彼岸

在智利期间，我还前往总部设在智利首都圣地亚哥的联合国拉丁美洲和加勒比经济委员会（拉美经委会），发表了题为《中国的改革开放和中拉友好合作》的演讲。

拉美经委会是拉美地区重要的经济机构，共有41个成员国，包括美国、英国、巴西、墨西哥等国家。中国自1983年起成为该组织的观察员国。

我在演讲中介绍了改革开放以来中国经济社会发展取得的巨大成就，并就加强中国与拉美之间的友好合作阐述了中方的意见和主张。

智利农业部长坎波斯、副外长穆尼奥斯，以及包括还未与中国建立外交关系的海地、巴拉圭、危地马拉和尼加拉瓜在内的二十多个国家驻智利使节等二百余人出席了这次演讲会。来宾们纷纷赞叹中国的改革开放政策和经济发展成就，对中国发展中拉友好合作关系的政策主张表示热烈欢迎。

在主人的盛情安排下，我还访问了智利第二大城市瓦尔帕莱索市。

瓦市是智利议会所在地。据说是当年智利军政府为避免议员们的抗议，强行将议会迁来此地，所以至今智利的政府和议会不在同一座城市，这成了一道独特的风景。我对这个说法并没有认真考证，付之一笑而已。

在西班牙语中，瓦尔帕莱索是“天堂谷地”的意思。这里气候宜人，风光明媚，濒临太平洋，东部和南部被海岸山脉环绕，像是一轮明月镶嵌在大海和高山之间8平方公里的狭长地带上。

瓦市是当年西班牙殖民者修建的，已经有350年的历史了。城内古色的酒吧，陈旧的教堂，狭窄的街巷，至今都保留着旧时风貌。

这座城市于2001年被联合国教科文组织列为世界文化遗产。

瓦市还是智利最早的贸易港口，素有“智利门户”之称。在巴拿马运河通航之前，瓦市和旧金山分别是太平洋西海岸一南一北最重要的港口城市。

在瓦市集装箱码头，有一个面向大海的观景亭。站在那里，遥望大洋彼岸，我心生感慨。中国与智利、中国与拉美仅仅隔着一个太平洋而已。在全球化加速发展和科技进步日新月异的21世纪，太平洋将不再是中拉之间的一道天堑，而将成为中拉合作与交往的通途和纽带。

此次拉美之行，时间虽然不长，但给我留下的印象十分深刻。拉美地区风情独特，人民热情友好，各国对发展对华关系普遍有着强烈的愿望。长期以来，由于历届中央领导的高度重视和直接关怀，中拉关系已经有着良好的基础，中拉友好深入人心。

在新的历史条件下，中国与世界的关系发生了重大变化，中国与世界的联系前所未有地紧密。随着我国综合国力提升，影响扩大，拉美国家发展中拉各领域合作关系的意愿进一步上升。在此情况下，我们更加有必要抓住机遇，开拓创新，保持和加强与拉美地区在各层次、各领域的接触与交流，巩固传统友谊，推进互利合作。

中国与拉美都有着悠久的历史和古老的文化，在近代历史进程中有着相似的遭遇。但由于地理相隔遥远等种种原因，人民之间的联系与交往受到一定局限。要想方设法创造条件，采取多种灵活方式，大力促进人员交流，增进相互了解和友谊，巩固和扩大双方合作的民意基础。

如今，世纪之交的拉美之行已转瞬过去九年了。令我感到高兴的是，在过去的九年中，经过双方的共同努力，中国同拉美国家的关系呈现出全方位、多层次、宽领域的发展局面。政治关系不断加强，高层接触和往来日趋频繁，在涉及彼此核心利益和重大关切的问题上相互理解、相互支持。除巴西外，中国还同墨西哥、阿根廷、秘鲁、委内瑞拉等国家建立了战略伙伴关系，并同一些拉美国家建立了双边高层合作机制和战略对话机制。双方在国际和地区事务中的对话不断增强，经贸合作日益深化，贸易规模不断扩大，已经由30年前的7.8亿美元增加到2008年的1433.9亿美元。相互投资不断增加，科技、人文合作持续扩大。中国和巴西又联合研制发射了两颗地球资源卫星。2008年10月，中国为委内瑞拉生产的通信卫星也成功发射，中拉高科技合作取得新的突破。

中拉关系正如当年我亲手种下的那株钟花树，呈现出蓬勃的发展势头，令人振奋。

我相信，在中拉人民友好情谊的浇灌下，钟花树一定会茁壮成长，不断结出累累硕果！

中越陆地边界和北部湾海洋划界谈判

2006年8月初，为了筹备中国—东盟建立对话关系15周年纪念峰会，我来到广西。利用这一机会，我由南宁出发，途经凭祥，考察当地中越边境贸易情况，然后又驱车18公里，来到中国和越南边境的友谊关。

在友谊关关楼前的广场上，我下车徒步缓行，一片熟悉的景象映入我的眼帘。

友谊关坐落在两座山脉之间一片谷地上，扼守着这片谷地最狭窄而险要之处。关楼的左侧是左弼山，右侧是右辅山，两座山脉宛如两条巨龙，自空而降，在友谊关关楼前聚首。

站在关楼前的广场上，可以清楚地看到前方中越两国的国旗在边境口岸检查站的上方飘扬。口岸前的公路上，车水马龙，人来人

友谊关关楼。

往，熙熙攘攘，一片繁忙景象。

转身抬头望去，关楼拱门镌刻在汉白玉上的“友谊关”三个苍劲有力的红色大字十分醒目。这是当年由陈毅副总理兼外长亲笔题写的。

友谊关是中国的九大名关之一[1]。据史料记载，早在汉代，这里就设立了关口，称雍鸡关，后又先后改称界首关和大南关。明、清两代称镇南关。

1885年，中法战争爆发，清朝冯子材将军古稀之年率领部将苏元春、王孝祺等在此抗击法国侵略者，打了一个漂亮仗，一举歼敌1700多人，扭转了中方在中法战争中被动挨打的局面，法国茹费内阁因此而倒台，史称“镇南关大捷”。

1907年12月1日，中国革命先行者孙中山先生曾在这里的金鸡山镇北炮台亲自领导和指挥了著名的“镇南关起义”，同清军激战七昼夜，虽然最后因弹尽粮绝而失败，但动摇了清王朝的统治。

友谊关也是中越友谊的象征。历史上，它是中越交往的一条重要通道。新中国成立后，它成为连接中越两国人民友谊的纽带。

1953年，中华人民共和国政务院批准将具有旧时代烙印的“镇南关”改名为“睦南关”。1965年，又改名为“友谊关”，越方一侧对应关口的地名相同，也称“友谊关”。

在越南抗法战争和抗美战争期间，这里是中国援越物资的重要战略通道。

半个多世纪来，友谊关在中越两国政治、经济和文化交流中发挥着重要作用。

看着眼前的关楼，追想过去的历史，我不由得回忆起参加中越边界谈判的往事。

1 其他八关分别是山海关、居庸关、紫荆关、娘子关、平型关、雁门关、嘉峪关和武胜关。

中越关系　源远流长

中越两国是山水相连的近邻，两国人民之间的交往与友谊源远流长。

近、现代以来，中越两国命运相连。

自鸦片战争后，中国不断遭受西方列强的侵略，沦为半封建、半殖民地国家。19世纪末，法国发动侵越战争，越南沦为法国的殖民地。中越两国人民为了争取各自的民族解放和独立，进行了长期艰苦卓绝的斗争。

新中国成立后，以毛泽东同志为首的第一代领导人，基于国际主义精神和对中越共同地缘政治利益的认识，以非凡的战略眼光和无畏的勇气，带领中国人民，支持和援助越南人民抗法、抗美两场独立解放战争，并为此付出巨大牺牲。当时中越关系堪称“同志加兄弟”。

20世纪70年代末，中越边境地区发生了大规模武装冲突，两国关系降至最低点。

1990年9月3日至4日，越共总书记阮文灵、越南部长会议主席杜梅和越共中央顾问范文同访问中国，与江泽民总书记和李鹏总理在四川成都举行高层会晤，双方达成了“结束过去，开创未来”的共识，这成为中越关系的转折点[1]。

1991年11月，应江泽民总书记和李鹏总理的邀请，新任越共总书记杜梅和政府总理武文杰率团访华，江泽民总书记和李鹏总理分别同他们进行了会谈。中越两国宣布实现关系正常化。

与此同时，两国还签署了《中华人民共和国和越南社会主义共和国关于处理两国边境事务的临时协定》(以下简称“《临时协定》”)。双方决定维持边界现状，通过谈判和平解决两国之间存在的边界领

1　参阅《和平发展合作——李鹏外事日记》，新华出版社2008年版。

土问题。

双方领导人认识到，中越要发展睦邻友好关系，必须正视、解决边界领土问题。

边界领土　复杂敏感

1993年3月，我担任外交部副部长，主管中国同亚洲国家的周边事务等，中越关系始终是我最关注的事情之一。

中越关系历史渊源很深，但交织着一些恩恩怨怨，不少问题都牵动民族感情，复杂敏感，特别是边界领土问题，处理起来非常棘手。

周恩来总理曾经说过，处理边界问题，要研究历史，弄清事情的来龙去脉，才能明辨历史是非，找到解决办法。在这个思想指导下，我利用晚间阅读了大量关于中越关系的档案资料，对于中越边界问题有了一些了解。

中越边界领土问题，主要涉及三个方面，即陆地边界、北部湾海洋划界和南沙群岛问题。

陆地边界问题是历史遗留的。

中越陆地边界自中、越、老三国交界处的十层大山起，大体由西北向东南，蜿蜒而行，由云南段转入广西段，一直到北仑河流入北部湾处止，全长1347公里。

中越陆地边界是已定界，它是在中越之间历史形成的传统习惯线基础上，由中国清朝政府和作为殖民当局的法国政府于19世纪末通过《续议界务专条》和《续议界务专条附章》等15个划界和勘界文件（以下简称“中法界约”）划定的。其中，云南段边界线长710公里，山高岭大，主要以分水岭为界，中法勘界后树立了70块界碑；广西段长637公里，多为喀斯特地貌，主要以山脊线为界，中法勘界后树立了240块界碑。中越边界部分地段沿河流、河沟和小溪划定。

对于这一通过国际条约划定的边界，中越两国历届政府都是承

中越边界的旧界碑。

认的。

中越陆地边界基本走向是清楚的。只是由于各种原因，在某些局部地段，双方对边界线的准确位置和具体走向有不同的认识，因而存在一些小块争议地区。

新中国成立后，中国共产党中央书记处和越南劳动党中央书记处曾于1957年、1958年两次通过交换信件确认，在两国政府通过谈判解决边界问题之前，双方均应严格维持边界现状。

北部湾海洋划界问题是随着现代海洋法的发展，中越两国作为沿海国将主权向海洋扩展，海洋权益主张发生重叠而产生的。

北部湾是一个半封闭海湾，位于南海西北部，东北西三面被中越两国领土所环抱，最宽处为184海里，最窄处为112海里。

在20世纪70年代之前，中越在北部湾不存在争议。双方各自在此从事航运、渔业和海洋科研活动，从未发生过冲突。两国政府曾先后于1957年、1961年和1963年三次签订渔业协定，对涉及各自3—12海里领海的渔业管辖权以及双方渔业合作问题做出规定。对于距离两国领海基线3—12海里外的海域，三个协定均视为两国渔民的共同捕鱼区，实行“公海自由原则”，即两国渔民按照世代相传的古老习惯，可自由进入进行捕捞作业，由此形成了两国渔民在北部湾的传统渔场和传统捕鱼权。

但是，到了20世纪70年代，随着现代海洋法的发展，沿海国将国家主权由领海向外扩展，逐步确立了大陆架和专属经济区的法律制度。据此，中越两国都提出了将国家主权扩展到北部湾各自领海外全部海域的海洋权益主张。双方主张产生了重叠和冲突。就此，中方的一贯立场是，双方应参照国际法和国际实践，通过谈判予以解决。

南沙群岛分布于北纬3度37分至12度40分和东经108度10分至119度之间，是南海最大的一组岛礁群，由大约230多座岛屿、暗礁、浅滩、沙洲组成，包括25座岛屿、128座露出水面或隐于水中的岩礁和77座露出水面或隐于水中的滩沙。

南沙群岛自古是中国领土不可分割的组成部分。中国对南沙群岛及其附近海域拥有无可争辩的主权。中国人民最先发现南沙群岛，此后中国政府即对南沙群岛行使管辖，并从很早起就将南沙群岛纳入中国的版图。历史上，南沙群岛曾一度为日本所侵占。在第二次世界大战结束时，中国政府收复了南沙群岛。此后，直到20世纪70年代前，中国对南沙群岛的主权在国际上并不存在争议。

1983年，中国政府在原来命名基础上，对189个岛屿、沙洲和礁滩群体和个体进行了重新命名，再次宣示中国对南沙群岛的主权。

自1975年起，越南开始对南沙和西沙群岛提出领土要求。

对于这个问题，中国政府的立场是明确的，即中国对南沙群岛拥有无可争辩的主权，主权问题不容谈判。同时，我们主张可以在南海有关争议海域探讨实现“搁置争议、共同开发”，以利于共同维护南海的和平与稳定。

这就是我接手亚洲事务时，中越边界问题的基本态势。

正视问题 启动谈判

20世纪70年代，中越曾两度举行过边界谈判，主要讨论了陆地边界问题和划分北部湾问题，基本上未涉及南沙群岛问题。

当时，由于种种原因，两国之间说是在进行谈判，实际上是进行论战，你说你的理由，我讲我的道理。那个时代，双方通过谈判解决陆地边界和北部湾划界问题的条件和时机还不成熟，因此两次谈判均无果而终。

此后，中越两国在陆地边界、北部湾和南沙群岛的纠纷和争议不断，导致多起流血冲突事件，以及随之而来的两国关系全面恶化。

在边界领土问题上，中越两国曾经兵戎相见，有血的教训。

事实上，在实现中越关系正常化后，双方部分官员和一些普通民众之间的敌对情绪仍未完全消除，两国之间经常发生争议，陆地边境、北部湾和南海都难以保持平静和稳定。

我们意识到，中越之间在陆地边界、北部湾和南海的矛盾和冲突如果持续下去，势必对两国关系产生消极影响。随着中越两国各方面关系的全面恢复，落实两国领导人在中越关系实现正常化之际所达成的共识，通过谈判解决边界领土问题被提上了外交日程。

1992年12月李鹏总理访问越南，同越南领导人举行会谈，双方就解决两国边界领土问题深入交换意见并达成共识，同意在继续举行专家级谈判的同时尽早开始政府级谈判；根据公认的国际法准则，就解决边界领土争议问题的基本原则达成一致，并根据这些原则加速谈判进程，早日解决包括海上和陆地领土争议问题；在谈判解决前，双方均不采取使边界领土争端复杂化的行动。

至此，中越两国高层就适时建立和启动两国政府级边界谈判机制达成了共识。

实际上，在李鹏总理访问越南之前，1992年10月，中越两国专家已经就边界问题在北京进行了首轮接触。中越两国领导人达成共识后，1993年2月，双方又在河内举行了新一轮边界专家小组会谈。双方讨论了两国陆地边界和北部湾海洋划界问题，也谈到了维护边境地区和北部湾地区的稳定等问题。通过接触，中越双方对彼此立场有了一定的了解。

此后，根据两国领导人关于在适当时候举行政府级边界谈判的共识，并结合中越专家小组两轮接触的情况，我多次组织外交部等有关部门和省、区以及专家学者对中越关系进行评估，对通过谈判解决边界领土问题的可能性进行了研究。

在深入分析的基础上，经中央批准，成立了外交部和其他有关部门组成的中国政府代表团。我被任命为中国政府代表团团长。

确立原则　建立机制

随即，我们进入了谈判的前期准备工作。

在充分研究越方以往立场的基础上，我们起草了《关于解决中华人民共和国和越南社会主义共和国陆地边界和划分北部湾问题的基本原则协议》（以下简称《基本原则协议》）中方草案，内容涉及双方谈判机制、推进步骤以及有关政治、外交的原则和国际法依据等。

通过这个草案，我们希望向越方传达一条重要信息，即中方对谈判的态度是积极、务实和建设性的，双方可以为最终解决有关争议问题打下良好的基础。

为了促使双方尽快达成一致，我们把《基本原则协议》中方草案提前交付越方，并给予越方充分时间进行研究和提出反馈意见。

在中越政府级第一轮边界谈判正式举行前，越方即对中方草案做出了较为积极的回应。

1993年8月24日，与越南政府代表团团长、外交部副部长武宽就中越边界问题在北京钓鱼台国宾馆举行会谈。这是会谈前双方团长同记者见面。

1993年7月22日，钱其琛副总理兼外长在新加坡会见越南外交部长阮孟琴。钱其琛表示，希望中越双方共同努力，使政府级谈判取得进展，争取就一些问题达成一致，作为谈判的阶段性成果，双方可签署一个关于解决边界领土问题的原则性文件，可称之为《基本原则协议》。

阮孟琴表示基本赞成。

1993年8月24日至29日，中越政府级第一轮边界谈判在北京正式举行。

我担任中国政府代表团团长，越南外交部副部长武宽担任越南政府代表团团长。在五天时间里，双方共举行了三次全体会议和两次单独会谈，双方专家小组还举行了两次会议。

我主持了第一次全体会议，并根据越方提议首先发言。

我表示，在国际形势发生重大变化、中越两国已实现关系正常化的新形势下，双方举行政府级边界谈判具有重要意义。

接着，我全面阐述了中方对这次谈判的设想。我开门见山地说，解决中越边界领土问题应本着先易后难的原则。双方应集中精力，以中法界约为基础解决陆地边界问题，根据国际法并参照国际实践，按照公平原则划分北部湾。就此，我提出了具体建议，包括谈判应遵循的基本原则和步骤。

关于南沙群岛问题，我在发言中说，考虑到这一问题非常复杂，双方可探讨在南海有关争议海域“搁置争议、共同开发”，共同维护南海地区的和平、安全和稳定。

此外，我还就缓和双方争议提出了一些意见，包括双方共同致力于维护南海的和平与稳定，避免因南沙群岛主权争议一时无法解决而影响两国关系的发展等。

对于我发表的意见，武宽做了积极回应。他说，越方基本同意《基本原则协议》中方草案关于陆地边界和北部湾划界的有关内容，越中双方在以法中界约为基础解决陆地边界问题上达成了高度一致。武宽表示，越方同意同中方就划分北部湾问题进行谈判，这本身就体现了越方最大程度的灵活性。

武宽是一个职业外交官，面容清癯，待人彬彬有礼，风度儒雅。他年轻时曾在中国广西桂林学习，对中国非常了解。他1955年进入越南外交部工作后，曾担任俄语高级翻译，多次随越南领导人访问苏联，外交经验颇为丰富。

武宽平时不露形色，但在第一轮会谈中，当他讲到北部湾对越方的重要性时，显得有些激动。他说，北部湾和越南犹如母与子，北部湾养育着越南10省1500万人民，对于越南十分重要。越方难以接受中方关于按照公平原则划分北部湾的意见。

接着，武宽提出了“长沙群岛”和“黄沙群岛”问题，要求将“长沙”、“黄沙”问题写入双方共同的《基本原则协议》草案文本。越南把我们的南沙群岛和西沙群岛称为“长沙群岛”和“黄沙群岛”。

1993年10月19日，与越南政府代表团团长、外交部副部长武宽在河内正式签署《关于解决中华人民共和国和越南社会主义共和国边界领土问题的基本原则协议》。

针对武宽的发言，我首先总结了双方在陆地边界问题上的共识，并予以充分肯定。随后，我阐述了中方对北部湾的看法。

我也略带激动地说，北部湾是中越两国共有的海湾，它不仅对越南十分重要，对中国同样至关重要，它被广西壮族自治区、广东省、海南省45万平方公里的土地所环抱，养育着三省区1.1亿人民，它也是广西、海南的海上重要通道。北部湾不仅同越南地理关系密切，更是中国山水的延伸。因此，按照公平原则划分北部湾，对于两国和两国人民都有好处。

然后，我阐述了中方关于西沙群岛和南沙群岛的立场。我明确指出，中越边界谈判不涉及西沙、南沙群岛归属问题，中国在领土主权问题上的立场是不能改变的。

我要求越方对此采取现实态度。我说，中越两国在南沙群岛主权问题上的分歧完全是由于越方违背自己对中国主权的承认而产生的。在南沙群岛问题上，中方表现了极大的克制，但是，中方不会同意把南沙问题写入《基本原则协议》草案。

经过反复磋商，双方终于就《关于解决中华人民共和国和越南社会主义共和国边界领土问题的基本原则协议》草案文本达成一致，并签署了会谈纪要。

1993年10月18日，我以中国政府代表团团长的名义，专程前往河内，同越南政府代表团团长武宽一起，签署《关于解决中华人民共和国和越南社会主义共和国边界领土问题的基本原则协议》。

在《基本原则协议》中，双方确认在和平共处五项原则基础上，通过协商解决两国包括海上和陆地边界领土问题，双方将从实际出发，“目前集中解决陆地边界和北部湾问题。与此同时，继续就海上的问题进行谈判，以便取得一项基本和长久的解决办法”。

关于陆地边界问题，《基本原则协议》规定，“双方同意以中法1887年6月26日签订的《续议界务专条》和1895年6月20日签订的《续议界务专条附章》及其所确认或根据其规定制定的各项划界和立碑文件、附图以及按规定所立的界碑为依据，核定中越两国边界线的全部走向”，解决争议地区问题，最终签订边界条约。

关于中越划分北部湾问题，《基本原则协议》规定：“双方同意根据国际海洋法并参照国际实践，通过谈判划分北部湾。”为此，“双方应按照公平原则并考虑北部湾的所有有关情况，以取得一项公平的解决办法。”

双方还同意，尽快在两国政府代表团领导下，设立陆地边界联合工作组和划分北部湾联合工作组，讨论解决两国有关争议问题，起草边界条约和划分北部湾协定，呈交两国全权代表签署。

《基本原则协议》为两国最终解决边界领土问题，奠定了坚实的法律基础。

访问期间，我与武宽举行会谈，讨论了边界谈判问题和双边关系问题。我还拜会了越南外长阮孟琴。

我同越方达成了两条重要的共识，即：第一，本着先易后难的精神，谈判解决陆地边界和北部湾划界问题；第二，在解决过程中，双方应努力保持陆地边界和海上平静，避免发生一些不愉快的事情。

考虑到这是我第一次访问越南，《基本原则协议》签署后，越方专门安排我瞻仰了胡志明主席遗容，参观了胡志明故居和河内文庙。

胡志明主席是越南人民伟大的领袖，我对这位革命前辈十分敬重，读过他的汉语诗文，知道他酷爱中国传统文化，对中国充满友好的感情。胡志明早年曾在中国从事革命活动，与毛泽东、周恩来等中国老一辈领导人结下了深厚的友谊。

越南主席府是一幢米黄色的法式建筑，坐落在一片绿荫丛中，风格庄严、朴素。

胡志明故居坐落在主席府的大院里。据越南同志介绍，越南解放后，胡志明尽管已经担任了越南最高领导人，但并没有搬进主席府大楼居住和办公，而是在大楼背后的树林中建造了一座小小的高脚屋，在这里主持政治局会议，指挥作战，继续过着贴近大自然的简朴生活。

这次参观胡志明故居，使我进一步了解到胡志明的高尚道德风范和艰苦朴素的生活作风，对他肃然起敬。

在河内，参观文庙也是一件非常有意思的事情。文庙，顾名思义，是纪念中国古代哲学家、思想家和教育家孔子的地方。文庙是河内保存比较完好的古建筑群，占地40亩。文庙的建筑物上有许多中文楹联。进入文庙，这些楹联立刻跳入我的眼帘，顷刻间，我感到一种中国传统文化的气息扑面而来。

文庙正殿里供奉着孔子的雕像，正中挂着一块“万世师表”的匾额，上有“康熙御书”字样。此外，大殿两侧还供奉着孔子七十二弟子的雕像和牌位。

这次参观使我深刻感觉到，中越友好有着深厚的历史和文化根基，两国人民在信仰、风俗习惯等方面很相近。毛泽东、周恩来和胡志明等中越老一辈革命家精心培育的中越友谊，已经深深地根植在两国人民心里。这些都是发展中越关系的宝贵财富，我们有责任使之发扬光大。

根据中越两国领导人达成的共识和双方签署的《基本原则协议》，中越两国正式举行边界谈判，并且在谈判过程中逐步建立了三个层次的谈判机制：

第一层次是政府级谈判机制，通过两国各自组成的政府代表团进行谈判，谈判轮流在两国举行，双方团长轮流主持谈判。

政府级谈判机制主要职责是，就涉及边界领土的主要和重大问题进行正式谈判，指导联合工作组和专家小组的工作，审查并确认双方联合工作组和专家小组的会谈成果。

在中越两国先后于1999年12月30日签订《中华人民共和国和越南社会主义共和国陆地边界条约》和2000年12月25日签订《中华人民共和国和越南社会主义共和国关于两国在北部湾领海、专属经济区和大陆架的划界协定》后，这一机制一直延续下来。

第二层次是在政府级谈判机制下分别设立的陆地边界联合工作组、划分北部湾联合工作组和海上问题专家小组的会谈机制。两个工作组和一个专家小组均隶属于两国政府代表团。

第三层次是在陆地边界联合工作组和划分北部湾联合工作组之下设立的专家小组，包括陆地边界走向专家小组、陆地边界航摄测图技术专家小组、北部湾联合专家小组、北部湾测绘专家小组等。

陆地谈判　终获成果

1994年2月22日至25日和3月22日至25日，中越陆地边界联合工作组和划分北部湾联合工作组先后在越南首都河内举行了第一轮谈判。

自此，中越陆地边界谈判进入了解决具体问题的阶段。

中越陆地边界，说简单，也简单。作为已定界，有旧的条约作为依据。但是，说复杂，也复杂。条约的约文和附图均存在缺陷，加上经过近一百年来人为和自然因素的作用，造成两国对边界线走向的认识存在一些差异，由此产生争议。

这些争议，在现实中就体现为双方的利益冲突，既有国家利益，也涉及边民生产、生活的切身利益。边境上一小片不起眼的插荒地，往往就是一村一户的口粮和生活来源。

在中越陆地边界联合工作组第二轮会谈中，双方通过交换陆地边界主张线地图，确认两国边界主张线的不一致地区共289处，涉及面积约233平方公里，其中因技术原因造成的画法不一致的地区共125处，涉及面积很小，仅约6平方公里；而双方争议地区达164处。涉及总面积227平方公里。这些争议地区大多涉及边民的实际利益，谈判解决的难度很大。

在核对边界线走向过程中，我们向越方提出了三点建议。

第一，以中法界约及其所确认或根据其规定制定的各项划界和立碑文件、附图以及按规定所立的界碑为依据，核定中越两国边界线的全部走向。

第二，对经过反复核对后仍然不能就边界线走向和界碑位置认识取得一致的地段，双方将共同进行实地勘察，考虑该地区存在的各种情况，本着互谅互让的精神，友好协商，寻求公平合理的解决办法。

第三，经核定边界线后，一方超过边界管辖的地区，原则上应无条件归还另一方，其中个别地区，从便于边界管理出发，可由双方通过友好协商，本着互谅互让、公平合理的精神予以适当调整。

此后，陆地边界联合工作组用了两年多的时间，核对164处争议地区的边界线走向。

1997年7月，越共中央总书记杜梅访华，江泽民总书记同他达成重要共识，要求双方谈判人员积极努力，争取2000年前签署两国陆地边界条约。

1999年2月，越共中央新任总书记黎可漂访华。江泽民总书记同他会谈。两国领导人确定了发展两国关系的16字方针，即“长期稳定，面向未来，睦邻友好，全面合作”，确立了进入21世纪两国关系的发展框架。

双方一致认为，早日解决两国边界领土问题符合两国人民的根本利益和共同愿望。双方决心加快谈判进程，提高工作效率，在1999年内签署陆地边界条约，共同把两国边界建设成为和平、友好、稳定的边界。

双方还就解决陆地边界的居民点问题达成重要共识，即尊重两国边民长期居住、生产和生活情况，不要因划界引起两国边民的巨大震动。

中越两国领导人所达成的上述两项共识，为中越陆地边界谈判提供了可靠的政治保障，有力地推动了谈判的进程。

根据两国领导人达成的共识，我着力推动越方下决心以务实的态度同中方谈判，解决陆地边界争议地区问题，特别是涉及边民切身利益的问题。

1999年5月，我就陆地边界谈判存在的问题致函越南政府副总理兼外长阮孟琴。我在信中表示，希望越方根据两国最高领导人达成的共识，从大局出发，从两国人民的根本利益出发，本着实事求是和互谅互让的精神，充分体现诚意，提出剩余争议地区的解决方案，妥善解决两国边民生产、生活问题，争取双方就全部争议地区的边界线走向达成一致，确保在两国领导人规定的期限内结束陆地边界谈判，签订中越陆地边界条约。

我建议，双方对历史上本无争议的地区，应以实事求是的态度予以确认，不扩大分歧，不改变两国历届政府承认的边界线；对于争议地区，严格按照双方达成的协议，根据中法界约及符合界约规定的界碑和附图，确定边界线走向；对于涉及居民点地区，严格按照两国领导人达成的重要共识，尊重两国边民长期居住、生产和生活情况，不因划界而引起大的震动。

阮孟琴副总理兼外长很快做出了回应。他重申越方解决陆地边界问题的决心，并且表示赞同我关于大力促进陆地边界谈判的意见。他提出，双方应本着互谅互让的精神，在充分考虑各种要素和各方在国家主权、历史过程、地形、管辖需要、边民生活等正当利益以及今后维护边境地区稳定的基础上，尽快缩小分歧，寻求双方均可接受的解决办法。

根据双方达成的共识，我指示中方谈判人员，在谈判中一定要坚持实事求是，充分说明法理依据，要寻求公正、合理的解决办法。

在1999年7月25日出席东盟会议期间和9月11日出席亚太经合组织（APEC）会议期间，我两次会见越南政府副总理兼外长阮孟琴。在讨论地区和国际问题之余，我不失时机地做了一些推动边界谈判的工作。

9月11日，我在奥克兰见到阮孟琴时提出，解决争议地区问题必须实事求是，建议越方积极考虑体现双方利益大体平衡的总体解决方案，双方可就此达成谅解，以指导陆地边界联合工作组的工作。我还明确表示，希望越方谈判人员能严格落实两党总书记就解决居民点问题达成的重要共识。

阮孟琴是一个很精明的人。他1929年出生于越南义安省的荣市，50年代初曾在北京俄语学院学习俄语，先后在匈牙利、德国、苏联担任大使，是一位资深外交官，深谙谈判之道。

听我说完这番话后，阮孟琴表示，越方理解中方观点，愿做更大的努力，寻求解决有关问题。

经过外长级、政府代表团团长、联合工作组和专家组各个层次谈判人员反复做工作，越方终于在1999年10月20日至28日两国政府代表团团长北京临时会晤时，明确接受了我提出的双方利益大体平衡和一揽子解决的构想。

1999年12月30日,《中越陆地边界条约》签字仪式。

此后，中越双方在谈判中均打出了一揽子解决方案，包括对敏感和难点问题的解决方案，并且就此达成初步共识，使中越陆地边界谈判取得了突破性进展。双方又经过一个多月的艰苦谈判，最后就争议地区的边界线走向全部达成一致。

自此，双方同时进行联合工作组和条约起草工作组的谈判，把全部精力投入对有关谈判结果做出共同记录和起草中越陆地边界条约的工作之中。

此后，双方谈判工作人员在20天的时间内，密切合作，夜以继日，最终就中越陆地边界全线走向和边界条约草案全部条款达成一致，并完成了条约文本和附图的制作。

在条约正式签署之前，中越双方举行了条约草签仪式。双方团长需要在协议文本的每一页和每一张附图上都签上姓名，这一签字构成对条约文本的认证。由于条约附图数量庞大，仅签字就签了一

中越边界重新竖立的第一块界碑。

个多小时。

1999年12月30日，在新的世纪即将到来之际，我专程飞往越南首都河内，出席《中华人民共和国和越南社会主义共和国陆地边界条约》签字仪式。

签字仪式于30日晚在越南国家会议中心举行。我和越南副总理兼外长阮孟琴分别代表中国和越南正式签署了《中越陆地边界条约》。

在签约仪式上，我做了简短致辞。我说，《中越陆地边界条约》的正式签署，标志着双方把一条和平、友好、稳定的陆地边界带入21世纪，不仅将直接造福于两国边境省份的人民，而且对促进中越两党两国关系，促进两国在各个领域的全面合作，促进本地区和平与稳定，都具有重要意义。

2000年4月29日，中国第九届全国人民代表大会常务委员会第十五次会议通过决议，批准了《中越陆地边界条约》；同年6月9日，越南第十届国会第七次会议也通过决议批准了这一条约。

2000年7月6日，中越两国在北京举行了《中越陆地边界条约》互换批准书仪式。至此，《中越陆地边界条约》正式生效。

2000年11月，中越两国根据《中越陆地边界条约》的规定，在两国边界谈判政府代表团之下成立了联合勘界委员会。至2008年底，完成了全部实地勘界立碑工作。为此，双方用了八年时间。

海洋划界　中国首例

中越启动边界谈判以来，陆地边界谈判和北部湾划界谈判一直同时进行。此前，中国已同十个国家谈判签订了陆地边界条约或协定，在陆地边界谈判方面，我们积累了丰富的经验。但是海洋划界谈判对于中国外交来说是一个崭新的课题。因此，中越关于北部湾划界谈判是一次前所未有的实践。

在北部湾划界谈判过程中，曾出现过许多困难和曲折，每前进一步都需要付出大量辛勤劳动。

谈判初期，气氛尚好。但是，随着谈判逐步进入实质性阶段，双方之间传统立场的对立、现实利益的冲突渐渐凸显出来。

在《基本原则协议》签署后，中越划分北部湾联合工作组刚刚进入第二轮会谈，就遇到了重重困难。

1994年8月，中越政府级第二轮边界谈判在即，中越双方在海上的矛盾变得十分突出。

我们原来以为，双方达成《基本原则协议》并且启动了划分北部湾联合工作组的会谈，双方在北部湾的冲突可以减少或者避免，北部湾的紧张局势会逐渐缓和下来。

岂料，事情并非如此。

中越启动北部湾联合工作组会谈后，在差不多半年的时间内，中越双方在北部湾的冲突有增无减，并有加剧之势。在这半年中，越方加强和扩大了对北部湾争议海域的实际管辖，居然否定中国渔民在北部湾传统渔场的捕鱼权，试图造成一种既成事实。

在赴越谈判前，我召集中方谈判班子，对有关情况进行了认真分析和研究。

当时，在北部湾，我们海上力量和实际控制能力并不比越方弱。只要我们严格遵循国际法、《联合国海洋法公约》和双方已经签订的《基本原则协定》，我们有信心、有耐心，假以时日，一定会说服越方回到正确的道路上来。

比较棘手的问题反倒是越方不断在北部湾传统渔场抓扣中国渔民和渔船的问题。由于这个问题涉及渔民的切身利益，需要尽快解决。

我们希望，中越双方能够坐下来好好谈谈，解决这一问题。

在赴越谈判前，我8月初专程去了一次海南省，听取了时任海南省省长阮崇武同志对中越北部湾海洋划界谈判的意见。其间，我曾赴北部湾沿岸进行实地调查。

在琼海潭门镇和临高调楼镇，我到渔民家中访问，并且登上停泊在渔港中的渔船，倾听渔民们亲口讲述他们祖祖辈辈在北部湾传统渔场生产作业的情况和他们最近在传统渔场捕鱼遭到严重干扰的事实。

站在渔港码头上，望着风平浪静的海湾和港内无数的渔船，呼吸着略带海腥味的空气，我的心情久久不能平静。领土边界，国家关系，决不是抽象的概念，而是同老百姓的利益息息相关的现实问题。作为一名外交官，要深入基层，了解民生，了解实际情况，才能真正知道自己肩上的责任，把人民利益和外交工作紧密结合起来，在谈判中不负国家和人民的重托。总之，外交也必须为改善民生、维护社会稳定服务。

1994年8月15日至18日，中越第二轮政府级边界谈判在河内正式举行。我率中国政府代表团参加了这次谈判。

越方团长武宽主持会议并首先发言。他阐述了越方对陆地边界、北部湾划界和南海问题的立场和主张，对双方陆地边界谈判所取得的进展予以高度评价。

接着，我做了长篇发言，重点谈了中方对北部湾划界问题的立场。

我首先表示，赞同武宽对陆地边界取得进展的评价，同时指出，为了使边界谈判保持良好的气氛，在最终解决问题前，双方应严格遵守《临时协定》关于按照该协定签订之时的边界管辖状况进行管理的规定，双方地方政府和有关部门需要加强对工作人员和边民的教育。

然后，我从历史、法理、国际关系和国家实践的角度阐述了中国渔民在北部湾的传统捕鱼权，指出中国广西、海南和广东三省区有近138万渔业人口，捕鱼权问题直接关系到渔民的生计和社会稳定。

我严肃地告诉越方，在双方就划分北部湾达成协议前，越方应该尊重中国渔民在北部湾包括争议海域的传统捕鱼权。中国政府不能容忍再次发生越方武装船只抓扣中国渔民和渔船的事件。

我指出，谈判划分北部湾，中国渔民的传统捕鱼权是公平划界必须考虑的重要因素之一。不仅如此，中越谈判划分北部湾，最终还需要以某种法律形式把中国渔民这一权利确定下来，对两国在划界后的渔业合作问题做出妥善安排。

18日，我同武宽再次进行了磋商，就双边关系以及地区和国际问题交换了意见。正式会谈后，我又以朋友的口气个别提醒武宽，维护北部湾的安宁对于边界谈判和两国关系的发展至关重要，一定要妥善处理好有关问题。

访问期间，我还会见了越南国家主席黎德英和副总理兼外长阮孟琴。黎德英主席访华时我曾全程陪同，他在会见中请我转达越南领导人给江泽民主席的口信。他表示，越中两国在社会制度、现行政策方面有许多基本共同点，越南共产党中央政治局和各阶层人士在发展同中国友好关系问题上高度一致，越中关系只能起，不能落。对此，越南领导人是有决心、有信心的。

中越边民　习俗相通

1994年8月19日，我们启程从陆路回国。

从河内到南宁，当时走陆路需花十个小时。其实，从河内到友谊关只有180公里，只是由于越南公路状况不太好，要走上六到七个小时。但走陆路可以看一看越南北部省份的情况，也可以到中越边界进行实地考察。

第二天清晨我们早早起床，简单用餐后，就出发了。我们车队经过市郊，越过红河大桥，离开河内。

不久，我们即奔驰在红河三角洲大平原上。我自车窗向外望去，一马平川，视野宽阔，道路两边沟渠纵横，阡陌村舍，错落有致。

我们沿着越南一号公路一路北行，地势由低及高。车过北宁，我们进入越南北部山区，视野渐渐由宽变窄，很快我们就穿行在山区公路上。

我注意到，公路两侧越南的农户家门上贴着对联，不仅有用越文书写的，还有用中文书写的。看来，贴对联这一习俗，在越南民间也十分盛行。

经过北江，我们到达了越南谅山，这里距离中越边界已经很近了。在越方安排下，我们参观了农贸市场。当时，中越边贸开通时间不长，但是发展很快。在市场上，有不少来自中国的产品，其中以轻工产品居多。当地人告诉我，在这里最受欢迎的是中国生产的啤酒。

我们终于在当天下午1点40分抵达友谊关。我步行穿过友谊关口，回到祖国境内。

稍事休息后，我们代表团一行即登上金鸡山炮台，考察中越边界情况。

金鸡山炮台建立在友谊关西南侧拔地而起的悬崖峭壁上，是清代抗法名将苏元春督部将、兵勇和工匠修筑的，由镇南、镇中、镇北三座炮台构成，每座炮台上均装有德国克虏伯兵工厂生产的大炮。

金鸡山炮台是清代沿中越边界广西段“七十二连城”大小炮台防御体系的一部分，在中法战争中曾发挥重要的作用。

清代中法划界，凡中方建有炮台的地方，均被划在中方境内。对此，中法界约关于边界线走向的叙述和地图，或有记录或予以标注。

金鸡山海拔只有511米，但是山势挺拔，雄奇险峻，是方圆数十里的制高点，在群山中金鸡独立。它又因位于友谊关的右侧而称右辅山，与友谊关左侧的左弼山互为犄角。

站在金鸡山顶，放眼眺望，中法界约规定的东路第15号界碑至20号界碑的边界线沿着山岭蜿蜒起伏，其大致走向一目了然。

我深感，中越两国山水相连，解决争议、划定边界、消除龃龉，有利于两国人民和睦相处，互惠合作，造福子孙后代，这是历史和现实赋予我们的使命，责任重大。

协议划界　超越分歧

中越政府级第二轮边界谈判后，划分北部湾谈判遭遇到严重困难。

在谈判中，越方不断强化自己的主张，声称北部湾早已由中国清朝政府和法国政府按照中法界约的所谓东经108度3分13秒线划定。

在1995年6月20日至22日于河内举行的中越划分北部湾联合工作组第五轮会谈中，双方发生激烈争论，没有达成任何协议，这种情况在整个中越边界谈判进程之中是绝无仅有的一例。

1995年7月13日，中越第三轮政府级边界谈判在北京钓鱼台国宾馆正式举行。作为东道主，我主持了这次谈判。会谈伊始，我即开宗明义，从历史、现实和法律的角度全面、深入、系统地阐述了中方在北部湾划界问题上的立场。

我指出,《基本原则协议》签订以来，越方单方面扩大对北部湾的控制，公布北部湾中间区的招标区块，在北部湾中国渔民作业的传统海域，抓扣进行正常作业的中国渔船和渔民，对中国渔民的生命财产安全构成了严重威胁。越方在划分北部湾联合工作组第五轮会谈中重提东经108度3分13秒线的主张，立场倒退，对此中方十分关注。

我敦促越方显示诚意，妥善处理两国在北部湾的渔业纠纷，重新回到通过谈判划分北部湾的道路上来。

听到我这番话，武宽表示，越方于1993年同中方签署《基本原则协议》，实际上已打破两国20世纪70年代在划分北部湾问题上的僵局。他请中方相信，越方不会倒退，也不会走回头路。对此，越南领导人是有决心的。

本轮谈判期间，中央政治局委员、国务院副总理李岚清会见了武宽。我们还安排武宽到山东访问。

从山东回到北京后，武宽告诉我，他访问了曲阜孔子故里，山东的发展给他留下了非常深刻的印象。回国后，武宽还以笔名发表了“访孔子家乡”一文，刊登在越南《国际周刊》上。文章最后说，中越“昔日之联系已深深扎根于历史沃土之中，今后世世代代没有理由不使它更加根深叶茂”。

中越关于北部湾是否业已划分的争论，直到1995年11月越共中央总书记杜梅访华，才有了一个令人满意的结论。

访问期间，两国领导人重申在两国历次高层会晤达成的原则基础上，本着大局为重、互谅互让、公平合理、友好协商的精神，根据国际法，参照国际实践，通过和平谈判，妥善解决两国间存在的边界领土问题。两国领导人达成共识，推动双方超越过去的分歧，结束了20世纪70年代以来关于北部湾划界的争议，确立了整个谈判的政治框架和双方努力的方向，促使中越边界谈判走上正轨。

1996年2月14日，我前往中越边界的凭祥/同登口岸，参加庆祝桂越铁路恢复通车仪式。中越双方先后在中国凭祥和越南同登举行了庆祝仪式，仪式隆重而热烈。

我和越南副外长武宽分别在庆祝仪式上致词。双方都充分肯定了桂越铁路在中越交往史上、在中国支持越南抗法和抗美战争中所起的重要作用。双方都认为，这次恢复通车预示着中越两国关系的发展具有更加广阔的前景。

通车仪式后，应武宽之邀，我前往越南谅山，就双边关系和边界问题进行磋商。

这是我第二次来到谅山。相隔仅一年多，这个边境城市得益于中越边贸的发展，面貌发生了很大变化，市面上店铺多了，显得更热闹、更繁荣了。沿街有许多广告牌是用越中两种文字书写的。

在谅山市的金山宾馆，我和武宽举行了会晤。

我就陷于停顿的划分北部湾联合工作组会谈提出了三点建议：第一，北部湾划界谈判应以两国领导人达成的“大局为重，互谅互让，公平合理，友好协商”的共识为指导思想，以1993年双方签署的《基本原则协议》为法理依据。第二，双方应继续就各自提出主张线的依据和其他相关因素交换意见。中方将适时提出自己的主张线。第三，双方应就公平原则达成一个内部谅解。同时，在划分北部湾谈判的全部过程中，双方必须对两国渔民在北部湾的正常作业做出适当、合理的安排。

武宽基本同意我提出的三点建议。他同时表示，越方将坚持通过谈判解决北部湾海洋划界问题。但是，对于保障中国渔民在北部湾的正常作业问题，武宽仅表示，只有在北部湾划界完成后才能予以考虑。

对此，我明确地指出，不能把北部湾划界同保障中国渔民在北部湾的正常作业问题割裂开来，渔业问题本身就是北部湾划界谈判的一项重要内容，希望越方重视中方对渔业问题的关切。我强调，中方对渔业问题的关切自始至终是认真的，不会因划界而牺牲渔民利益。

1996年3月4日至11日，中越划分北部湾联合工作组第六轮会谈在北京举行。双方就公平原则深入交换意见，确认公平原则是划分北部湾最基本的和最重要的原则，同意尽快交换各自主张线。这使中越划分北部湾谈判又重新走上正确轨道。

1996年9月18日至23日，我作为中国政府代表团团长，率团参加了在越南河内举行的中越政府级第四轮边界谈判。

在会谈中，我着重从国际法的角度阐述了中方关于公平划分北部湾的构想。我指出，中越在北部湾的总体政治地理关系大致平衡，这一地缘政治现实构成划界应予以考虑的最基本的有关情况。两国在北部湾的海岸构成双方海洋权益主张的基础。

我建议，双方考虑两国在北部湾海岸相邻又相向、海岸线长度相差不大等情况，实现双方利益大体平衡的目标。这一目标法律上是公平的，政治上是友好的，经济上是合理的，符合两国人民的根本利益。

武宽表示，中方对划分北部湾的构想做出了全面、深刻的阐述，他将如实向越南领导人报告。接着，他阐述了越方的观点。他说，越方认为，划界首先应予以考虑的是地理因素，包括考虑特殊自然地理因素。

武宽还说，北部湾是越南北方的出海口和国际交通要道，对于越南具有生死攸关的重要性。他提出，在北部湾划界中，中国海南岛不能与越南大陆相提并论。

对此，我当即指出，海南岛是中国仅次于台湾岛的第二大岛，海南是中国的一个省。它在整个南海中是一个岛屿，但是相对北部湾而言，它是中国陆地领土和海岸的一部分，根据国际法并参照国际实践，海南岛在划界中理应与越南和中国大陆海岸一样，构成海洋权利的基础并且享有同等的划界效力。

最后，我再次希望越方认真研究中方的北部湾划界主张和方案。

在这轮谈判中，双方同意成立一个联合专家小组，就有关划界方案线问题进行非正式磋商。

1996年9月18日，我和武宽副外长举行了中越副外长定期磋商，就双边关系、地区和国际问题交换了意见。19日，越共中央政治局委员、副总理陈德良会见了我和中国政府代表团一行。

1996年至1997年，两国划分北部湾联合工作组又举行了三轮磋商，双方就北部湾海洋划界的主张线问题非正式交换意见，由于分歧很大，谈判未能取得突破。

1997年7月，越共中央总书记杜梅访华。我与随同访问的越南政府边界委员会主任陈公轴在钓鱼台国宾馆举行会谈，重点就划分北部湾面临的困难交换了意见。我明确指出，谈判难以取得突破，关键是双方未就实现利益大体平衡的目标达成一致。

此后，我还以中国政府代表团团长的名义，主持了1997年8月13日至15日在北京钓鱼台国宾馆举行的中越政府级第五轮边界谈判及副外长级磋商。

在这轮谈判中，中越就启动陆地边界条约起草小组达成一致。在划分北部湾问题上，双方非正式交换了主张线，同意最大限度地扩大共识、缩小分歧，努力使双方主张相互靠拢，同时维持联合专家小组的非正式磋商机制，争取找出双方都能接受的共同划界方案线。

在谈判结束后，钱其琛副总理兼外长接见了武宽副外长一行。

北部湾划界所涉及的渔业问题是我自始至终所牵挂于心的一个重大问题。

从1992年中越重启边界谈判起，我多次同越方谈到这个问题，强调双方划分北部湾的谈判要同时解决划界和渔业问题。

在中越划分北部湾谈判整个过程中，中方曾多次就越方武装船在北部湾抓扣中国渔民问题提出严正交涉。

直到谈判最后阶段，这一问题已明显地成为阻碍谈判向前迈进的最大障碍时，越方才终于明白过来，并且理解了中方为什么那么坚持，一定要同时解决划界和渔业问题。

事实上，我们如此重视渔业安排，是因为这个问题涉及渔民的生计，关系到国家和政府是否对人民负责，是一个政治问题，影响到当地社会稳定。

但是，当时越方谈判人员难以理解中方在这个问题上为什么一直坚持不让。

为此，我多次向继我之后担任中国政府代表团团长的王毅同志做了交代并谋商对策。我们一致认为，可以通过高层予以推动。

1999年2月，越共中央总书记黎可漂访华，江泽民总书记同他会谈，双方就在2000年内解决北部湾划界问题达成共识。

1999年12月，我在出席《中越陆地边界条约》签字仪式后，前往拜会越共中央总书记黎可漂。

在会见中，我着重从政治角度谈了中国领导人对北部湾渔业问

2001年10月16日，在上海国际会议中心会见前来参加亚太经合组织（APEC）会议的越南外长阮怡年。

题的重视和考虑，并特别提及江泽民总书记曾向黎可漂总书记提出关于“北部湾的划界与北部湾的捕鱼安排一并解决”的意见。

黎可漂总书记表示，就此问题，他已同越南其他领导人仔细商量了，愿做出积极回应。他说，两国水产部门可以马上就北部湾渔业问题进行商谈，渔业谈判可以同划界谈判同时进行。

黎可漂总书记的这一表态非常重要，为双方及时启动渔业谈判开了绿灯，并为两国最终划界问题和渔业问题一并解决创造了条件。

2000年1月28日，越南政府换届，阮怡年接替了阮孟琴副总理所兼任的外长职务，武宽则出任贸易部长。我和时任外经贸部部长石广生分别向他们两人致电表示祝贺。

在接到我的贺电后，阮怡年非常高兴。1月31日，他向中国驻越南大使李家忠表示，希望把中国作为他上任后出访的第一个国家，同我进行会谈并且拜会中国领导人。我即向阮怡年发出了访华邀请。

2000年2月24日至26日，越南新任外长阮怡年正式访华。朱镕基总理和李鹏委员长分别在中南海紫光阁和人民大会堂接待厅会见了他。

25日，我同阮怡年外长在钓鱼台国宾馆举行了正式会谈。

阮怡年温文尔雅，颇有学者风范。他1954年进入越南外交部工作，60年代曾在印度留学，后来又在印度工作，先后长达九年，能说一口流利的英语。

在会谈中，我们就双边关系、地区和国际形势全面交换了意见，我还重点谈了北部湾划界问题。我表示，双方应下大力气抓好这项工作，集中解决划分双方海域面积比例和渔业安排两个问题。

我说，中国领导人于1995年就提出了体现双方利益大体平衡的划界构想，越方领导人也发表过类似谈话，只要双方都按照两国领导人达成的共识，实事求是地探讨解决办法，这些问题是可以得到解决的。

我表示，坦率地说，中越北部湾划界，将对双方渔民传统作业产生影响，涉及维持北部湾地区的稳定问题，渔业问题已成为北部湾划界谈判的重要组成部分，这是一个政治问题。希望越方尽快启动渔业谈判机制，使北部湾划界和渔业问题一并得到解决。

阮怡年外长表示，他赞同我关于推动北部湾划界谈判的意见，愿意同我一起推动谈判朝前迈进。他说，越方已充分意识到中方对渔业的关切，双方可就渔业问题单独形成一个文件，与北部湾划界协定同时签署。

2000年4月份，在北部湾划界谈判框架内，中越双方启动了渔业专家小组谈判。但越方工作层一再以技术原因拖延和推迟谈判，不同中方进行实质性磋商。

2000年9月14日，我前往纽约参加第55届联合国大会。会议期间，我在联合国总部会见了阮怡年外长，着重就北部湾划界问题深入交换了意见。

我表示，中越划分北部湾谈判已进入关键阶段。越方同意在北部湾设立共同渔区，这是谈判取得的一个重要进展。现在，双方需要抓紧谈判渔业协定，确保划界协定和渔业协定同时签署。我还表示，希望越方尽快就划界双方所得面积比例问题做出政治决策。

阮怡年表示，愿意和我一起敦促双方政府代表团和划分北部湾工作组加紧工作，朝着两国领导人提出的方向和目标做出努力。阮怡年并明确表示，越方同意同时签署北部湾划界协定和渔业协定。

2000年10月25日，中国政府代表团团长王毅和越南政府代表团团长黎功奉举行团长非正式会晤，就北部湾试划方案线达成初步协议，使谈判取得了突破性进展。

次日，我会见越方团长黎功奉，肯定了双方团长所达成的共识。我说，两国团长这次会晤具有重要意义，有助于双方打破僵局，为谈判带来新的转机。希望双方专家能够按照两位团长所达成的共识进行工作，形成一条共同的划界方案线。

我还谈了我对渔业问题的关注和意见。我表示，希望双方外交当局共同推动渔业谈判取得实质性进展，一揽子解决北部湾划界问题。

2000年11月21日，我就越方渔业专家小组一再拖延渔业谈判事致函阮怡年外长，希望加快北部湾划界谈判进程，特别是与划界有关的渔业谈判进程。我表示，在谈判进入最后阶段的关键时刻，双方应从政治高度大力推动谈判，特别是与划界有关的渔业问题谈判，确保年内同时签署划界协定和渔业协定。

我还提出了最迟在12月5日前结束划界和渔业问题全部实质性谈判的时间表，并且希望阮怡年外长能和我一起从政治层面予以推动，给双方谈判人员下达明确指示。

阮怡年外长在复函中表示，越方领导人已就在北部湾建立共同渔区的问题做出了决定，越方愿意同中方一起，采取积极态度，商谈渔业协定。

在两国外交部的推动下，双方谈判人员进行了最后冲刺。

2000年12月12日至14日，中方团长王毅和越方团长黎功奉在河内举行了第三次团长非正式会晤。经过两天艰苦谈判，双方就北部湾海洋划界的主要问题达成了一致，实现了双方在北部湾的利益和总体面积的大体平衡。

12月18日，中越划分北部湾联合工作组在第十七轮会谈中，落实两国政府代表团团长达成的共识，确定了划分中越在北部湾的领海、专属经济区和大陆架的方案线，并就各界点的地理坐标和北部湾划界协定文本全部达成一致。

至此，中越双方在充分考虑北部湾所有有关情况的基础上，按照公平原则，通过友好协商，克服了重重困难，闯过了一道道难关，最终完成了关于北部湾划界的所有实质性谈判。

在北部湾划界取得成果的同时，双方渔业专家小组也解决了划界后的渔业安排问题，包括确定了两国渔业长期合作的原则，划定了3万多平方公里的跨界共同渔区和过渡性水域，共同起草了中越北部湾渔业合作协定文本。

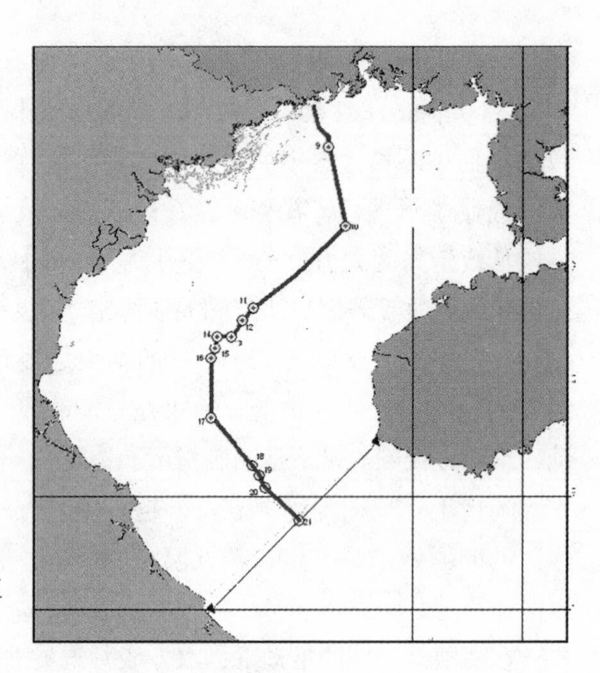

中越北部湾专属经济区和大陆架分界线示意图。

回过头看，中越划分北部湾谈判非常艰难，一波三折，起伏不定。从1992年起，中越北部湾划界谈判前后经历了八年时间。八年中，双方共举行了2轮专家级谈判，7轮政府级谈判，3次政府代表团团长非正式会晤，18轮划分北部湾联合工作组会谈，3轮联合专家小组非正式会谈，6轮渔业专家小组会谈和7轮测绘专家小组会谈。谈判密度之高，在中国外交史上绝无仅有。

2000年12月24日，越南国家主席陈德良应邀对中国进行正式访问。25日，江泽民主席和陈德良主席举行正式会谈。两国领导人高度评价了双方即将签署的《中越北部湾划界协定》和《中越北部湾渔业合作协定》。会谈后，两国元首共同出席了两个协定的签字仪式。

签字仪式在北京人民大会堂隆重举行。我和越南外长阮怡年分别代表本国政府签署了《中华人民共和国和越南社会主义共和国关于两国在北部湾领海、专属经济区和大陆架的划界协定》。农业部长陈耀邦和越南水产部部长谢光玉共同签署了《中华人民共和国政府和越南社会主义共和国政府北部湾渔业合作协定》。

两协定签署后，双方各自按照国内法履行了批准程序。2004年6月25日，中国第十届全国人大常委会第十次会议批准《中越北部湾划界协定》。此前，6月15日，越南第十一届国会第五次会议也批准了该协定。

2004年6月30日，中越边界谈判中国政府代表团团长、外交部副部长王毅和越南政府代表团团长、外交部副部长武勇在河内互换了《中越北部湾划界协定》的批准书，同时，两国外交部门就《中越北部湾渔业合作协定》生效事互换照会。同日，上述两协定同时生效。双方还分别将《中越北部湾划界协定》提交联合国备案。

《中越北部湾划界协定》确定了中越两国在北部湾的海洋分界线。协定规定，中越北部湾海洋分界线自中越界河北仑河入海口起，大致向南延伸，至协定规定的北部湾封口线止，全长约五百公里。

和解之道　意义深远

世纪之交，中越双方经过共同努力，签订《中越陆地边界条约》和《中越北部湾划界协定》，成功地解决了长期困扰两国关系的两个重大问题。这符合两国人民的根本和长远利益，对中越关系的发展具有深远意义。

《中越陆地边界条约》和《中越北部湾划界协定》的生效，标志着两国把一条和平、友好、稳定与合作的陆地边界和海洋边界带入了21世纪，同时也进一步充实了两国“长期稳定、面向未来、睦邻友好、全面合作”关系框架的内涵，为推动新世纪两国关系的健康平稳发展，奠定了坚实基础。

《中越北部湾划界协定》生效，标志着中国第一条海洋边界的诞生。中越通过协商，成功地解决了两国之间在北部湾的海洋划界问题，这一实践符合现代海洋法制度。

中越北部湾海洋划界，充分显示了中国同有关邻国通过谈判解决海洋划界问题的诚意，有助于增进中国与周边海洋邻国之间的相互信任，推动中国与周边国家关系的发展，对维护周边和平与稳定具有重要意义。

中越解决陆地边界和北部湾海洋划界争议的经验表明，只有坚持在国际法基础上，参照国际实践，尊重历史和客观事实，考虑两国人民的根本和长远利益，平等协商，互谅互让，寻求公正、公平和合理的解决办法，才能达成双赢的结果。

要达成双赢的结果，当事国必须尊重历史，尊重客观事实。这里，尊重历史和尊重客观事实既不矛盾又互为补充，目的是了解事情的来龙去脉，更好地了解现实状况，厘清双方分歧和争议，对分歧和争议的内容、性质和程度做出准确判断，有利于更好地寻求解决办法。

判断谈判成功与否的标准是双方基于历史、地理、主权、管辖和现实政治的权益主张是否合情、合理、合法，双方的正当权益是否得到了维护。在这个意义上，《中越陆地边界条约》和《中越北部湾划界协定》是中越双方共同交出的一份令人满意的答卷。

中美南海“撞机事件”

南海上空风云变

2001年4月1日那天下午，我正在法国南部名城尼斯停留。

当时，我刚刚出席完在智利举行的东亚—拉美论坛外长级会议，接踵前往法国访问，途中在尼斯转机。

尼斯素有“阳光之城”的美誉。那天天气晴朗，碧空如洗，阳光格外灿烂。经过长途奔波和紧张的会议之后，我和随行的同志都有些疲惫，想趁着飞机起飞前的短暂时间放松一下，为下一站访问养精蓄锐。

我们正在机场贵宾室里聊天，享受着难得的轻松时光。这时，专程从巴黎赶来的我国驻法国大使吴建民急匆匆地跨进门来。还没来得及落座，他就低声对我们说，国内告，今天上午，在海南岛附近发生了我们的军用飞机和美国的军用侦察机相撞事件，我方飞机坠毁，飞行员下落不明。国内正在研究向美国方面提出严正交涉。

大家的神情顿时严肃起来，贵宾室里的轻松气氛也因这个突如其来的消息变得凝重。

我请吴大使坐下来详细介绍情况。

北京时间4月1日上午，美国一架EP—3军用侦察机又飞到我国海南岛东南海域上空活动。我空军两架歼—8战斗机立即起飞对其进行跟踪监视。9时7分，正当我方军机在海南岛东南104公里处正常飞行时，美国的侦察机违反飞行规则，突然大角度转向，撞上我方一架军机，致使飞机失控坠海，飞行员王伟失踪。受损的美机则在未经过许可的情况下，进入我国领空，并降落在海南陵水军用机场。按国际惯例，我们对美国侦察机上的24名美方人员进行了安置。

听完吴大使的介绍，我立即意识到这是一起重大、敏感的突发性事件。说它重大、敏感，是因为这是在冷战后新的国际形势下，中美两军之间发生的首次直接摩擦，并且造成飞机损毁、人员失踪的严重后果。特别是，这一事件还涉及国家主权、领土完整和民族尊严等重大原则问题，十分复杂，要妥善处理，绝非易事。

看上去这是一桩偶发事件，其实有其必然性。自从新中国成立后，美国就从未中断过对我国沿海的侦察飞行。从2000年下半年起，美军飞机侦察活动更加频繁，而且越来越贴近我们的领海。我们通过各种渠道多次向美国方面提出交涉，要求停止此类侦察活动，但他们置若罔闻，依然我行我素。

我叮嘱吴大使，这件事非常复杂、敏感，恐怕是今后一段时间我们外交工作中的一件大事，驻法使馆也要密切跟踪有关动向，收集反应，澄清真相。

考虑到第二天我将在巴黎与希拉克总统会晤，之后可能会有记者问及此事，我决定利用这个机会阐明中方立场。

果如所料，2001年4月2日下午我与希拉克总统的会见结束后，一走出爱丽舍宫，就看到不少记者守候在爱丽舍宫的大门口。他们见到我，一齐拥了上来，七嘴八舌地抢着提问，最集中的问题就是：中方对“撞机事件”有何评论？

我站在爱丽舍宫门口，一字一句地对记者们说，我要告诉你们的是，是美国的飞机撞了中国的飞机，而不是中国的飞机撞了美国的飞机，中国的飞行员到现在还没有找到。“撞机事件”的责任完全在美方，美方应该向中国人民做出满意的交代。

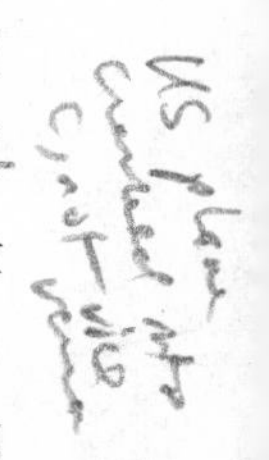

采访一结束，我就从爱丽舍宫驱车直奔戴高乐机场，踏上回国旅程。

从巴黎返回北京的航程长达九个半小时。由于时差的缘故，飞机基本上是夜航状态。即便如此，我也毫无睡意。一路上，我思前想后，心潮起伏。

当时中美关系的气候很特殊。在克林顿政府时期，中美双方几经较量，两国关系终于进入上升阶段。我们希望小布什就任美国总统后，中美关系也能够有比较好的发展。因为他父亲对中国有很深的了解，他本人也曾经来过中国。

但布什上台伊始，就着手对克林顿政府的外交政策进行调整，对华政策也表现出强硬的趋向。就在几个月前的大选电视辩论中，布什曾经公开声称要重新定位美中关系，强调美中之间不应该是“战略伙伴”关系（strategic partnership），而应该是“战略竞争”关系（strategic competitor）。

外交上，“战略竞争”的含义和“战略伙伴”截然不同，前者甚至有某种对立的味道。小布什的这种说法意味着美国更多地是把中国看作一个“竞争对手”，而不是“合作伙伴”。如果这种论调最终成为美国政府的对华政策，将会对中美关系产生不利影响。这不能不令人关注。

在国际上，中美关系是一对十分重要的双边关系。对中美两国固然如此，对全世界也是如此。因此，我们有必要与美国新政府进行沟通，推动布什和他的新班子正确认识中美关系，制定积极务实的对华政策，以利于两国关系的健康、稳定发展。

2000年12月14日，布什当选为美国第43任总统。当天，江泽民主席按惯例向他发去了贺电。

2001年2月，布什总统就职后不久，很快给江泽民主席写了一封信。这封信调子积极，表示美方愿同中方加强对话与合作，以相互尊重和坦诚的方式处理分歧。

江主席立即复信对布什就任美国总统再次表示祝贺，赞赏布什在来信中对发展两国关系表明的积极态度，表示期待着与其共同努力，推动中美关系在新世纪健康、稳定、持续发展。

3月底，钱其琛副总理应邀访问美国，与美国新政府高层进行直接接触。布什总统会见了钱副总理，亲口表示美国重视美中关系，说他本人期待着10月份赴上海出席亚太经合组织领导人非正式会议并访问北京。

钱副总理的访问取得了积极成果，中美关系的气氛有所缓和。

在这样的背景下，“撞机事件”突兀而至。看来，中美关系又要经受一场严峻的考验。

首轮较量硬碰硬

2001年4月3日上午10时许，我返抵北京首都国际机场，下了飞机便径直回到外交部。一到办公室，我就请当时主管美国和大洋洲事务的周文重部长助理到我办公室。周文重长期分管美大事务，在和美国人打交道方面经验丰富。

他向我详细介绍了两天来发生的事情。他告诉我，“撞机事件”发生后，中央高度重视，从全局和战略高度制定了一系列方针。

根据中央部署，周文重在事发当天就紧急召见了美国驻华大使普理赫，提出严正交涉和强烈抗议，强调事件的责任完全在美方，美方必须对中国人民做出解释。

对于“撞机事件”，美方调门很高，气焰十分嚣张，根本不想承担责任。普理赫声称，他不能同意中方关于“撞机事件”责任的说法。对于中方坠毁的飞机和失踪的飞行员，美方只是轻描淡写地表示“遗憾”，虽然表示愿协助中方搜救失踪飞行员，但更多地是一味要求中方尽快“释放美军机的机上人员，并归还美国侦察机”，甚至提出不准中方人员登上美国飞机进行检查。

周文重当即驳回了美方的狡辩，拒绝了美方的要求，并强调，对美方给中方造成的损失，以及美机未经许可进入中国领空并降落中方机场一事，中方保留进一步向美方交涉的权利。

美国一向善于操纵舆论，先声夺人。北京时间2001年4月1日下午3时许，也就是“撞机事件”发生后六小时，美军太平洋总部便在其网站上发表了一份简短声明，将“撞机事件”公之于世。声明要求中国政府按照国际惯例，保持飞机的完整，保证机组人员的安全，为飞机和机组人员立即返回美国提供便利条件，而对中方飞机被撞后坠毁、人员失踪，则只字未提。

针对美国方面蛮不讲理的态度，4月2日晚上，周文重再次召见普理赫，向美方表明中方严正立场。他告诫美方要正视事实，承担责任，向中方道歉。

周文重严肃地告诉普理赫，美国侦察机的行为违反了国际法和中国法律有关规定，构成了对中国主权和领空的侵犯。无论根据国际法还是中国国内法，中方都有权对未经许可闯入中国领空并降落中国机场的飞行器进行调查。他强烈敦促美方认真对待中方的严正交涉和正当要求，尽快就美方飞机撞毁中方飞机并侵犯中国主权和领空的行径，向中国政府和人民做出解释。

普理赫这一次虽承认这是一起“不幸的”事件，但仍然不同意中方关于美国应对事件负责的说法。

在周文重召见普理赫之后，外交部发言人也以发表谈话的形式对媒体公开表态，重申发生这一事件的责任完全在美方。中方已就此向美方提出严正交涉和抗议，中方保留进一步交涉的权利。

在华盛顿，杨洁篪大使紧急约见美国国务院官员，向美方提出严正交涉和抗议。

可是，两天过去了，美方的态度依然很强硬。

2001年4月2日和3日，布什总统连续两次发表讲话，表示美国的优先考虑是机组人员尽快返美，以及侦察机须在未经“破坏或摆弄”的情况下完整归还美国；说什么美国已经给中国时间来做正确的事，现在是让美机人员回家和归还美机的时候了。他还声称，这一事件可能破坏两国建立卓有成效关系的期望。

与此同时，美国海军竟以“监控局势发展”的名义，派遣三艘驱逐舰前往海南岛附近游弋，并在南中国海地区停留。

美方的态度和做法让我们感到很气愤，自然也引起中国公众的强烈反应。国内广大干部群众和部队官兵对美方制造“撞机事件”

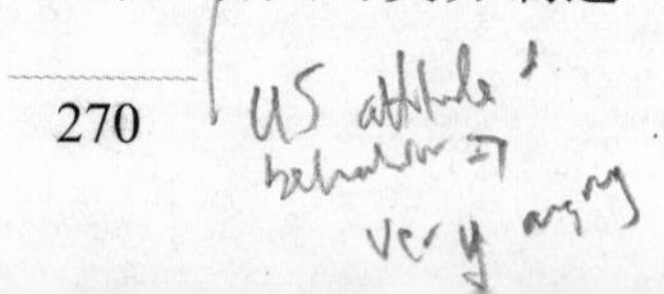

义愤填膺，对美方不负责任的态度极为不满。互联网上已有不少人提出要向美国驻华使馆抗议示威，甚至要求中国政府依法审判美机组人员。

针对美国方面强硬无理的态度，江泽民主席在2001年4月3日上午会见来访的卡塔尔首相阿卜杜拉时，有意识地就“撞机事件”发表了一次公开谈话。江主席在谈话中郑重指出：飞机碰撞责任完全在美方，美方应向中国人民道歉，并立即停止一切在中国沿海空域的侦察飞行。江主席还加重语气说，人是最可宝贵的，我对失踪的中国飞行员的安全十分关心，已经多次指示要不惜一切代价，全力进行搜救。

次日，国内外各大媒体均对这次谈话做了广泛报道。江主席的讲话在海内外引起了积极的反响。

再次交锋占上风

2001年4月4日，江泽民主席出访拉美六国前，按照当时惯例，在人民大会堂北大厅有一个简短的送行仪式。在这个仪式前，江主席再次就处理“撞机事件”做出重要指示。他明确指出，中央由胡锦涛同志抓此事。他还对我说，“外交部要认真贯彻落实中央指示，协调有关部门，务必妥善处理好这一事件，你要亲自负责此事”。

江主席对在场的媒体表示，他十分关心飞行员王伟的安危，有关部门要不惜一切代价，运用一切手段，全力搜救。他同时强调，美方应做一些有利于中美关系发展的事，而不是发表颠倒是非、不利于中美关系的言论。

此后，在处理“撞机事件”过程中，我一直与胡锦涛同志办公室保持频繁、密切联系，及时报告情况，多次到他的办公室开会或研究工作。中央其他领导同志对“撞机事件”的处理也很关心。

我感到有必要再给美国人加加码，让他们认清形势，做出明智决定。于是，我又亲自召见了普理赫。

普理赫到来之前，我心情很不平静，不禁忆起1999年5月8日发生的以美国为首的北约轰炸我国驻南联盟大使馆事件。不到两年，现在又发生了“撞机事件”，再次造成中方生命和财产损失，真是欺人太甚！

联系到美国不顾中方一再反对，多年来不断派军机到中国沿海进行军事侦察，我感到，必须打好这场“交涉仗”。我决心遵照中央指示精神，让美方明白，他们在中国已经犯了众怒，不向中国政府和人民道歉是过不了关的。

考虑到美方“不负责、不道歉、不配合、不悔改”的蛮横态度，我决定从四个方面和普理赫深谈一次。

4月4日下午5点30分，普理赫带领美国驻华使馆几位外交官准时来到外交部。

普理赫是军人出身，出任驻华大使前，是美军太平洋总部司令，海军上将。他是1999年被克林顿总统任命为驻华大使的，当时已经58岁了。他身材高大，举止尽显军人风姿。据说这位前海军上将曾在海军服役35年，担任过飞行员，能驾驶50多种不同型号的海军飞机，飞行经验丰富。舆论称他处事冷静、干练、务实，善于把握轻重缓急。

通常情况下，外交场合见面总要先握手寒暄几句，之后才转入正题，以便双方在轻松愉快的气氛中交换意见。但此次会见情况不同，双方彼此心照不宣，见面时神情都很严肃。

普理赫刚一落座，我就直奔主题，对他说，“撞机事件”发生后，周文重部长助理已两次与你见面提出严正交涉。今天，我要就“撞机事件”更加深入、全面地向你表明中方的严正立场。接着，我谈了以下四点：

第一，美方应当为这次事件负全责。美方飞机的行为违反了《联合国海洋法公约》的有关规定，并破坏了中美双方2000年5月就避免海上危险军事行动达成的有关共识。这次事件完全是美方的错误造成的，美方理应承担全部责任，做出道歉。

第二，事件发生后美方采取的态度和做法是错误的，我们很不满意。事件发生后，中方一直采取冷静、克制和负责任的态度进行处理，不希望看到中美关系大局因此受到影响和损害。中方还从人道主义考虑，对美方机组人员予以妥善安置，并安排美国驻华使、领馆人员同美方机组人员见面。但美方却采取了相反的态度和做法。明明是美方侦察飞机违反国际通行的飞行规则，撞毁中方军机，并非法闯入中国领空，降落中方机场，构成了对中国主权和领土的严重侵犯，威胁了中国的国家安全，美方却不仅不尊重事实，承担责任，反而摆出霸道架势，强词夺理，混淆是非，一再对中方无理指责，这是错上加错。

第三，要想中方放人，美方必须先道歉。中方重视中美关系，希望看到“撞机事件”尽快得到妥善解决。如果美方承认错误，向中方道歉，中方可以考虑安排美机组人员尽快离开中国。中国的主权和民族尊严不容侵犯。对于中国政府和人民来说，没有什么比维护国家主权和民族尊严更为重要的了。美方必须充分认识“撞机事件”的严重性，认真对待中方的严正立场和要求，配合中方妥善处理这一事件。美方不要做出错误判断，不要再做任何可能使事态升级和复杂化的事。中方不愿看到事态不断升级，但如美方坚持使事态升级的做法，中方必将奉陪到底。

第四，美方应当立即停止在中国沿海的侦察活动。美方一再派侦察飞机到中国沿海活动，是造成此次事件的根源。美方应该认真对待中方的多次交涉，认真对待中国人民的严正要求，以负责任的态度妥善处理此事，并采取有效措施防止类似事件再次发生。

普理赫一直认真地听我讲完后，神情严肃地说，布什总统和鲍威尔国务卿也希望这一问题能够尽快得到妥善解决，以免美中关系受到损害。他同时又辩解说，事故发生在国际空域，虽然后来美机的确进入中国领空，但在降落前确曾向中方发出过求救信号并请求降落。他甚至称，根据他多年的飞行经验，难以同意中方对碰撞原因的说法，目前也不能承担责任并向中方道歉。

他还表示，美方迫切希望中方允许美方人员再次探视美机组人员，要求中方尽快释放被扣押的美方机组人员，并尽快把美方飞机移交美方。

我对普理赫的辩解进行了严厉的批驳。我告诉他，处理这一事件的重要原则就是要尊重客观事实。大量无可争辩的证据表明，美方对这一事件负有全部责任。这一事件实质上不是一个技术问题，而是中美间严重的政治和外交问题，把这一问题的解决引向单纯的技术争论是错误的。美方肇事飞机机组人员是非法进入中国的军事人员，根据国际法和中国法律，中方完全有权对他们进行调查。

我说，在中美关系的历史中，中方从没有做任何挑衅美方的事。如果说有人总向对方进行挑衅，那不是别人，正是美国自己。两年前，美国轰炸中国驻南联盟使馆，这次又撞毁中方军用飞机。多年来，是美国不断派飞机到中国沿海进行军事侦察活动，而中国从未派任何飞机到美国西海岸或东海岸进行侦察。

我特别加重语气对普理赫说，对于美方的上述行径，我们的态度一是反对，二是不怕。多年来的事实证明，美方愈是施压，就愈会激起中国人民的愤慨。我要求普理赫将中方上述交涉和他在中国实地了解到的情况如实向华盛顿报告，并希望他在解决这一问题的过程中发挥建设性作用。

普理赫最后表示，将会把中方的要求原原本本地报告给美国政府。

同日，中国国防部发言人也发表谈话，用大量事实说明，这次“撞机事件”的直接原因，就是美国侦察机违反飞行规则，突然大动作向我军机转向造成的，美方应该对这一事件承担全部责任。

接连数日，全国各地群众对美国侦察机撞毁我军用飞机事件进一步表达愤慨和谴责。国际社会也纷纷发表评论，支持我国的立场，批评美国的态度。《欧洲时报》发表评论员文章，谴责美国政府在处理“撞机事件”中的霸权主义行径。美国《国际先驱论坛报》也发表文章，指出美国对中国进行的空中侦察活动是对中国的侮辱。澳大利亚的《澳大利亚人报》发表评论文章，认为美国应就其军用侦察机撞毁中国军用飞机事向中国道歉，因为美国侦察机从事的是间谍活动。

海上搜救齐动员

在与美方展开外交斗争的同时，我们一直牵挂着失踪飞行员王伟。

王伟同志是我军培养的杰出飞行员，是海军航空兵某部飞行中队长。他受过严格的训练，技艺精湛，经常担负重大飞行任务，多次立功受奖。执行任务时，他坚毅果敢，沉着冷静。截至当年3月31日，他已安全飞行1152小时6分钟，起飞2000余架次，从未发生过“错、忘、漏”现象和事故症候。

从2001年4月1日事件发生后的第一时间开始，中国军民便在海南岛东南事发海域展开大规模搜救王伟的行动。前后共出动舰艇113艘次，飞机115架次，渔政船、渔船等1000多艘次，军民10万余人次。搜救工作一直持续了两周。

到4月14日，综合各方面情况分析判断，王伟已无生还可能。当天，海军党委做出决定，批准王伟同志为革命烈士。16日，新华社报道，中央军委主席江泽民签署命令，授予王伟同志“海空卫士”称号。

王伟的牺牲不仅使祖国失去了一名优秀的海空卫士，一个原本幸福美满的家庭也因此破碎了。4月6日，王伟的妻子阮国琴给布什写了一封信，要求讨还公道。布什在回信中仅仅表示他对于王伟的失踪感到“遗憾”，并为阮国琴感到“难过”，却未出现任何“道歉”的字眼。

中国军方连日派出飞机与船只在海南岛东南事发海域一带搜救2001年4月1日被美军用侦察机撞机失踪的飞行员。

被迫道歉美让步

经过我们多次坚决斗争，美方有所触动，态度有所转化，开始趋于务实。

美国东部时间2001年4月4日，鲍威尔国务卿在美国国务院向媒体表示，他对中国飞行员失踪表示“遗憾”。鲍威尔当天还以个人名义致函钱其琛副总理，提出美方愿和中方一道为两国关系努力，使这一事件成为过去。

次日，布什总统在全美报业编辑协会年会上讲话时，也对中国飞行员失踪和中国损失一架飞机表示“遗憾”。他还强调：“我们同中国的关系十分重要”，“不应让这个事件影响（美中）关系的稳定。”

为让美国方面认清形势，承担责任，做出道歉，我们与美方进

行了艰苦的斗争。

在北京，从4月5日到10日，周文重部长助理与普理赫大使进行了11轮艰苦谈判，最多时一天谈了三次。较量的焦点主要是，美方必须就撞毁中方飞机、导致中方飞行员失踪及美机未经许可进入中国领空并降落中国机场，向中方道歉。

在华盛顿，杨洁篪大使频繁约见美政府官员、前政要、重要议员，希望他们发挥影响，推动布什政府早日向中方道歉。

但是，形势严峻的一面还很突出。美国舆论不理解中国依法对美机进行的调查取证工作，声称中国实际上已将美机组人员扣作“人质”。在美国媒体煽动下，一些美国民众，特别是美方机组人员家属情绪激烈。

据我们驻美国大使馆告，那段时间，使、领馆连续接到不少恐吓电话，一些人还有组织地到使、领馆门前示威。白天，常看到路旁的树干上飘着黄丝带，据说是象征对亲人的思念；到了傍晚，一些人则在使馆大门前不远处举着蜡烛，守夜祈祷。还有人竟在街上拦住我们的外交官，近乎歇斯底里地叫嚷：“你们为什么不让我们的人回家？”美国内一些反华势力更是蠢蠢欲动，伺机破坏中美关系。

在这种情况下，杨大使接受了美国有线电视新闻网CNN的采访，通过摆事实、讲道理，说明真相，阐明立场，直接做美国公众的工作。杨大使对事件做了一个美国人容易理解的比喻：一伙人总在你家门前转悠，家里有人出去查看，结果自家的车子被毁，人也失踪了。对此，家里人总该有权利做一点儿调查吧，对方至少应该道个歉，这“非常重要”。他希望美国人民自己做出公正判断。

这次采访播出后，对美国的舆论产生了积极影响。据媒体称，在杨大使接受CNN专访之后，赞同美国政府向中国道歉者的比例大幅度增加，由最初的不足20%猛增到后来的50%以上。有的美机组人员家属表示，如美方道歉就能让他们的家人回家，他们支持向中方道歉。

六易其稿道歉信

在我们的压力下，美方开始让步了，但步子迈得很不情愿。

2001年4月5日晚，美国驻华大使普理赫给外交部送来了一份以普理赫名义写给我的信，算是美国政府给中方的道歉信。

我们要求美方必须满足三项要求：一是美方必须以适当的英语措辞，对事件本身、中方飞行员和飞机损失及美机未经许可进入中国领空并降落中国机场，进行道歉；二是在飞机降落问题上，美国人必须承认"未经允许进入中国领空"；三是美方应对中方妥善安置机组人员表示感谢。

但是，在信件第一稿中，美方仅轻描淡写地对中国飞行员的失踪表示"关切"，对于其他两项内容也未能满足我们的要求。这离我们的总体要求相去甚远，当然不能接受。我们当即批驳美方毫无诚意，指出这根本不能作为商谈基础，美方必须道歉，否则双方就没有必要再进行接触。

看到我们的态度非常坚决，美方不得不再次软化立场，表示愿意和中方探讨修改措辞，满足中方要求。

6日上午，美方递交了第二稿。在这一稿中，美方对王伟家属、朋友和战友表达了遗憾，但同时又称美国政府不能对此"事故"道歉。对美方的顽固态度，我们再次坚决顶回。

鉴于美国人扭扭捏捏，不肯痛快地按中方要求道歉，4月6日，正在智利进行国事访问的江泽民主席再次就"撞机事件"发表谈话。他指出，美国应该就美侦察机撞毁中国战斗机一事向中国人民道歉；中美两国领导人应该站在两国关系全局高度，解决这一问题。

钱其琛副总理在给鲍威尔国务卿的复信中也明确表示，美方理应承担自己的责任，向中国人民做出交代，并就如何避免类似事件再次发生，与中方进行磋商。钱副总理并指出，美方正视事实，采取积极务实的态度，对尽快解决问题至关重要。

中方坚定的立场，特别是中国领导人的再次明确表态，使美方感受到压力进一步增大。

6日晚，美方递交了道歉信的第三稿。在向我们递交信件时称，这一稿已经过布什总统的批准，不能再修改了。

我们看过后认为，这一稿虽然有所改进，但离我们的要求仍有较大差距。于是，7日上午，我们再次对道歉信的内容提出意见，要求他们修改。我们明确告诉美方，如不按中方意见进行修改，中方决不接受。

美国人无路可退，不得不再做修改，于当天中午，向我们递交了道歉信的第四稿。在这一稿中，他们接受了美国应向中国人民道歉的要求，但又称，中方应允许美方在不迟于5月7日前，将美机运离中国。美国人居然给我们提出了条件。

我们多次研究美方道歉信。大家一致认为，总的看美方已做出实质性让步，但离我们的要求还有距离，并且还给我们提要求，设条件，这是不能接受的。我们决定再做交涉。

4月8日，周文重部长助理同普理赫大使又先后进行了两轮磋商。他要求美方对信件做进一步修改，直至完全满足中方要求，并且不得附加任何条件。

普理赫允诺即将中方要求报告美国政府。当晚，美方向我们提交信件第五稿。这一稿在表示歉意时加重了语气，相关表述都改用“very sorry”（深表歉意）的措辞。美方还接受了在信中增加“未经许可进入中国领空”的内容、对中方妥善安置美方机组人员表示感谢，并且去掉了“中方应允许美方在不迟于5月7日前将美机运离中国”的内容。

这一稿基本符合了我们的要求。当晚，美方又应中方要求，在对信中的一些措辞进一步修改后，向我们提交了新的道歉信。这是美方向我们提交的第六稿。

在这次围绕“撞机事件”的斗争中，焦点是道歉问题。因此“道歉”一词变得重要、敏感。我认为，这其实并不是单纯的语义学或修辞学问题，而是一个是否对历史负责的政治问题。为此，我专门指示外交部美大司，就道歉一词的英文表述，征求资深英文专家的意见。

当时外交部最权威的英文专家是裘克安同志，他也是我国最著名的翻译家之一，中国翻译协会名誉理事。裘老当时已年届八旬，他学贯中西、翻译造诣很深，长期参与《毛泽东选集》等国家重要文献及重要外交文件的英文定稿工作。

在确定有关英文用辞的含义问题上，裘克安同志及其他一些英文专家发挥了重要的作用。

专家们经过认真研究后认为，“道歉”一词在汉语中的语义是很明确的。根据《现代汉语辞典》，“道”是用语言表示，“歉”是对不住人的心情，“道歉”就是“用语言表示对不住人的心情”。

在英文中则有多种表示方法，主要的词有三个：“apologize”、“sorry”和“regret”。专家们认为，其中最正式的是“apologize”；其二是“sorry”；语气最弱的是“regret”。

根据两本英文权威辞典——《牛津高阶字典》(Oxford Advanced Learner's Dictionary）和《韦氏大百科全解英语词典》(Webster's Encyclopedic Unabridged Dictionary of the English Language)，“sorry”可以表示“apologize”，即“道歉”的意思。

另外，如果一国政府对另一国政府说“sorry”则肯定是“道歉”。如需加重语气，可在前面加“very”或“deeply”等修饰词。

令人惋惜的是，裘克安同志这位学贯中西的资深翻译家已于2008年8月逝世，享年88岁。得知这一不幸的消息后，我深感悲痛，遂以我的名义送了花圈，并向其家属发去了唁电，以寄托我对这位老前辈由衷的哀思和敬意。在外交部为他举行遗体告别仪式的那天，我还前往北京医院为他送别。

接受道歉追后续

就美方道歉信内容达成一致后，双方商定于2001年4月11日由美国驻华大使普理赫代表美国政府正式递交中方，我则代表中国政府接受道歉。

经过艰苦斗争，终于迫使美国方面满足了中方的所有要求，并正式向我们递交道歉信，这是这场外交斗争中一个重要的阶段性成果。接受美方正式递交道歉信那天，我特意穿上一套深色西装。当时的情景，现在回想起来仍历历在目。

普理赫正式向我递交道歉信前，美国驻华使馆主动将信件文本交由外交部美大司核对，并附信保证该文本与其将向我递交的文本内容一致。

下午5时30分，普理赫准时来到外交部，我在外交部橄榄厅会客室接受了美国政府全权代表、驻华大使普理赫代表美国政府递交的关于“撞机事件”的道歉信签字文本。

普理赫首先向我递交了鲍威尔国务卿致钱其琛副总理的一封信，信中表示普理赫已得到布什总统充分授权，可以代表美国政府，签署美方就美军用侦察机撞毁中国军用飞机事件给中方的道歉信。

随后，普理赫正式向我递交了美方的道歉信。美方在信中表示，“布什总统和鲍威尔国务卿对中国飞行员失踪和飞机坠毁都表示了真诚的遗憾。请向中国人民和王伟的家属转达，我们对飞行员王伟的失踪和那架飞机的坠毁，深表歉意”。此处，美方特意使用了“very sorry”。美方在来信中还对美方的侦察机“未经口头许可而进入中国领空并降落，深表歉意”。这里，美方也再次使用了“very sorry”。美方在信中还“感谢中方为妥善安置美方机组人员所做的努力”。

接受道歉信后，我对普理赫说，我注意到美国政府在信中两次使用了"深表歉意"。美方应该明白,"撞机事件"是一起严重的事件,美方军机的行为严重违反了国际法和中国有关法律规定,破坏了中美双方2000年5月就避免海上危险军事行动达成的共识,侵犯了中国的领空和主权,威胁了中国国家安全。中方要求美方向中国人民做出道歉,是完全应该的。

尽管中国政府和人民对"撞机事件"感到十分愤慨,但中方始终依照国际法和中国有关法律规定,从中美关系的大局出发,采取冷静、克制的态度。中方还本着人道主义精神,对美方侦察机上的24名人员给予妥善处置,并安排美驻华使、领馆人员多次同他们见面。我已经注意到美方在信中就此向中方表示感谢。我现在正式通知你:我们理解美国人民和机上人员家属盼望机上人员早日回国与亲人团聚的急切心情,鉴于美国政府已向中国人民道歉,出于人道主义考虑,中国政府决定允许上述人员在履行必要手续后离境。

听了我的话后,普理赫似乎松了一口气。看到他的表情,我决定再敲打他一下。

我说,"撞机事件"并没有完结。中美双方还需继续就这一事件及其相关问题进行谈判。中国政府和人民要求美方就此次事件向中国人民做出交待,停止派飞机到接近中国周边海域进行侦察活动,并采取切实有效的措施,防止类似事件再次发生。美方必须充分认识此次事件的严重性,认真对待中方的严正立场,妥善处理这一事件,而不要做出错误判断,以免使两国关系进一步受到伤害。

我最后强调,中国的主权独立、领土完整和民族尊严不容侵犯。我们历来主张,国与国关系包括中美关系必须建立在相互尊重主权和领土完整、互不侵犯、互不干涉内政等国际关系基本准则之上。我们重视中美关系,中美发展友好合作关系对两国和世界都有利。希望美方严格遵守中美三个联合公报和国际关系基本准则,不要再做有损中美关系发展的事,而应采取建设性态度,与中方一道,推动两国关系走上正常发展的轨道。

普理赫非常认真地听着，未做什么辩解，表示将把中方上述立场和决定，立即报告美国政府和鲍威尔国务卿本人。

机组人员允离境

2001年4月12日，中方在海口美兰机场向美方移交了美EP—3侦察机上的24名人员，允许他们乘坐美国政府租用的一架商业包机从海口出境回国。当天距西方的复活节还有两天。

在处理美军机上人员问题上，我们始终做到入情入理。美方部分人员回国后抱怨说他们受到了严格监控和长时间审讯，说我们把他们当做“人质”扣押。这些人弄错了自己的身份。要知道，他们并不是游客，更不是贵宾。他们是不速之客，是对中国国家安全和主权构成威胁，撞毁中国军用飞机，致使中方飞行员牺牲的美国情报人员！我们完全有权对他们进行必要管束，也完全有权要求他们配合调查取证。

尽管如此，我们还是本着人道主义原则，并根据中美领事条约的有关规定，安排美国使、领馆官员先后五次探视，并安排美方机上人员给家人打电话报平安，向他们转交美方送来的日用品，允许他们通过电子邮件与家人联系等。后来，布什总统在美方机上人员返回美国后发表讲话，承认他们“健康状况良好，没有受伤，也未受到不当对待”。

在处理“撞机事件”过程中，海南省政府的同志，特别是海南省外办的同志们发挥了重要作用。当时的海南省外办主任陈辞同志在这个过程中充当了新闻发言人的角色，多次对记者发表谈话。他当时说过一句非常响亮的话，被媒体广为传播。他说，海南人民欢迎美国游客，但不欢迎美国间谍飞机。

国内民众对我国政府在美方做出道歉的情况下，出于人道主义，允许美方机组人员离境，基本持理解和支持态度。国际舆论也大多认为，“撞机事件”虽然给中美关系带来一定消极影响，但由于双方能够通过外交途径，冷静、理智、灵活处理，将不会影响两国关系大局。

经过与美方的较量，围绕“撞机事件”的斗争取得了阶段性成果。但事情并未结束，下一阶段将转入如何处理美方飞机的问题。

打掉气焰再磋商

从2001年4月中旬开始，以外交部美大司司长卢树民为团长的中方代表团与以美国防部副部长帮办维尔加为团长的美方代表团，就如何处理美方军机问题，在北京进行了反复谈判。

对“撞机事件”的处理，据说美方内部特别是国务院和国防部之间一直存在分歧。两家都在想方设法争夺处理这一事件的主导权。所以，在谈人的问题时，是美国国务院主导；现在该谈飞机了，则变成主要由军方主导。这一次的美方代表团主要由国防部和美军太平洋总部的军官组成，美国国务院仅派了两名官员参加。

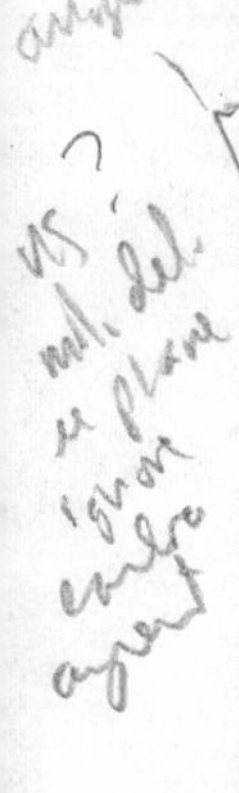

这些人以前没有和中国人打过交道。他们一上来就摆出一副颐指气使的架势，这是他们同其他国家打交道时的惯有态度。还有人甚至妄言，以前美国飞机也出现过迫降在别国的情况，其他国家都是很顺利地将飞机还给美国，不仅如此，还得给美国飞机加满油。

会谈一开始，他们竟然声称“撞机事件”责任在中方，要求尽快归还美方飞机，允许美方派人查看并修复美机，还为美国派军机到中国沿海进行侦察飞行无理狡辩。谈判中，对一些具体问题，尽管前一段中美双方已经谈得差不多，甚至已经定下来了，他们也居然全盘推翻。

我们当然据理驳回，并对他们进行“再教育”。我方谈判代表告诉美方，要想解决问题，就必须充分认识事件的严重性，采取务实和建设性的态度，对中方的要求做出积极反应，以利于事件的妥善解决。否则，免谈！

美国人的气焰被打下去后，我们才同他们就处理美方飞机的问题进行深入磋商。

2001年4月23日至27日，周文重部长助理与普理赫大使就美机返还问题，举行了多轮非正式磋商。双方商定，由美方先派一个技术评估小组，赴海南陵水机场查看美EP—3侦察机。此后，中美双方又就美机返还问题举行了多次磋商。

“大卸八块”EP—3

2001年5月10日，美方的技术评估小组对飞机评估后，提出派技术人员赴陵水机场，将飞机修复后，整机飞离海南。

就在三天前，美方竟然又恢复了对中国近海的侦察飞行，这是自“撞机事件”发生后美方首次恢复此类飞行。我们立即出动战机对美机进行了跟踪、监视。在此情况下，美方要我们同意他们把飞机修好再飞回美国去，简直欺人太甚！

美国人的要求当即遭到我们的断然拒绝。

首次接触碰壁后，美方并没有就此罢手。他们反复纠缠，说什么修复飞离是解决问题的最便捷方式，声称他们愿采取让中方人员乘坐美机监控、防止侦察设备被启动，以及切断或拆除机上与飞行无关的设备电源等措施，以解决中方的安全关切。美方还以所谓拖延美机返还将影响美中关系相要挟。

我们坚持美军侦察机不可能修复后整机飞回去。

我们强调，鉴于美机的性质，如何返还飞机问题，不仅仅是个技术问题，而是一个具有重要象征意义的政治问题。飞机修复后像什么事都没发生一样，整机飞离中国，这是不可能的，中国人民是不能接受的。

我们告诉美国人，最好丢掉幻想，考虑用其他方式将飞机运回去。

我们还指出，将飞机返还问题与中美关系中的其他问题挂钩，是十分错误的。美国方面应该采取务实、合作的态度，使该问题尽快妥善解决。

美军侦察机虽然一直停放在海南陵水机场，但如果飞机不拆，返还时必须从海口机场出境。而美国EP—3侦察机是一架大型飞机，长35米多，高10米，翼展达30多米，无论从陆路还是海路，都不可能运离陵水机场。从陵水机场走陆路到海口，要经过隧道，飞机不拆根本无法通过。如果走海路，仅仅把飞机运到船上去，就需要专门修一条新路，这条路当然得美国人自己掏钱来修。

最后，美国人考虑再三，不得不提出将飞机拆解后再运走的新方案。他们决定从俄罗斯航空公司租用一架安—124型远程重型民用运输机，把拆卸后的美国飞机运走。我们同意了这一方案，并表示愿意向美方提供必要协助。

“撞机事件”后，EP—3飞机一直停放在海南陵水机场。那段时间，海南天气变化无常，时而烈日炎炎，时而阴雨绵绵，还有台风将至的消息。这架飞机一直尴尬地趴放在我们的机场上，早已失去往日那种神气，只能等待着被大卸八块的命运。

2001年6月15日，美方派出的负责拆解飞机的12名技术人员乘坐美方专机，抵达海南三亚凤凰国际机场。

次日，美方从俄罗斯航空公司租用的安—124型远程重型民用运输机，也抵达陵水机场，飞机上装载了拆解飞机用的铲车、吊车、工具箱和用于包装的木材等设备。由于拆解飞机所需设备较多，安—124运输机先后分五次运入这些设备。

6月18日，拆运工作开始。拆解工作持续了十多天，直到6月29日中午才全部结束。

在飞机拆卸的过程中，安—124运输机先后将已经拆卸下来的飞机起落架、天线和机翼等部件，分批运回美国。

拆解完毕的美EP—3侦察机正被装载。

7月3日，第十个架次、也是最后一个架次的安—124运输机，装载着美国EP—3飞机机体、机上侦察设备及部分拆解工具，从海南陵水机场起飞出境。一个小时后，美方拆运技术人员也离开陵水机场，于次日上午乘美方专机从三亚机场出境。至此，美国EP—3侦察机的拆运工作全部结束。

飞机拆运期间还发生了一个小插曲。拆运工作开始后，就有少数境外记者在三亚一带活动。双方在谈判中商定，飞机拆运工作不对外公开，双方还承诺不接受媒体采访。但奇怪的是，拆运工作开始不久，互联网上就开始出现EP—3拆卸现场的照片。而且，随着拆卸工作的进展，照片不断更新。显然是有人在现场跟踪拍摄。我们不得不提醒美方拆解小组的人员自律，以防止类似事件继续发生。

斗而不破寻转圜

“撞机事件”虽然使中美关系受到影响，但双方必须考虑如何从长远出发，放眼未来，保持中美关系的健康、稳定发展。

这段时间我也在思考，在“撞机事件”妥善处理之后，如何才能切实推动中美关系得到改善。我感到要实现这一目标，需要与美国国务卿鲍威尔建立密切联系。

鲍威尔是2001年1月20日就任美国国务卿的。他是美国历史上第一位非洲裔国务卿。2000年12月获悉他被布什总统提名为国务卿的消息后，我就给他发去了贺电。

我虽然从来没有见过他，但知道他在美国颇负盛名。他是牙买加非洲裔移民的后代，行伍出身，曾两次参加越战，担任过里根政府总统国家安全事务助理、老布什及克林顿政府的参谋长联席会议主席，官拜四星上将。由于在第一次海湾战争中的出色表现，鲍威尔成为美国人心目中的英雄。

据美国媒体和一些专家学者说，在布什政府中，鲍威尔属温和务实派，对发展对华关系总体持积极态度。

当时，中美关系虽然因“撞机事件”受到一定影响，但从大的方面看，两国在许多重大国际和地区问题上有着共同利益，需要合作，因此双方始终保持着沟通和协调。即使是在处理“撞机事件”期间，我也两次与鲍威尔就伊拉克问题互致信函。

外交往往是这样，该斗争就斗争，该合作就合作，不能因为有斗争就不合作，也不能因为有合作就不斗争。不管斗争还是合作，都只是手段，根本目的还是维护国家利益。

2001年6月28日，美方向我们提出，鲍威尔国务卿希望和我通话，谈伊拉克问题。这是我和鲍威尔的首次通话。

现在，大家对领导人之间的通话都习以为常了。但当时，“电话外交”并不普遍。那时候，外交上的沟通和交流大多是通过互致信函、照会，或通过驻外使节进行，领导人之间的电话沟通很少。所以，通一次话就显得很重要。我感觉应该抓住这一难得机会，推动鲍威尔在双边关系上往前走。

双方简短寒暄后，鲍威尔就直奔主题，开门见山地谈起伊拉克问题，说是要争取中方支持美方提出的针对伊拉克的“审查物品清单”[1]，并希望中方在安理会做出积极表态。

我阐明了中方在伊拉克问题上的原则立场。之后，我就中美关系讲了一段话。

我对他说，前一段时间，中美关系遭遇了困难。中方重视中美关系，希望与美方开展建设性合作。10月份，亚太经合组织（APEC）领导人非正式会议将在上海举行，我们愿与美方一道，为两国元首在APEC会议期间会晤及布什总统访问北京做好各项准备，推动两国关系健康、稳定地发展。

鲍威尔对此做出了积极回应。他表示完全同意我的观点，愿与我保持密切联系。他说，前一段两国关系中出现的困难已成为过去。他期待着在7月出席河内东盟地区论坛外长会期间同我会晤，并期待着陪同布什总统于秋天访华。

钱其琛副总理3月份访问美国时，鲍威尔曾表示接受中方的访华邀请。我重申欢迎鲍威尔在河内会晤后访华，他再次欣然接受。

青山不遮东流水

7月4日是美国的“独立日”，也就是美国国庆日。

我与鲍威尔通话后第二天，即6月29日，布什总统在白宫举行了国庆招待会，邀请各国驻美使节夫妇参加。在招待会上，布什总

1 系美、英对伊拉克实施“精明制裁”的核心部分，旨在限制伊拉克军品和军民两用品进口等。

统对杨洁篪大使表示：美国飞机运回来后，他愿立即主动同江泽民主席通话。

这是个重要信号，杨大使立即向国内做了汇报。考虑到中美关系当时有所改善，美机的拆运工作也即将结束，我们对美方建议做出了积极回应。

2001年7月5日，江泽民主席应约与布什总统通话。这是布什上任以来中美两国元首首次通话，也是“撞机事件”发生后两国领导人的首次直接沟通。

布什总统首先感谢江主席致电视贺美国“独立日”，感谢江主席同他通话并邀请他访华。

江主席在通话中对布什总统说，前一段，中美关系遇到了困难。但近来双方都采取了一些积极步骤，两国关系有所改善。我注意到总统先生多次表示，美国愿意同中国建立建设性的关系。中国政府和人民重视并希望与美国发展建设性合作关系。

江主席说，中美作为对世界有重要影响的大国，对人类的和平与发展担负着重大责任。中美之间存在这样那样的分歧，这并不奇怪。中美之间存在重要的共同利益。我们应该在中美三个联合公报的基础上，共同致力于两国关系的稳定发展。

布什总统对江主席说，美中双边关系至关重要，美中之间应坦率交换意见。中国是一个伟大而重要的国家，他尊重中国，尊重中国的历史和未来。美中两国能够找到广泛的合作领域。他一直强烈支持中国加入世界贸易组织，因为这符合中国的利益，也符合美国的利益。美中两国还可以在许多国际问题上进行合作。

布什总统再次感谢江主席邀请他出席将于当年10月在上海举行的亚太经合组织领导人非正式会议并访问北京。他表示期待着与江主席进行坦率、富有成效的会谈。

这次通话向外界传递了一个明确而积极的信息：中美间存在着重要的共同利益，双方愿加强对话和交流，推动中美关系早日回到正常发展轨道。

河内首晤鲍威尔

两国元首通话后，为进一步推进中美关系的改善，中美双方开始加紧准备已酝酿一段时间的两国外长河内会晤。这次会晤是布什政府上台以来中美两国外长间的首次直接接触，也是“撞机事件”后两国高层间首次直接接触，受到世人瞩目。这也是我第一次与鲍威尔见面。

我对这次会晤十分重视，事先做了认真准备。

从当时的形势分析，由于中国的综合国力上升，在国际上特别是亚洲地区的影响扩大，加之中国与东盟各国的关系日益密切，美国国内有一种焦虑感，担心美国在亚太地区的存在受到影响。一些学者甚至声称中国有意将美国从亚太地区“挤出去”。我决定针对美国的这种焦虑，正面阐述中国对亚太地区政策。

2001年7月24日至27日，第八届东盟地区论坛外长会议在越南河内举行。25日下午，我与鲍威尔在河内大宇饭店见了面。

他看上去比我想象的还要魁梧，腰板笔直，动作敏捷。虽然他穿着一身深灰色西装，举手投足间却难掩多年养成的军人气质。

我们就中美关系、人权、核不扩散等诸多领域的问题，交换了看法。

在谈到中美关系时，我对鲍威尔说，当前中美关系处在一个重要时刻。两国关系前一段经历了一些困难，经过双方努力，近来取得一些改善和发展。中方一直采取向前看的态度处理“撞机事件”。中国政府始终认为，中美发展建设性合作关系符合两国人民的根本利益，对亚太地区和世界和平稳定至关重要。

然后，我话锋一转，有意识地讲了一段话。我说，现在国际形势发生了很大变化，但是中美之间的共同利益并没有消失，而是在增加；中美合作的领域并没有减少，而是更为广泛。中美没有理由成为敌人或对手。我知道，美国国内有一些人认为中国要把美国“挤出亚洲”。这种看法既没有根据，也不符合客观事实。我们欢迎美方在维护亚太和平与稳定方面发挥积极作用，愿意就此同美方加强合作。

鲍威尔对我的上述观点表示同意和赞赏，他说美EP—3飞机等问题已经成为过去，现在是双方面向未来、向前推进美中关系的时候了。鲍威尔还说，布什总统期待访问中国，即使是在处理“撞机事件”的时候，布什总统也没有改变他的访华初衷，因为他希望并相信这一事件会成为过去。

这次会晤后的一个场合，鲍威尔对我讲，他当时听我讲完上述这段话后，感觉到非常新鲜，说他还是第一次听到中国政府高官这样讲。

其实，在我之前早有人讲过，学者讲过，官方也讲过。鲍威尔的反应使我感到，只要我们抓住机会多接触，有针对性地加强沟通，多做工作，是可以达到增信释疑的效果的。

这一次我和鲍威尔谈得很好，不知不觉已经过去了一个多小时。由于这次会晤是在第八届东盟地区论坛外长会议期间举行的，我们双方日程都很紧张，尽管言犹未尽，会见不得不结束。鲍威尔离开前表示，他非常期待即将对中国进行的访问。我表示，我也期待着在北京与他进行更加深入的交谈。

北京再晤鲍威尔

在出席河内东盟地区论坛外长会议后，鲍威尔于2001年7月28日至29日访问中国，成为布什政府上台以来访华的美国最高级别官员。

这是一次“旋风式”访问。7月28日是星期六，鲍威尔的全天活动安排得十分紧凑。除与我国领导人的几场会见、外长会谈外，其他活动还包括在美国驻华使馆接受中央电视台记者采访、在下榻的国际俱乐部饭店举行记者招待会等。但鲍威尔始终显得精神饱满，毫无倦容。

江泽民主席、朱镕基总理、钱其琛副总理分别会见了鲍威尔。中国领导人在会见鲍威尔时，从不同角度阐述了中方对中美关系的看法。他们强调，世界是丰富多彩的，中美两国在一些问题上存在分歧并不奇怪，重要的是要相互尊重、求同存异。中方高度重视中美关系，希望与美方共同努力，在中美三个联合公报基础上发展建设性合作关系。

28日上午，我在钓鱼台国宾馆同鲍威尔举行会谈。这次会谈的重点还是双边关系。但由于这次会谈与河内会晤仅时隔两天，跟他谈什么、怎么谈，我还是颇费了些心思。

我想，除阐述对发展中美关系的原则立场外，重点是要促美方从战略高度积极看待进入21世纪的中美关系，放弃“战略竞争者”

2001年7月28日，同美国国务卿鲍威尔举行会谈。

提法，同我们共同致力于推进两国关系。

见面后，我首先欢迎鲍威尔访华，表示中国政府高度重视发展中美关系。接着，我引用了江主席提出的关于发展中美关系的16字方针，即“增加信任，减少麻烦，发展合作，不搞对抗”，就双边关系与鲍威尔进行了一次深谈。

这16字方针最早是江泽民主席于1992年11月会见美国众议员访华团[1]时首次提出的。1993年，江泽民主席在与克林顿总统互致信函时再次提出这16字方针。当年4月5日，克林顿总统一天内两次给江主席写信，一是感谢江主席对他当选美国总统表示祝贺，二是对江泽民当选中国国家主席表示祝贺。江主席很快给克林顿回了口信，指出中美两国社会制度和意识形态不同，但存在着广泛的共同利益。中美两国人民的利益和全世界人民的利益都要求我们从国际形势全局出发，以长远的眼光来看待和处理两国关系。江主席就是在这一口信中提出了处理中美关系的16字方针的。这对于推动当时刚上台的克林顿政府客观认识中国和中美关系，务实地与中国打交道，起了重要作用。

我对鲍威尔强调说，江主席提出的这个方针，对于处理好目前的中美关系，仍有重要的现实意义；因为在新世纪，中美开展交流与合作，有着更为广阔的前景。

我对他说，我们了解美国国内有人在对华政策上有不同主张。我们赞赏布什总统和你本人多次表明的关于“美国愿同中国建立建设性关系”的立场。就中方而言，我们的态度始终如一：中国不是也无意成为美国的敌人；我们希望同美方共同努力，在中美三个联合公报的基础上发展建设性合作关系。为两国关系确立这样的目标，对中美两国都有利，对世界的和平发展与繁荣也同样有利。

我告诉鲍威尔，中美关系既面临新的机遇，也面临挑战。江泽

1 见《江泽民文选》第二卷，人民出版社2006年版，第346页。

民主席和布什总统今年秋天在上海亚太经合组织会议期间的会晤以及布什总统访华，对中美关系在新世纪的走向意义重大。希望中美双方共同努力，密切合作，使上述会晤和访问取得成功。

鲍威尔也深有感触地说，美中关系的确时有起伏，但总的看是向前发展的。两国拥有广泛的共同利益，有充分的理由进行合作。美中关系很丰富也很复杂，不是用“竞争者”或“伙伴”这样简单的词语就能描述的。美方不以对抗的方式看待中国。

他对我说，美国不需要一个敌人，也不寻找敌人，而希望与包括中国在内的所有国家发展友好关系。美中之间既有共同点，也有分歧。我们两国都是伟大的国家，都对自己的历史感到自豪。我相信我们能够从共同利益出发，寻求解决双方的分歧。布什总统热切期待着10月份对中国的访问，并将抱着积极和友好的态度访华。

我看得出，鲍威尔对这次访问感到十分兴奋。他告诉我，1973年他曾作为美国军官访问过中国。时隔近二十年，看到北京发生了翻天覆地的变化，处处充满生机和活力。他对近年来中国取得的巨大成就，向中国政府和人民表示祝贺。他还祝贺北京成功获得2008年奥运会主办权。

鲍威尔邀请我于当年9月在纽约出席联大会议后访问华盛顿。我对此表示感谢并接受了邀请。

鲍威尔访华期间的有关表态，使我感到美方已对中美关系有了一些新的认识，不再以“战略竞争者”定位中国，这就为中美两国加强建设性合作留下了空间。

鲍威尔访华后，中美关系基本走出“撞机事件”以来的困难局面，出现了改善和发展的积极势头。

除上述两次会晤外，后来我又在多个场合与鲍威尔接触过。他对国际问题和美中关系认识深邃，颇具战略眼光，给我留下了深刻的印象。

此后，我与鲍威尔一直保持着友好的工作关系和个人关系。

“9·11”后访华府

2001年9月11日，发生了震惊世界的“9·11”事件。位于纽约市中心的世贸大厦在人们的惊叫声中轰然坍塌，数千人葬身火海。

“9·11”事件在美国人的心中留下了永远挥之不去的阴影，使美国的外交政策和外交理念发生了重大变化，也由此对国际政治格局产生重要影响。若干年后回过头来看，说“9·11”事件改变了美国、改变了全世界，一点都不为过。

“9·11”事件发生后的十天左右，即2001年9月20日至21日，在出席第56届联合国大会全体会议之前，我应鲍威尔邀请，对美国进行了正式访问。这是布什总统上任后，中国外长首次访美。

当时，中美关系已取得一些改善，双方高层互访逐步恢复。我们希望通过这次访问，与美方加强接触和互动，推动两国关系进一步改善，特别是要为两国元首上海会晤和布什总统访华做好政治准备。

访问期间，我与鲍威尔举行了会谈，还分别会见了布什总统、切尼副总统、总统国家安全事务助理赖斯及一些国会议员。我向美方阐述了中方对中美关系的原则立场，并重点就两国元首会晤和布什总统访华与美方交换看法。我表示，相信上述会晤和访问将有力地推动中美关系向前发展，希望双方加强磋商与合作，加紧做好各项准备工作。

因为这次访问距离“9·11”事件的发生仅十天的时间，访问中，我还向美方阐明了中国政府在反恐问题上的立场，强调中方一贯反对和谴责一切形式的恐怖主义活动，愿与美方和国际社会加强在反恐领域的合作。美方对中方立场表示赞赏，并感谢中方就“9·11”事件对美方的同情与支持，希望与中方加强反恐磋商与合作。

这次访问过程中，我与美国各界进行了广泛接触。我在美国友好团体组织的晚宴上发表了演讲，接受了美国《华盛顿邮报》的专访，还看望了“9·11”事件中遇难的中国公民家属和华侨华人代表。我利用这些场合介绍了中国改革开放取得的成就以及我国的对外政策，并阐述了对中美关系、中美反恐合作等问题的看法。

在离开华盛顿前，我与杨大使就此交换意见，一致认为“9·11”事件促使美国大幅度调整对外政策，也为我们改善和发展中美关系带来重要契机，我们要抓住机遇，迎势而上，做好工作，促使中美关系健康稳定向前发展。

从后来各方反应看，这次访问是成功的，为确保两国元首会晤成功举行，营造了积极的氛围和条件。

“9·11”事件发生后，美国寻求反恐合作的需要空前上升，改善对华关系的步伐也进一步加快。

2001年10月，江泽民主席与布什总统在上海亚太经合组织领导人非正式会议期间举行会晤，双方就发展中美建设性合作关系达成重要共识，为中美关系发展指明了方向。

2002年2月，布什总统访华[1]。此后，随着两国领导人之间的往来日益频繁，中美关系步入改善和发展的正确轨道。

外交解决终有益

“撞机事件”发生后不久，美国前国务卿基辛格在美国《新闻周刊》撰文指出：美国与中国对抗应该是不得已而为之的最后一着，而不是一项战略选择。一旦国务卿和总统从常人的同情心和实际解决问题的角度去处理这一问题，产生建设性结果的大门便打开了。这场“危机”最终就可能为两国之间建立一种新型、稳定、成熟的关系奠定基础。

1　由于“9·11”事件后美国政府专注于反恐，布什总统决定缩短在华行程，虽如期赴上海出席亚太经合组织领导人非正式会议，但未能按原计划访问北京，访问推迟至2002年2月。

2009年1月，出席中美建交30周年研讨会时会见基辛格。

2004年10月，鲍威尔在接受《今日美国》报专访时也表示，（美中双方）使用明智的措辞并理解对方的需要和立场，不仅能够解决问题，还能够创造与对方会谈的基础，并知道将来如何解决类似问题。有了这个范例，美中关系就有了30年来最坚实的基础。后来，他还表示，对通过外交途径解决"撞机事件"造成的危机感到欣慰，为美中关系的稳定和改善感到骄傲。

现在看来，两位美国前国务卿对中美关系的看法都是有远见的。

鲍威尔于2006年7月卸任后，应中国人民外交学会的邀请来华访问，我在钓鱼台养源斋会见并宴请了他。养源斋是钓鱼台国宾馆内的一处古迹，具有典型的中国古典园林风格。院内有假山和池塘，室内存有许多文物珍品。鲍威尔饶有兴趣地参观了一番，我们还在养源斋正厅前合了影。

那次宴请，我根据他的口味专门调整了菜单。他那年已经69岁了，但与我见面的时候，依然步履轻捷，精神矍铄。显然，这次会见比他担任国务卿时的任何一次见面，都要轻松得多。

席间，他又谈及了“撞机事件”。他非常认真地说，布什政府执政伊始，中美之间就发生“撞机事件”，当时如果我们处理不当，就可能演变成中美之间的一场危机。不过，经过我们双方的共同努力，终于化险为夷。美中对“撞机事件”的处理是积极有效的。尽管美中之间存在分歧和摩擦，但只要双方本着友好合作的精神妥善处理，就能推动美中关系继续向前发展。

“撞机事件”距今已经八年了。现在来看，在中央的正确领导下，外交部和有关部门在处理“撞机事件”的问题上，坚持原则坚定性和策略灵活性的高度结合，与美方进行了有理、有利、有节的斗争，既捍卫了中国国家主权、民族尊严和根本利益，又促进了中美关系的适时转圜和改善，有利于维护和延长我国的战略机遇期。

从“撞机事件”的处理可以看出，处理中美关系这样重要的双边关系一定要着眼大局、立足长远。这是因为，中美两国在国际上的影响都是举足轻重的，世界的和平与繁荣需要一个长期稳定的中美关系。双方应始终从战略高度和长远角度审视和处理两国关系，不为一时一事所干扰，努力争取两国关系沿着建设性合作的轨道向前发展。

如今，中美关系已经走过了30年的风雨历程。2009年1月12日，双方举行了两国建交30周年纪念活动。

我在北京出席了中美建交30周年研讨会开幕式并致辞。会前在休息室，我又遇到了与会的普理赫大使。他外貌变化不大，身材依然挺拔。双方热情握手，互致亲切问候。

我在致辞中深有感触地说，中美之间虽然发生过包括“撞机事件”在内的一些突发事件，但在双方共同努力下，两国关系总体保持稳定发展。这凝聚了两国领导人的心血和两国各界人士的辛勤努

2009年1月12日，出席中美建交30周年研讨会开幕式并致辞。

力，我们应倍加珍惜这一来之不易的良好局面。

转眼八年过去了。布什总统执政的两个任期总体上可以说是中美关系发展比较稳定的时期。这八年对中国是非常宝贵的战略机遇期。八年来，我们抓住机遇，集中精力谋发展。

今天的中国，综合国力进一步提高，国际地位日益提升。今天的中美关系，与八年前不可同日而语，中国在美国对外关系中的重要性，也不可同日而语。

今后中美之间可能还会发生这样那样的问题，美国政府对华政策可能还会出现这样那样的调整、变化，但只要我们在借鉴以往经验基础上，不断加强对话、交流与合作，扩大共同利益的汇合点，充分尊重和照顾彼此核心利益和重大关切，冷静务实地妥善处理分歧和敏感问题，就完全有可能推动中美关系进一步向前发展，更好地造福两国人民和世界人民。

步入而立之年的中欧关系

与欧盟关系　曲折中逐步提升

与欧洲国家的关系始终是我国外交工作的重要组成部分。

1949年新中国成立后，西方国家中的瑞典、丹麦、芬兰和瑞士率先于1950年同我国建立公使级外交关系，英国和荷兰于1954年同我国建立代办级外交关系。1964年，法国同我国建交，成为第一个与我国建立大使级外交关系的西方大国。到20世纪70年代，中国同除梵蒂冈之外的所有欧洲国家都建立了外交关系。

当时，我们与欧洲的关系还集中在国别层面，与欧共体的关系停留在较低水平。但我们一直密切关注欧洲一体化的进程。

二战后，西欧国家为促进共同发展和繁荣，选择联合自强，走上一体化的道路。

1950年5月9日，法国外长罗伯特·舒曼提出了著名的“舒曼计划”，建议把包括法国和联邦德国在内的西欧各国的煤、铁、钢等基础工业联合起来，置于一个共同的超国家机构管辖之下。这一倡议得到联邦德国、意大利、荷兰、比利时和卢森堡的积极响应。

1951年4月，六国在巴黎签署《欧洲煤钢共同体条约》(又称《巴黎条约》)，并于1952年正式成立欧洲煤钢共同体，迈出欧洲一体化的重要一步。

1957年3月，六国在罗马签署《欧洲经济共同体条约》、《欧洲原子能共同体条约》(统称《罗马条约》)，1958年1月《罗马条约》正式生效。

1967年，欧洲煤钢共同体、经济共同体和原子能共同体的主要机构合并，成立了欧洲共同体(简称“欧共体”)。这就是欧盟的前身。

20世纪80年代末90年代初，欧洲一体化获得了更大发展空间。成员国由建立初期的6个发展成为12个，实力、地位和影响不断扩大。在法国和德国的积极推动下，1992年2月，欧共体12国正式签署《欧洲联盟条约》。因为这个条约是在荷兰边境城市马斯特里赫特签署的，所以又称《马斯特里赫特条约》。至此，欧共体发展为欧洲联盟（简称“欧盟”）。目前欧盟成员国已达27个。

欧洲一体化的深入发展为中国与欧洲国家作为一个整体发展关系创造了条件。

20世纪70年代初，中国恢复在联合国的合法席位，国际影响逐步扩大，中美关系解冻，欧洲共同体也越来越重视中国在国际事务中的地位和作用，双方建立正式关系的条件日渐成熟。

20世纪70年代初，欧洲经济共同体通过多种途径表达了同中国建立关系的愿望。1974年底，中国政府原则决定与欧共体建交。这是一项重大的战略决策。

当时，多数国家都选择与欧共体三个机构，即欧洲煤钢共同体、欧洲原子能共同体、欧洲经济共同体同时建立关系。但我们并没有采取这一做法，而是从我国当时的实际利益与需要出发，选择率先与三个机构中的欧洲经济共同体建立关系。

1975年5月4日至11日，欧洲经济共同体委员会副主席克里斯托夫·索姆斯应中国外交学会邀请来华访问。其间，周恩来总理和李先念副总理分别会见了索姆斯。时任外交部长乔冠华与索姆斯就中国与欧洲经济共同体之间的关系深入交换了意见，双方一致同意中华人民共和国与欧洲经济共同体之间建立正式关系，中国政府向欧洲经济共同体派驻代表。

建交后，在相当长一段时间内，双方的政治、经贸关系获得持续、稳步发展。

随着双方关系的进一步发展，1983年11月1日，中国与欧共体三个机构全面建立外交关系。此后几年，中欧关系进入稳步发展阶段。

中欧关系发展过程总体来看是顺利平稳的，但也经过一段时间的曲折。1989年北京政治风波后，欧共体对中国实施制裁，并连续几年与美国一道在联合国人权会上提出或联署涉华提案，中欧关系一度跌至谷底。

冷战结束后，国际政治格局进入深刻调整期，欧洲希望在建立国际政治经济新秩序中发挥更大作用。此时，中国克服重重困难，坚持改革开放，度过了冷战后那段艰难时期，经济持续快速发展，综合国力不断提升。欧盟更加重视中国的作用和影响，发展对华关系的态度日趋积极。1994年，欧盟通过“亚洲新战略”，强调了亚洲的重要性，提出新的对华政策框架。

1995年，欧盟发表首份对华政策文件——《欧盟—中国关系长期政策文件》，开宗明义第一句话就是，“中国的发展是二战以后各国发展历程中无与伦比的”。文件主张同中国建立长期、建设性的关系，全面加强双方在政治、经济等各个领域的合作。这份文件发出了欧盟加强对华关系的明确信号，同时也表示欧盟对中国人权问题等存在忧虑，这表明欧盟对华政策从一开始就具有明显的两面性，也是此后多年中欧关系发展不断出现起伏波动的根本原因。

1996年，欧盟发表了第二份对华政策文件——《欧盟对华新战略》。

此后，欧盟曾通过多种渠道向中方表示，希望进一步发展中欧关系。

经过我们长期坚决的斗争，欧盟和美国在联合国人权会上提出或联署的涉华提案屡遭失败。1998年2月，欧盟正式决定，不论是主席国还是成员国，均不在第54届联合国人权会上提出或联署涉华提案，从而打破了1989年以来欧美在人权问题上一致对华的局面，实现了欧中在人权问题上由对抗到对话的转变，也扫清了中欧关系中的一个政治障碍。

1998年3月，我担任外交部长。如何进一步调动欧洲发展对华关系的积极性，推动中欧关系向前迈进，成为我经常思考的一个问题。

当时在国际上，中国和欧洲同为作用和影响迅速上升的重要力量，相互加强战略借重是必然趋势。在新的形势下，深化与欧盟及其成员国的关系，是中国外交战略的重要组成部分，有利于中国的建设与发展，也有利于世界的和平、稳定与繁荣。

当然，由于意识形态和经济发展水平不同，中欧在一些问题上存在分歧和矛盾甚至摩擦和斗争是在所难免的。但我们相信，只要坚持相互尊重、平等互利的原则，这些问题可以通过对话得到妥善解决。

正在此时，欧盟倡议在1998年4月伦敦亚欧首脑会议期间，举行首次欧盟—中国领导人会晤。当时欧盟轮值主席国是英国，布莱尔首相在这件事上非常积极，热情邀请朱镕基总理与会。这的确是发展中欧关系的一个好机会。

1998年3月31日至4月7日，朱镕基总理应邀出席在伦敦举行的第二届亚欧首脑会议并对英国、法国进行正式访问。其间，朱镕基总理于4月2日在唐宁街十号英国首相府与布莱尔首相和欧盟委员会主席桑特举行会谈，就进一步发展中欧关系以及东亚金融危机等共同关心的问题，深入交换了意见。

会晤结束后，双方发表了联合声明，一致认为，在世界形势发生重大而深刻变化的情况下，中欧进一步加强对话与合作，不仅符合双方的根本利益，也有利于世界的和平、稳定与发展，希望在中欧之间建立面向21世纪长期稳定的中欧建设性伙伴关系，双方同意继续保持高层交往的势头，并考虑每年举行一次中欧领导人会晤。

这次会晤在中欧关系中具有重要意义，它确定了中欧关系的性质和定位，将双方的最高层会晤以机制化的形式固定下来，建立起中欧高层交往的平台。

此后，中欧关系进入快速发展阶段。

快速迈上新台阶

1998年6月，欧盟通过了第三份对华政策新文件——《与中国建立全面伙伴关系》，强调加强与中国的关系符合欧盟的根本利益，提出与中国建立全面伙伴关系，并将对华关系提升到与对美、俄同等重要的水平。

第二年，欧盟机构开始换届。说起欧盟机构，很多人会立即想到欧盟委员会。其实，欧盟由三大机构组成，即欧洲理事会、欧盟委员会和欧洲议会。其中欧洲理事会由首脑会议和部长理事会组成，是欧盟最重要的决策机构。欧盟委员会经欧洲理事会任命和欧洲议会认可，由每个成员国一名代表组成，是欧盟的常设机构和执行机构。欧洲议会是欧盟的监督、咨询和立法机构，议员由成员国根据名额分配，在本国内直接普选产生。其中，欧盟委员会和欧洲议会的任期都是五年。所谓欧盟机构换届就是指这两个机构的换届。

1999年9月，意大利前总理普罗迪正式就任欧盟委员会第十任主席，以他为代表的欧盟新一届领导人对华态度更为积极。两年后，第四次中欧领导人会晤在比利时首都布鲁塞尔举行。会晤后，双方发表了联合声明，明确中欧将建立全面伙伴关系，为中欧进一步加强合作指明了方向。

2003年前后，中欧关系出现难得的历史性发展机遇。在中欧交往中，我们明显地感觉到，欧盟对我国的战略借重在增强，发展中欧关系的积极性日益高涨。有欧盟官员向中方透露，欧盟内部已将中国与美国、俄罗斯、日本、加拿大、印度等五国并列为欧盟重要的“战略伙伴”。

其实，当时我们内部正在讨论能否借鉴欧盟对华政策文件的做法，制定中国政府对欧盟政策文件。

2002年底，外交部启动对欧盟政策文件的起草工作。起草工作历时半年，先后经过三十多次反复修改。2003年9月，中国首份对欧盟政策文件得到国务院正式批准。

这是中国外交史上第一份以地区为对象、公开发表的政策文件，是一份非常重要的纲领性文件。这份文件确立了发展中欧关系的几项原则，即：互尊互信，求同存异，促进政治关系健康稳定发展，共同维护世界和平与稳定；互利互惠，平等协商，深化经贸合作，推动共同发展；互鉴互荣，取长补短，扩大人文交流，促进东西方文化的和谐与进步。

正当我们准备对欧盟政策文件时，欧盟也在酝酿出台第五份对华政策文件，基调同样是希望进一步提升中欧关系，促进双方务实合作。如果双方的政策文件能够同时出台，相互呼应，形成互动，无疑将会向外界发出更加积极的信号。

于是，我指示中国驻欧盟使团，与欧方就政策文件发表的时机进行协调。双方最后商定在当年10月第六次中欧领导人会晤前发表各自文件，为会议烘托良好政治气氛。

2003年10月13日，新华社全文发表了中国首份对欧盟政策文件。同一天，欧盟批准了第五份对华政策文件——《走向成熟的伙伴关系》。欧盟在这份文件中首次将欧中关系定位为“战略伙伴关系”；认为欧中关系已步入成熟期；提出欧盟愿致力于发展“平等、稳固、持久、互利、全面”的欧中关系，促进和平、稳定和可持续发展。

2003年10月30日，第六次中欧领导人会晤在北京举行。会晤后，双方发表《第六次中欧领导人会晤联合新闻公报》，认为中欧高层政治对话富有成果，各个层面的对话与磋商力度增加，领域进一步拓宽，中欧伙伴关系日臻成熟。双方一致同意将致力于发展中欧全面战略伙伴关系。

我们按照双方领导人会晤达成的共识，积极推动中欧关系取得长足进展。政治上，建立了以领导人会晤为首的22个对话和磋商机制，就重大国际和地区热点问题保持密切沟通与协调。经济上，中欧利益交融的局面已经形成。2004年，欧盟超过美、日，成为中国第一大贸易伙伴。

从1998年首次中欧领导人对话以来，中欧关系在短短的五年间，从建设性伙伴关系到全面伙伴关系，再到全面战略伙伴关系，连续

2005年5月12日中欧建交30周年招待会，左起一、三、五分别为：英国驻华大使韩魁发、卢森堡外交大臣阿瑟伯恩、欧盟委员会对外关系委员瓦尔德纳。

迈上了三个台阶，在广度和深度上都得到了前所未有的发展。

2005年是中欧建交30周年。5月12日，我应邀出席了庆祝中欧建交30周年招待会。招待会在钓鱼台国宾馆芳菲苑举行，包括欧盟“三驾马车”[1]外长在内的三百多名嘉宾出席，会场上始终洋溢着欢快、热烈的气氛。

我在招待会之前会见了欧盟“三驾马车”外长。这是欧盟“三驾马车”外长第一次联袂访华。当时担任欧盟“三驾马车”外长的是轮值主席国卢森堡外交大臣阿瑟伯恩、欧盟委员会对外关系委员瓦尔德纳和候任主席国英国外交大臣代表驻华大使韩魁发[2]。

---

1 在对外交往中，欧盟通常实行由现任主席国、候任主席国以及欧盟理事会和委员会代表组成的“三驾马车”代表制，以体现欧盟的整体性，保证政策的连贯性。

2 候任主席国英国当时正忙于大选后组阁，特地委派驻华大使韩魁发代表英国外交大臣参团。

我对他们说，中欧发展全面战略伙伴关系，是符合双方根本利益的共同选择，是一项长期战略。双方应该始终从战略高度和长远角度看待中欧关系，把握中欧友好合作的大方向，坚定不移地向前推进。要坚持平等互利，照顾和解决彼此重大关切，使中欧关系更好地服务于双方根本利益。

进入而立之年的中欧关系已处于历史上的最好时期，形成了全方位、宽领域和多层次的合作局面。

“末任港督”新使命

外交工作一定意义上说就是通过做人的工作，维护国家利益。我和欧盟委员会对外关系委员彭定康的交往，足以验证这一点。

中国老百姓对彭定康这个名字应该非常熟悉。他是英国政坛老将，在担任英国女王驻香港最后一任总督期间，抛出了“三违反”[1]政改方案，同中方搞对抗。回到英国后，他还不时在香港问题上对我们说三道四。

他后来担任欧盟委员会对外关系委员，职务变了，担当的使命也不一样了。彭定康担任欧盟委员会对外关系委员，与我担任外交部长大体在同一时期。在发展中欧关系过程中，就是这位末任港督成为我打交道的重要对象。

1999年5月，英国政府决定推荐彭定康出任新一届欧盟委员会对外关系委员。消息一经传出，立即引起各方关注和猜测。当时一些境外媒体对此做了许多报道，说彭定康主张对华采取“强硬接触政策”，在人权问题上对中国“直言不讳”，认为他就任这一要职将对中欧关系产生消极影响。

---

1 1992年10月，彭定康在英国政府支持下，放弃中英合作，抛出违反中英联合声明精神、违反英方关于使香港政制发展同基本法衔接的承诺、违反中英双方已经达成的有关协议和谅解的“三违反”政改方案。

1999年6月27日，英国《星期日泰晤士报》煞有介事地发表了题为“中国否决彭定康欧盟职务”的文章，甚至断言，中方向有关各方施加压力，迫于中方压力，欧盟委员会正在考虑改任彭定康为欧盟委员会社会事务委员。我记得当时欧盟委员会驻华代表团官员还到外交部试探中方态度。我们当然不会去干涉欧盟的内部事务。

对于彭定康，我倒并不很担心。我的体会是，事物不是一成不变的，人也一样。在外交实践中，外交人员的立场和言行所代表的不是他自己，而是他所代表的国家或集团的利益。他需要根据所处的位置和所代表的利益，来决定自己的立场和言行。

在当时的情况下，欧盟希望不断扩大对华交往，作为对外关系委员的彭定康，他的立场和言行，都需要服从和服务于这一利益。至于对他个人，我们不必纠缠过去的纠葛，重要的是看其现实表现。

彭定康对华态度确实也在发生变化。1999年9月2日，在欧洲议会就彭定康任职问题举行的听证会上，他谈及对华政策时说，“中国占有世界四分之一的人口。对这样一个国家实行遏制政策难以想象。我们应该发展强有力的、有效的对华关系”。彭定康一亮相就向中方发出了一个积极信号。

我认为彭定康的这一举动值得肯定，于是在9月17日彭定康就任欧盟对外关系委员的当天，向他致电祝贺。除例行的贺辞外，我特意在电文中加了一句话：“相信在你任期内，中国与欧盟的关系以及在各个领域的合作与交流将会继续向前发展。”

彭定康回信表示“十分感谢”，并提出希望与我早日会面。

按照双方商定，那年9月，在联大期间将举行中欧外长会晤。20日下午，我在中国常驻联合国代表团办公楼二层会客室，会见了以欧盟主席国芬兰外长哈洛宁为首的欧盟“三驾马车”，就中欧关系以及共同关心的问题交换了意见。我们一致同意要重视发展双边关系。

彭定康作为欧委会的代表参加了会晤。这是我与彭定康第二次会面。我与他的第一次会面是在他卸任港督的仪式上。

那天，与其他两位相比，彭定康话不多。我特地对他说:“你在中国‘很有名’。”他笑了笑，只是原则性地表示要发展中欧关系，非常客气。显然，他非常清楚自己为什么在中国很出名。我也能够看出他似乎有些思想包袱。

三个月后，彭定康陪同欧盟委员会主席普罗迪来华出席第二次中欧领导人会晤。出发前，彭定康特意提出希望在北京与我举行工作会谈，我表示同意。

在彭定康抵达北京的前一天，他作为欧盟委员会的代表出席澳门政权交接仪式。

1999年12月21日下午，江泽民主席在中南海会见了普罗迪，气氛十分友好。

在这次会见中，江主席专门以彭定康出席澳门政权交接仪式为例，谈促进中欧交流的重要性。江主席说，我非常高兴能够经常会见各国的朋友，进行交流。比如，我昨天早晨才在澳门与彭定康先生见过面，今天在北京又见面了。在谈到欧洲文化时，江主席又特别提到了英国著名的剧作家莎士比亚，并特意让彭定康发表意见。

彭定康非常机敏地接过江主席的话题，并且借莎士比亚谈起了欧洲团结，还诚恳地向江主席请教了有关欧盟建设和发展的问题。他对江主席说，您对莎士比亚的文学作品很熟悉。他的作品中大多描写了王室的内部权力斗争，破坏团结。对欧盟来讲也一样，欧盟的团结很重要。现在，多数欧洲国家都愿意加入欧盟。如果你是欧盟的主席，您认为欧盟哪些方面需要改进和加强?

可以看得出，彭定康迫切希望给中国领导人留下一个好印象。

随后，我和彭定康在外交部举行了工作会谈。我在外交部橄榄大厅迎接彭定康的到来。他看上去很高兴，我们边说边聊，走进会谈室。

落座后，他首先对前一天澳门政权顺利交接表示祝贺。关于中欧关系，他用了一个中国成语，开门见山地表示欧中关系应是一种“唇齿相依”的关系，他愿意努力迅速、有效地推动欧盟落实双方已达成协议的对华援助项目。

他的比喻一定程度上反映了他对中欧关系重要性的认识。我对他的积极态度表示赞赏，强调中方高度重视欧盟，愿在相互尊重、平等互利、坦诚相待的基础上，进一步发展与欧盟的关系。

我们还就中国加入世界贸易组织、亚欧会议等问题交换了意见。会谈结束时，彭定康起身对我说，他对中国传统文化和艺术有着浓厚的兴趣，希望今后有更多机会访问中国，并与中国领导人建立良好的个人关系。

2000年是中欧建交25周年。应普罗迪的邀请，朱镕基总理于7月10日至12日访问设在比利时首都布鲁塞尔的欧盟总部。

其间，我应欧方要求，于7月10日上午与彭定康进行了工作会谈。会谈是在欧盟理事会大楼七层会见厅举行的。我们重点就中欧关系进行了深入、坦诚、充分的交流，都认为应本着求同存异的原则处理彼此之间的分歧和矛盾，以向前看的战略眼光发展中欧关系，为推进中欧合作积极创造更为有利的条件。

当然我们也谈到了人权问题。我主动介绍了中国政府在促进和改善人民基本人权方面所取得的进展，并指出中方重视中欧人权对话，希望通过对话加强沟通，消除误解和偏见，扩大共识。彭定康表示，欧盟愿意同中方继续在人权领域开展对话与合作。

会谈进行了一个多小时，我们谈得很深入。彭定康的注意力大概都集中在会谈的内容上了，忘了给客人续添些茶水。谈了一个多小时，有点口干舌燥。我略带调侃地问彭定康："我们在这里谈人权，是不是也应该关注一下我们自己的人权？我和你谈了一个多小时了，可你连茶水都不给续。"他先是一愣，接着双方哈哈大笑。

会谈结束后，彭定康一直把我们送到大门外。这时外面飘着濛濛细雨，彭定康亲自打着雨伞把我送上车，并在雨中挥手目送我们远去。

这几次接触使我明显地感觉到，彭定康愿积极推动欧盟发展对华关系，而且希望他本人能够有所作为。后来，他曾在不同的场合多次表示，中国不对西方构成威胁，中国和欧洲将是世界未来和平与安全的关键因素。

2001年4月中美南海“撞机事件”发生后不久，正在澳大利亚访问的彭定康公开向媒体表示，美国不应该把中国视为威胁。2001年5月，他主持起草了欧盟第四份对华政策文件，并亲自做了大量修改和批注。与前三份相比，这份政策文件基调更积极，提出要与中国发展全面伙伴关系。

一些媒体敏锐地嗅到这一变化。香港《新闻周刊》曾发表评论指出，“欧盟不追随美国把中国看做战略竞争对手，而是把注意力转向中国。恰恰是末任港督促成了这一形势发展”。

随着时机日渐成熟，邀请彭定康正式访华提上了我的工作日程。2001年9月6日，我随同朱镕基总理赴布鲁塞尔出席第四次中欧领导人会晤期间，当面邀请他访华，他非常高兴地接受了邀请。

2002年3月28日至4月4日，彭定康应邀偕家眷访华，这是他就任欧盟委员会对外关系委员以来首次单独正式访华。在中央领导同志的亲自关心下，外交部为彭定康的访问做了精心安排，给予了高规格、热情友好的接待。

访问期间，江泽民主席、钱其琛副总理分别会见了彭定康。两位领导人均对他担任欧盟委员会对外关系委员以来为推动中欧关系发展所作的贡献予以肯定。彭定康很受鼓舞，表示中国的不断发展对欧盟有利，符合本地区乃至世界的利益，进一步加强相互关系是唯一正确的选择。

我在外交部同彭定康举行了会谈。我对中欧在各个领域开展的互利合作给予高度评价，强调指出，随着国际形势的变化和发展，进一步深化中欧关系，符合双方的共同利益。

我还积极评价了欧盟为发展双边关系所采取的各项举措，表示中国愿意看到中欧关系在新世纪继续得到健康发展。

2002年3月在外交部会见欧盟委员会对外关系委员彭定康。

彭定康赞同我对中欧关系的积极评价。他说，当前欧中关系发展良好，前景广阔。双方在一系列国际热点问题上和建立多边国际体系方面有共同利益。

彭定康说，欧盟和中国都处在重要发展阶段。中国作为经济发展最快的、最大的发展中国家，欧盟作为最大的发达国家集团，双边关系的良好发展，既有利于中欧双方，也有利于整个世界。欧盟愿加强同中国的政治对话和磋商，不断扩大和深化合作。

当然我们也提到了人权问题。彭定康在会谈中表示，欧中在人权问题上应当进行对话，而不是吵架，这一点很重要。

会谈后，我在外交部宴会厅设宴款待了他。

宴会厅位于外交部大楼的19层，我担任外长的那几年，宴请来访的外国外交部长，基本都在这个宴会厅。一来可以节省时间，二来也可以让客人有宾至如归的感觉。宴会厅厨师有钓鱼台国宾馆的，也有从外地借调的，个个都是烹饪高手，在此用餐的外宾都大加赞赏。那一天，根据彭定康的饮食习惯和口味，我特意嘱咐厨师给他准备了可口的菜肴。

为了使他在广泛领域增强对中国的了解和认识，我们还安排他分别会见了中国负责商务、公安、教育、劳动等事务的多位部长和对外友协负责人。

通常情况下，除北京外，我们只安排来访的外宾去一两处外地参观。但这次我们破例安排他及其家眷到上海、苏州、扬州、南京四地参观访问。

在上海期间，彭定康还去了徐家汇主教座堂，并参观了中共一大会址，接受了上海电视台的专访。在南京期间，他专程参观了中山陵和侵华日军南京大屠杀遇难同胞纪念馆，并接受了江苏电视台英语节目专访。

在南京参观中山陵时，彭定康很有感慨，表示对中国在台湾问题上的强烈感情有了更深的理解。在参观南京大屠杀遇难同胞纪念馆时，彭定康神情肃穆。他在留言簿上写道："这个展览生动展现了发生在20世纪最邪恶的有组织的暴行。我们应牢记这段历史，更加坚定地阻止这样的邪恶重演。"

彭定康还在中央党校和复旦大学发表了演讲。

这次访问给彭定康留下了美好、深刻的印象。他后来多次在不同场合表示，中方的善意令他深受感动，这次访问使他亲眼目睹了中国经济的快速发展，对欧中关系有了更为深刻的认识，多次表示"发展欧中关系是我们唯一正确的选择"。

回国后，彭定康给我发来了一封热情洋溢的感谢信。他在信中说，"在我的记忆中，没有任何一次对外访问进行得如此顺利、令人兴奋并值得回味"。

当然，作为西方政治家，彭定康在意识形态领域与我们的分歧显而易见，每次会见或会谈时，我与他总少不了就人权等敏感话题进行交锋，双方在原则问题上都是寸步不让。

我的感觉是，彭定康人很聪明，既有原则，又懂策略。记得有一年，一位欧盟主席国的外交大臣率“三驾马车”代表团访华，这位女士一上来即大谈人权，占了很长一段时间。当然，我毫不客气地予以回敬。我说，中国在人权领域所取得的巨大成就有目共睹。我们愿意在相互尊重的基础上就人权问题同欧盟进行平等对话，也愿意听取欧盟具有建设性的意见，但坚决反对任何强加于人的做法，坚决反对别国借人权干涉他国内政的做法。轮到彭定康发言时，他对人权问题只是一带而过。

现在回想起来，与他作为末任港督相比，彭定康作为欧盟委员会对外关系委员，对华态度有很大改变。究其原因，既有欧盟重视发展对华关系的战略因素，同时，我们不计前嫌、以礼相待的大度宽容做法，也起了重要作用。

展示真实的西藏

近年来，虽然中欧围绕人权问题的斗争相对淡化，但涉藏问题在中欧关系中变得日益突出。由于欧盟国家在涉藏问题上根深蒂固的偏见，以及达赖集团的活动，加上媒体的炒作，欧盟在涉藏问题上不断给中国制造麻烦，其中表现最差的当属欧洲议会。

欧洲议会的产生和运作机制不同于一般意义上的议会。议员名义上代表欧盟，却由所在国直选产生，个人随意性很大。对于非立法性的决议，在紧急情况下，只需半数以上到场议员支持即可通过。议员常常借助炒作制造舆论效应。

达赖集团正是抓住了欧洲议会的这一特点，千方百计地把欧洲议会作为他们从事反华活动的政治工具，而少数欧洲议会议员也经常在涉藏问题上对中国说三道四，无理指责。

欧洲议会为达赖集团在境外从事分裂祖国的活动摇旗呐喊、搭建舞台。1988年6月，欧洲议会不顾我国多次严正交涉，执意邀请达赖在斯特拉斯堡举行的欧洲议会全会上发表演讲，达赖正是利用这一场合抛出所谓“中间道路”。

2001年6月，欧洲议会党团联席会议决定，再次邀请达赖到欧洲议会全会上发表演讲。这个问题既涉及涉藏斗争，又关系到我们对欧洲议会工作。我们再次向欧方提出严正交涉。

2002年1月，欧洲议会选举爱尔兰自由党领导人考克斯为第25任议长。考克斯重视发展对华关系，在涉华敏感问题上的态度与他的前任有所不同。2月，中国驻欧盟使团团长关呈远大使在拜会考克斯时，考克斯表示，欧洲议会过去对中国有些消极，今后可以做些积极的事情。

考克斯在涉藏问题上的积极表态，为我们做欧洲议会的工作提供了契机。

长期以来，欧洲议会在涉藏问题上始终采取消极和对立的做法，原因是多方面的，但其中重要的一条就是缺乏对西藏历史和现实的了解和认识。绝大部分议员从未到过西藏，甚至相当多的议员从没到过中国。在此情况下，要做好欧洲议会工作，首要就是要积极开拓进取，主动加强和欧洲议会的接触与交流。

与此同时，中国全国人大以及西藏自治区方面也一直在思考如何让欧洲议会更了解西藏。我们的想法不谋而合。2002年2月，外交部和有关部门一同就西藏自治区人大代表团访问欧洲议会等有关事宜请示中央，并很快得到批准。

关于代表团团长人选，我们不约而同地都想到了热地同志。他当时是西藏自治区人大主任，本人就是藏族，出身农奴，亲历了西藏和平解放以来经济社会事业的发展变化，熟悉西藏的情况，在涉藏问题上最有发言权。

此外，这个代表团的成员也都有相当的代表性，其中包括著名藏学家拉巴平措、藏传佛教代表珠康活佛等。

中央对代表团此次欧洲之行非常重视。钱其琛副总理专门打电话给我，要求外交部协助做好代表团此次出访。我立即向欧洲司和中国驻欧盟使团做了具体部署。

2002年3月，西藏自治区人大代表团应邀访问了欧洲议会和比利时。3月25日，代表团一行抵达比利时首都布鲁塞尔。据驻欧盟使团的同志说，此前布鲁塞尔一直阴雨绵绵，代表团抵达那天，天空突然转晴，整个城市阳光普照，万里无云，仿佛是代表团将拉萨日光城的明媚阳光带到了布鲁塞尔。代表团个个身着鲜艳的藏族服装，所到之处，格外引人注目。

代表团与欧盟和比利时各界进行了广泛接触。短短四天内，共举行21场会谈、会见和情况交流活动，引起了热烈反响。在欧洲议会，代表团同议长考克斯、副议长科罗姆、外委会主席布洛克、对华关系代表团团长普罗伊以及社会党党团主席巴隆、人民党党团副主席苏米南等举行了会谈，会见了彭定康办公室主任加里。代表团还会见了比利时联邦议会众议院外委会主席谢瓦利埃、比中小组主席凯尔特曼斯等十多位议员，并与比利时外交部国际合作总司副总司长罗纳德会谈，接受了中外记者的采访，出席了“中国西藏风光图片展”开幕式。

与考克斯议长会谈时，热地同志拉着他的手说，我们还是要多沟通，多交流，沟通比不沟通好，交流比不交流好。考克斯表示完全赞同热地的意见。所到之处，代表团同对方进行着广泛交流，深入对话，真诚邀请对西藏感兴趣的议员亲身到西藏走一走，看一看。

这次访问的重头戏是3月26日代表团与欧洲议员的座谈。当时有四十多位欧洲议员到场，整个座谈会持续三个多小时，没有一名议员中途退席，这种情况在欧洲议会是少有的。

议员们对座谈会很感兴趣，提了很多问题。从他们的提问可以看出，这些议员不了解西藏，特别是不了解西藏发生的巨大变化。他们中的大多数人对西藏基本情况的认识以及对涉藏问题的看法，明显受到达赖集团的误导。

代表团成员以亲身经历对比今昔，全面介绍了西藏的历史发展、巨大成就和政治、经济、文化、民族、宗教等各方面的情况，并回答了议员们的提问。由于代表团成员本身是藏族，来自藏区，他们现身说法，很有说服力。

座谈会后，一些议员表示，他们是第一次在欧洲议会大厦内听到来自西藏地区的声音。有的议员表示，西藏是中国的一部分是历史事实，西藏不能再回到封建农奴制度中去。有的议员对西藏半个多世纪以来的发展成就表示钦佩，希望到西藏去看一看。有的议员开始对达赖的做法是否代表西藏人民的利益和愿望产生怀疑。还有的议员公开表示，“看来我们过去通过的有些决议至少是不够妥当的”。

访问在当地引起强烈反响。《自由比利时报》、《晚报》、《观点》周刊等当地主要媒体均对此次访问进行了广泛的报道。《自由比利时报》发表了题为“来自西藏的另一个声音”的专稿，客观真实地报道了热地同志的活动和讲话，称中国西藏代表团的来访“打破了达赖对欧洲议会的舆论垄断”。

《观点》周刊发表“中国的一部分——西藏代表团访问布鲁塞尔”的报道称，“比利时和欧洲议会接待了来自中华人民共和国的一个代表团，来自西藏自治区人大的团长和几位成员表示，西藏人民在现政府领导下得到富裕，搞分裂的达赖并不能代表所有的藏人”。报道还援引某位欧洲议员的话说，“仅是西藏代表团对欧洲的访问，已成功地使欧洲人对西藏人在政治上追随达赖和从中国分裂成立独立国家的立场产生怀疑”。欧洲涉藏舆论开始出现了于我有利的声音。

这次访问是我们有史以来第一次派西藏地区代表团访问欧洲议会，是对欧外交实践的一次重大突破，影响大，反响好。2002年4月7日，我在钓鱼台国宾馆为凯旋回京的热地同志和代表团全体成员接风。宴会上，大家兴致很高，珠康活佛还用藏传佛教特有的碰三下额头的方式为大家祈福。

热地同志访欧后，欧洲议会内部在涉藏问题上开始出现积极和正面的声音，态度从一味指责开始向对话方向转变。我们与欧洲议会的接触和交流开始增多。

热地同志曾对我说，对于到过西藏、或与西藏方面接触过的人，自治区政府都将继续与他们保持联系，让他们了解西藏的最新情况。他的话对我很有启发。做欧洲议会工作困难确实不少，但办法总比困难多。关键是要有行之有效的办法，而且要坚持不懈，持之以恒。

虽然我们的工作取得了一些成效，但欧洲议会问题很复杂，在涉藏问题上的态度也不会因一两次访问而改变，而且存在很大变数。2008年，拉萨“3·14”事件发生后，欧洲议会通过了措辞强硬的涉藏声明，对中国横加指责。12月4日，欧洲议会不顾中方多次严正交涉，再次邀请达赖赴布鲁塞尔欧洲议会全会发表演讲，给中欧关系制造了新的麻烦。

这些都表明，做好对欧洲议会的工作仍然需要长期而艰苦的努力。

与欧盟各成员国的关系是中欧关系的基础，与成员国双边关系搞好了，可以带动中欧整体关系的发展。同样，中欧关系搞好了，也会为发展与成员国的关系创造有利条件。两者相辅相成，互为补充，是一个统一体。

欧盟的运作非常复杂，有人将它形容为“一个长着27个脑袋的庞然大物”，每个成员国对政策制定都有发言权。其中，英、法、德在欧盟中有着举足轻重的影响，对中欧关系的发展起着重要作用。

中英关系：卸下包袱显活力

英国是一个岛国，偏居欧洲一隅，面积不足25万平方公里，在世界近代史上曾经有过一段辉煌。英国是世界上第一个完成工业革命的国家，成为近代科技发展的“火车头”，培育了牛顿、达尔文、亚当·斯密等大批享誉世界的科学和思想巨匠。英国曾长期保持着世界头号强国的地位，殖民地一度达到本土面积的111倍，号称“日不落帝国”。

在中国近代史上，英国曾经扮演过极不光彩的角色。一提到英国，很容易让中国人想到鸦片战争，想到八国联军，想到火烧圆明园，想到对香港进行的长达百年的殖民统治，想到中国曾经遭受的种种屈辱。

新中国成立后，英国出于维护其在华利益的现实考虑，很快承认中华人民共和国为“中国之合法政府”，成为最早承认新中国的西方大国。1954年，中英两国建立代办级外交关系，但两国关系始终处于较低水平。直到1972年，才升格为大使级外交关系。

香港问题是中英关系的一个“历史创伤”，困扰着中英关系的发展。随着1997年的临近，这个问题必须尽快得到解决。

1982年，中英围绕香港问题开始谈判。经过两年的艰苦斗争，两国于1984年签署了关于香港问题的联合声明。之后，中英关系曾有过一段“蜜月期”。然而，1989年春夏之交北京发生政治风波后，尤其是东欧剧变和苏联解体后，英国错误地估计了中国的形势和发展前景，以“香港的信心严重受挫”为借口，企图在驻军、直选、基本法实施等问题上“翻案”。中英关系开始走低。

1992年，彭定康出任最后一任港督，大幅度改变英国对香港政策，抛出“三违反”的政改方案，严重影响了中英关系的发展。

在当时世界主要大国都与中国改善关系、加强合作的背景下，中英关系明显滞后。

中英关系在曲折起伏中走到了1997年。

那时，中国经过近二十年的改革开放，发生了翻天覆地的变化，政治保持稳定，经济持续增长，国际地位不断提高，呈现出巨大的发展潜力。特别是在那一年，亚洲一些国家爆发了金融危机，中国从大局出发，做出人民币不贬值的决定，对亚洲乃至国际金融稳定作出了巨大贡献。这些使英国既感到中国的发展不可限量，又看到中国国际影响力与日俱增的势头难以阻挡。

就在这一年，英国政局发生了巨大变化，长期执政的保守党在大选中被工党拉下马。5月，工党领袖布莱尔正式出任首相。

布莱尔是英国最年轻的首相，就任时年仅41岁，风华正茂，思维敏捷，为沉闷许久的英国政坛吹来一股清风。他提出很多新思想，其中，有关“第三条道路”的理论在国际上引起很大反响。他上台不久，就积极调整对华政策，提出“香港是英中关系的桥梁”，主张改善与中国的关系。

1997年，刚刚担任首相两个月的布莱尔出席了香港政权交接仪式。在与中国领导人的会见中，布莱尔多次重申英国高度重视发展英中关系，希望两国关系出现新的开端。

随着香港顺利实现回归，中英关系卸下了一个沉重的历史包袱，迎来全面改善和发展的契机。

1998年上半年，英国担任欧盟轮值主席国。同年3月底至4月初将在伦敦召开第二届亚欧首脑会议。布莱尔热情邀请中国领导人与会，并对英国进行正式访问。布莱尔还提出，希望在这次会议期间建立和启动中欧领导人会晤机制。

这是英方向我们发出的积极信号。当时，中国总理已经十几年没有访问英国了，如果能够成行，不仅将为中英关系在新世纪的发展定下基调，也会进一步推动中欧关系的发展，扩大中国在国际上的影响。

1998年3月31日，我陪同朱镕基总理前往英国，出席第二届亚欧首脑会议，并对英国进行正式访问。这是中国新一届政府组成后，中国领导人首次对外出访，也是香港回归后中国领导人第一次对英国进行正式访问。

在中英双方的共同努力下，朱镕基总理这次访问取得了巨大成功，英国媒体对此进行了广泛报道并高度评价。

我感觉，这次访问可以用三个“新”来概括。一是中英关系步入“新阶段”。访问中，两国领导人进行了富有建设性的会晤，一致认为应该建立一个面向新世纪的良好的建设性伙伴关系，这为未来中英关系发展指明了方向。二是中欧关系进入“新时代”。亚欧首脑会议期间建立并启动的中欧领导人会晤机制，为中欧关系的发展构建了良好的平台。用布莱尔发言人的话说，中欧领导人会晤标志着欧盟将中国视为主要的国际力量。三是亚欧国家的政治对话，为跨世纪区域合作提供了“新契机”。

访问期间，我与英国外交大臣库克在英国外交部进行了对口会谈。

这是我与库克第一次见面。库克是典型的苏格兰人，性格直率，反应敏捷，说话语速很快。他当时在工党内部很有号召力，在内阁中有举足轻重的作用。他对中国很感兴趣，也很友好。

做好他的工作，将直接影响到英国的对华政策。因此，我非常重视与他的首次对口会谈。会谈前，我反复斟酌，力求找准切入点，把工作做到位。

当时，中国与西方国家围绕人权问题已经进行了长达八年的斗争，欧盟每年都联署美国提出涉华人权提案。但在那年的日内瓦人权会上，欧盟决定改变这一立场。英国作为欧盟轮值主席，在这一问题上发挥了积极作用。此前，布莱尔曾在不同场合多次表示，在人权问题上不应与中国搞对抗，而是要进行对话。这是一个很好的表态。于是我决定与库克的会谈就从这个问题入手。

在会谈中，我高度评价了英方为改善中英关系所做的努力，侧重就人权问题深入地谈了我的看法。我对英国在人权会上的表现予以充分肯定，并进一步表示，中英两国历史、文化、政治制度不同，对一些问题的看法存在分歧很正常，双方要加强沟通和协商，共同寻找弥合分歧的办法，中方愿意与英方进行平等和相互尊重的对话与合作。

我讲的这些话，库克听得很认真，不时做一下记录，频频点头，表示赞同。此次会谈后，我与库克本人结下了良好的工作关系，为下一步中英工作的开展奠定了坚实的基础。

这是我第一次到英国，这次访问让我对英国有了比较深入的了解和认识。

英国是一个传统与现代相互交融的国家。一方面，恢宏大气的古典建筑和深厚的文化底蕴都显示出“大英帝国”曾经有过的辉煌。另一方面，现代化的建筑鳞次栉比，商业繁荣，金融业高度发达，经济充满活力。

虽然英国综合国力和国际地位已今非昔比，但它在经济上仍具有相当实力，尤其是在科技、交通、能源、金融等一系列领域具有明显优势。英国是联合国安理会常任理事国，在国际上具有重要影响。

中英关系在中国外交全局中占有重要地位。看待中英关系，要超越双边关系的范畴，要放在中国整体外交战略的框架内，从运筹大国关系和外交全局的高度来把握。因此，对英工作要着眼长远。

朱镕基总理访英一个月后，也就是1998年4月，英方提出，布莱尔首相希望年内访华。

在双方积极筹备布莱尔首相访华的过程中，英方提出双方可以发表一个联合声明，宣布建立英中全面伙伴关系。我认为，这是一个好建议。

中英作为两个在国际上有重要影响的国家，在推动双方合作关系、维护世界和平与促进共同发展方面具有广泛共同利益。香港回归后，中英关系得到改善，实现了两国首次高层接触，中英关系进入一个新的历史阶段。这种情况下，有必要对两国关系进行明确定位，对两国关系的长远发展进行全面规划。

我指示西欧司的同志，不仅要认真做好这次来访的接待工作，还要就联合声明的内容与英方反复磋商，发表一个好的文件。

1998年10月6日至9日，布莱尔首相应朱镕基总理邀请访华。江泽民主席会见了布莱尔首相，朱总理与他会谈。

在会见和会谈中，双方一致认为，香港顺利交接为中英关系揭开了新篇章，两国各领域交流与合作取得长足进展。

布莱尔首相多次向中方表示，他是英中建交以来第一位访华的工党政府首相。早在担任首相之前，就提出英国应该重视与中国的关系。他对中国领导人说，21世纪中国将成为世界大国，英国希望成为中国的伙伴，并愿为中国的发展作出自己的贡献。

在与朱总理的会谈中，双方还就当时东亚面临的经济形势深入交换了意见。布莱尔首相肯定中方在应对金融危机上的举措，赞赏中方对邻国提供的支持和帮助。双方就金融体制改革深入交换意见，一致认为应该加强金融监管体制，改革国际金融体系，提高金融透明度。这一看法是相当有远见的。

布莱尔首相离开北京前，双方发表联合声明，宣布中英建立全面伙伴关系。双方还在声明中确认，应英国女王邀请，江泽民主席将于次年下半年对英国进行国事访问。

这将是中国国家元首对英国进行的首次国事访问，是一次历史性事件。

英伦隆重迎嘉宾

正当双方就江泽民主席应邀访英事进行磋商时，国际形势风云突变。

1999年3月，以美国为首的北约绕开联合国发动对南联盟的军事打击，科索沃战争爆发。这是北约成立50年来，第一次对一个主权国家开战。

布莱尔首相在科索沃问题上咄咄逼人。他多次在国际场合宣扬“人权高于主权”的新干涉主义，称北约的行动是“一次正确的行动”，表示“不干涉内政是有条件的”，倡导建立以国际干预为核心的“新的国际关系准则”。

同年5月，中国驻南联盟大使馆遭到以美国为首的北约轰炸，中国国内群情激奋。在这种情况下，江泽民主席是否如期访英，成为当时我们内部关注的一个焦点。

“炸馆事件”发生后，布莱尔首相两次致函中国领导人，并在公开场合表示道歉。当年下半年，钱其琛副总理过境英国时，布莱尔首相主动提出会见，并在礼宾上做出高规格安排。在会见中，布莱尔首相表示，不希望这一事件影响江主席访问英国和英中关系。

我当时认为，尽管工党政府执政后看重意识形态，在对外政策中渗入“新干涉主义”等强权政治色彩，但在对华关系问题上始终采取较积极的政策，多次表明发展对华关系的迫切心情。英国虽然在人权、涉藏问题上对中国抱有偏见，但总体上反对与中国对抗，而是主张采取合作与对话的态度，英国对中国社会经济发展的认识也逐步趋于客观。

当时，中英刚刚建立全面伙伴关系，走上正常发展的轨道，中英关系处于关键的发展时期。我们应该站得高、看得远，着眼未来中国外交战略的全局，借助与英方接触的机会，在重大问题上阐明立场，引导其政策朝着有利于中英关系，有利于国际关系民主化的方向发展。

江泽民主席对英国进行国事访问，是历史上中国国家元首首次访问英国，也是世纪之交中国加强对欧洲和英国工作、全面推进跨世纪外交的一次重大行动，不应该因此受到影响。我向中央汇报了上述想法，得到了肯定。

1999年10月，江泽民主席如期访英，与布莱尔首相就双边关系发展等达成许多重要共识。

江主席着重就国际关系准则阐述了中方立场，做了英方工作。江主席强调，战后确立的国际社会公认的国际关系准则，特别是相互尊重主权和领土完整、互不侵犯、互不干涉内政、平等相待、和平解决国际争端等原则应该得到坚持。这些准则维系了战后五十多年的和平，证明是行之有效的。江主席明确地说，必须加强联合国的权威，充分尊重和发挥联合国在维护世界和平与安全方面的作用，不能允许任何国家或国家集团凌驾于联合国之上。

对此，布莱尔首相表示，英国非常重视在国际问题上与中方的合作。世界的确在经历着建立不同于过去的政治、经济新秩序的过程，中国在其中发挥着重要作用。英国十分重视中国未来的发展和影响，愿与中方共同努力，使两国在国际事务中的对话与合作达到一个新水平。

这次访问中，我与库克外交大臣再次举行对口会谈，就双边关系中的许多具体问题交换意见，并达成共识。

选准时机做工作

江泽民主席访英后，中英关系继续保持良好发展态势，双方在国际事务上的沟通明显增强。

双方原本商定我于2001年3月对英国进行访问。但2001年2月我们获悉，工党政府可能宣布于当年夏天提前举行大选。得知这一消息，我决定推迟访问。

倒不是担心工党会落选，而是着眼于做新内阁的工作。当时，工党在英国国内一直保持较高的支持率。工党的执政期本应到2002年5月才结束，但当时的形势对工党十分有利，他们决定提前一年举行大选，如果不出意外，工党应该可以连选连胜。但新内阁班子可能会有所调整。

我访问英国的目的，在于加强与英国内阁要员的沟通，进一步规划双边关系发展和加强国际协调，因此，待大选尘埃落定，访问效果会更好。

那年夏季，工党果然以压倒性优势获胜。约翰·斯特劳接替库克出任英国外交大臣。

斯特劳1946年出生，早年做过律师。出任外交大臣前，曾担任布莱尔内阁的内政大臣。他以作风谨慎、能言善辩著称，在工党内有一定威信。

不久，国际上发生了一件大事，那就是“9·11”恐怖袭击事件。此后，国际形势发生错综复杂的重大变化，国际格局进入新的调整期，大国关系形成新一轮互动。在这种背景下，中英应进一步加强在国际事务中的沟通与协调。因此，我决定将对英国的访问与我2002年初对非洲进行的访问结合起来。

2002年1月16日至19日，在访问厄立特里亚、埃塞俄比亚和南非后，我对英国进行了正式访问。

这是我作为外长第一次正式访问英国。其间，我拜会了布莱尔首相、普雷斯科特副首相，会见了前首相希思、前副首相杰弗里·豪等人，与斯特劳外交大臣举行了会谈。

在与英方的会谈、会见中，除就双边关系发展和经贸合作交换意见外，我重点就“9·11”后的国际形势和国际热点问题与英方深入交谈。我重点阐述了中国在反恐问题上的立场，指出新世纪的开局极不寻常，“9·11”事件震惊了整个世界，国际社会面临的挑战是全球

2002年1月16日至19日访问英国期间，会见英国前首相希思。

2002年1月16日至19日访问英国期间，会见英国前副首相杰弗里·豪。

性的。中国强烈谴责任何形式的国际恐怖主义，积极支持并参与国际反恐合作，希望与国际社会一道，共同维护世界的和平与稳定。

我积极评价中英双边关系，特别指出2002年是中英外交关系升格为大使级关系30周年。在双方的共同努力下，两国关系呈现出全面发展的良好势头。我重申，中国重视英国的地位和作用，一贯从战略高度积极推动中英关系全面发展。在新形势下，应加强磋商与合作，推动两国关系在现有基础上，取得更多积极成果。

英方对发展双边关系表现出很高的热情。布莱尔首相高度评价英中关系，认为在复杂多变的国际形势下，英中两国应加强在国际事务中的沟通协调，深化双边合作。布莱尔首相还回忆起他1998年访华的情形，表示英国政府非常重视发展对华关系，他本人期待着有机会再次访华。

斯特劳在会谈中强调，英国政府重视发展同中国的关系，希望两国在双边和国际事务中的合作不断加强。他告诉我，他非常希望能够加深对中国的了解，但担任外交大臣后还没有访问过中国。我当即邀请他尽早访华，斯特劳愉快地接受了邀请，并表示他会马上着手准备，在两周内确认访问日期。可见，他访问中国的心情迫切。

在会见英国前首相希思、前副首相杰弗里·豪时，我赞扬他们多年来为推动中英关系发展、密切两国民间交往、增进两国人民之间的了解所做的大量工作。

他们对我表示，中国是负责任的大国，在世界上的作用越来越重要，许多问题的解决离不开中国的参与，中国的发展亦给英国带来重要的机遇，他们愿意为推动中英关系的发展发挥更加积极的作用。

我还应邀出席了“亚洲之家”为我举行的欢迎晚宴，并发表了题为“加强国际合作，共同应对挑战”的演讲。

“亚洲之家”是英国一个半官方的机构，成立于1995年，主要目的是为了宣传亚洲文化，促进英国与亚洲国家之间的文化交流与商务合作。“亚洲之家”经常邀请一些访问英国的亚洲国家高级别政府代表团与英国企业家会面，发表演讲，向英国工商界介绍相关国家的政策和经济发展情况。

得知我要访问英国的消息后，“亚洲之家”通过我们驻英国使馆表示，他们准备为我访问英国举行一个欢迎晚宴，希望我出席晚宴并发表演讲。考虑到这是一个向英国工商界介绍中国的好机会，我欣然接受。为使演讲取得更好的效果，我决定用英文进行演讲，为此，我事前还专门求教了外交部翻译室的英语高翻。

那天晚上有将近一百五十人出席了晚宴，他们大多是英国工商界的知名人士。现场气氛热烈而友好。

我在演讲中介绍了中国对国际形势的看法和中国的外交政策，强调中国是一个发展中国家，发展经济是长期任务。中国的利益与世界各国的利益休戚相关，中国愿与国际社会一道，维护世界和平，促进共同发展。

我还表示，中英两国同为联合国安理会常任理事国。两国在许

2002年1月16日至19日访问英国期间，在“亚洲之家”举行的欢迎晚宴上演讲。

多国际和地区热点问题上的合作得到加强。特别是在当前复杂多变的形势下，中英肩负的责任在加重，彼此间的共同利益在增多，需要而且必须加强合作。

我最后表示，展望未来，中英友好合作关系的发展前景广阔，将为世界的和平与稳定以及人类的未来发展，作出更大贡献。

除了伦敦，英国方面还安排我访问了苏格兰。苏格兰位于不列颠岛北部，是著名的科技和文化艺术之乡。苏格兰民族拥有其独特的民族传统、音乐艺术和传统服饰。苏格兰风笛乐曲更蕴含了该民族百折不挠、自强不屈的精神。爱丁堡古堡见证了苏格兰人民为争取民族平等而抗争的历史。我在苏格兰不仅领略了爱丁堡美丽的田园风光，还切身感受到了苏格兰人民对中国人民的友好感情。

这次访问使我充分感受到，发展中英关系是两国基于战略和现实利益的共同选择，也是两国人民真诚而迫切的愿望。中英关系必将进入快速发展的新阶段。

相互协调促合作

如果说2000年到2002年是中英关系在新世纪的起步预热，那么2003年后，中英关系开始进入深入发展时期。

2003年7月，布莱尔首相再次访华。这次访问使他亲眼目睹中国社会正在发生的日新月异的变化。整个访问过程中，他一再赞扬中国取得的巨大成就，对发展英中关系充满期待和热情。他当面邀请温家宝总理尽早访问英国。

为筹备接待温总理访英，布莱尔首相回国后专门指示成立了“对华关系小组”，由普雷斯科特副首相亲自担任组长，邀请英国经济、文化、教育等各领域知名人士担任成员。

英方成立“对华关系小组”的举措对我们有所启示。我们也相应成立了“中英关系协调小组”，与英方形成“互动”，由我本人担任组长，秘书处设在外交部，外交部副部长张业遂担任秘书长。小组的成员还包括商务部、科技部、文化部、教育部等。这是中英两国第一个高层双边互动协调机制，在两国各自的对外交往中也是不多见的。

英方的小组组长普雷斯科特是布莱尔内阁的重要成员，从1997年起就一直担任副首相。他为人非常直率，对中国十分友好。他积极主张发展中英关系，经常穿梭于两国之间，任内曾到中国访问十次，是西方大国中访华次数最多的领导人之一。

2004年2月19日，普雷斯科特给我写信，祝贺中方成立“中英关系协调小组”，介绍了英方小组的工作情况及对发展双边关系的想法，提出双方应共同探讨在贸易投资、教育、科技、环境等领域加强合作。

收到他的信后，我非常重视，于2月24日主持召开了小组会议，重点讨论他在信中提到的双边关系的总体思路和重点领域合作方向。大家集思广益，展开了热烈讨论，最终商定在贸易与投资、财政金融、能源、科学技术、教育、文化、环保和可持续发展等七个重点领域进一步深化合作。

在贸易和投资领域，确保双边贸易额稳步增长，力争在三年内使双边贸易额达到200亿美元，到2010年达到400亿美元；建立商务信息网，推进两国中小企业之间的合作。

在财政金融领域，将“中英财金对话机制”提升为部长级，就宏观经济与金融稳健方面开展交流与磋商；鼓励英国银行业作为战略投资者参与中国银行业重组和改制。

在能源领域，与英方探讨在第三国开展能源合作的可能性，共同开发海外油气田。

在科学技术领域，设立“中英高科技产业风险投资合作基金”，建立“中英信息通讯合作机制”，成立“中英科技创业园发展协调小组”。

在教育领域，建立两国教育部定期磋商机制，提升在英国的汉语教学水平。

在文化领域，办好2004年在英国举办的“中国文化节”活动，加强两国文化、旅游、媒体和文化交流。

在环保领域，积极考虑英方关于设立两国气候问题工作组的提议。

根据小组讨论的结果，我于2004年3月1日复函普雷斯科特，详细介绍了中方小组提出的具体建议。

这些建议后来成为中英建立全面战略伙伴关系联合声明中的重要内容，也是双方合作的重点领域。

这是双方成立工作小组后我和普雷斯科特之间的第一次通信。此后，我们在担任各自小组组长期间，曾八次通信，四次会晤。我与他之间也建立了深厚的个人友谊。

双方小组为温家宝总理对英国的成功访问发挥了重要作用。

2004年5月，温总理对英国进行正式访问。访问期间，两国领导人就双边关系和共同关心的国际问题广泛交换意见，达成了许多重要共识。双方发表《联合声明》，宣布建立全面战略伙伴关系和总理年度会晤机制，并确定在上述七个重点领域内加强合作。两国有关部门还签署了十余个经贸、教育和科技协定及备忘录等。

中英关系自此由“全面伙伴关系”跨上了“全面战略伙伴关系”的新台阶。

双边关系小组原拟在温总理访英结束后解散，但在小组工作过程中，双方都觉得，小组在双边关系发展中有着不可替代的作用，都主张保留这个机制。

2004年11月末12月初，普雷斯科特访华，我和他就双边关系小组工作等举行会谈，这还是双方成立小组以来，我们双方首次面对面地就小组工作交换意见。我们共同确定继续保留双边关系互动小组，使之成为研究双边关系发展战略、落实两国领导人共识的重要机制。

英伦再度迎嘉宾

2005年下半年，英国再次轮值欧盟主席国。英方多次提出希望邀请胡锦涛主席对英国进行国事访问。

英国每年只接待两起国事访问。此次英国邀请胡主席访英，距离江泽民主席上次对英国进行的国事访问只时隔六年。这在英国女王接待外国元首国事访问的历史上是罕见的，显示出英方高度重视发展对华关系。

当时，中国与欧盟合作领域不断拓宽，各领域务实合作富有成果。欧盟各国希望与中国加强政治和战略协调的意愿不断上升。英国又是当时的欧盟轮值主席国，在这种背景下，做好英国的工作，不仅有利于中英关系的进一步发展，也将对中欧关系发展产生积极作用。

2005年11月8日至10日，我陪同胡锦涛主席对英国进行了国事访问。

2006年2月21日，在北京人民大会堂与来访的英国副首相普雷斯科特举行会谈。

访问期间，胡主席会见了英国女王伊丽莎白二世、上下两院议长、议会中国小组主席，并与布莱尔首相举行会谈。

两国领导人就推动中英全面战略伙伴关系发展的具体举措深入交换意见，达成多项共识。双方一致认为，中英建立全面战略伙伴关系，标志着两国关系进入新的发展阶段，同意继续保持双方高层交往的良好势头，加强政治对话，进一步深化双边合作，将卫生和奥运列为双方新的重点合作领域。英国领导人表示，中国的发展给英国和整个世界都带来了机遇，英中两国可以在贸易投资、技术转让、能源和可持续发展等方面，进行更加密切的合作。

访问期间，我与普雷斯科特举行了对口会谈，就双方小组的工作重点交换意见。我们一致认为，当前双方小组工作的重点应该是推动落实两国领导人已经达成的共识，将访问成果落到实处。

我们都同意，双方小组要始终走在两国关系发展的最前沿，为双边关系发展建言献策。小组应保持工作的前瞻性和规划性，同时不断增强实效性。

我和普雷斯科特还共同签署了《中英可持续发展高级别对话机制联合声明》。

这次访问中，有一场活动给我留下了尤为深刻的印象。那是在英国皇家美术学院举办的“盛世华章”故宫文物展。胡锦涛主席夫妇和英国女王夫妇共同出席了展览开幕式，并为展览剪彩。

“盛世华章”展览共展出中国清代自1662年至1795年之间康熙、雍正和乾隆三代皇帝时期的四百多件艺术珍品。展品包括宫廷书画、陶瓷及装饰品，所有展品都来自北京故宫博物院，许多展品是第一次向公众展出。这是故宫博物院在境外举行的规模最大的一次展览。

“盛世华章”展览成为胡主席访问的一大亮点。展览盛况空前，展期历时五个月，参观者络绎不绝，据日后统计，多达32万人次，创下了英国皇家美术学院展览的历史纪录。英国媒体也对这次展览进行了大量报道，给予了高度评价。

“时代中国”展魅力

“盛世华章”展览在英国举办，大大激发了英国民众了解中国文化的热情。

2007年，普雷斯科特访华时告诉我，英国工商界打算举办一次名为“时代中国”的大型文化交流活动。他向我介绍说，这项活动大约历时半年，将于2008年2月以庆祝中国春节为开端，一直延续到8月8日北京奥运会开幕。

根据计划，将在全英二十多个城市举办八百多场活动，内容涵盖文化、经贸、教育、科技、体育等众多领域，包括“秦始皇兵马俑展”、“中国妇女周”、“中国之味美食节”、“当代中国创意展”、“中医药周”等丰富多彩的主题活动。

这将是英中交流史上规模最大、历时最长、层次最高、内容最丰富的盛大活动。

普雷斯科特邀请我届时出席“时代中国”活动的开幕式。

我认为这件事很有意义，当即愉快地接受了邀请，并预祝“时代中国”取得成功。

我之所以认为这件事有意义，主要有两点。

一是有助于增进英国普通民众对中国的了解，增强对中国文化的认同感。随着中国综合国力的提升和中英关系的发展，英国各界普遍希望进一步了解中国，加强与中国的合作，从中国发展中受益。但英国普通民众对中国的了解并不多。根据2007年7月英国一项民意调查显示，在大约两千名接受调查的民众中，多数英国人熟悉的中国人只有毛泽东、孔夫子和成龙。这表明，举办这样一次大型的文化交流活动非常必要。

二是这个活动实际上已经突破了单纯文化交流的范畴，为两国在各领域的交流搭建了十分有益的平台。中国的中医药、传统美食、服饰、影视动漫等许多产品都可以借助这个平台，向英国公众展示自己独特的魅力，促进双方的人文交流，增进英国民众对当今中国发展变化的了解。

我对外交部的同志表示，一定要与英方密切配合，办好这个活动。

中央对英方举办这个活动也给予了充分的肯定和支持。温家宝总理特别指示，“时代中国”活动有助于加强中英人民之间的沟通和了解，希望双方共同努力办好这一活动。中央同意我届时以国务委员、中英关系协调小组组长双重身份对英国进行正式访问，并出席“时代中国”开幕式。

英国官方也十分积极。虽然普雷斯科特回国后不久，英国政坛发生了变化，布朗接替布莱尔担任英国首相，普雷斯科特也辞去了副首相的职务，但英国官方对举办“时代中国”活动的积极态度并

2008年2月18日晚，在“时代中国”开幕式上致辞祝酒。

未改变。布朗首相就任后不久即表示，这个活动是很有价值并令人振奋的。

2008年2月16日晚，我抵达伦敦。这是我对英国进行的第二次正式访问。

2月18日晚，我出席了“时代中国”开幕式。开幕式在伦敦金融城的市政厅举行。市政厅是一座古老的建筑，建于1411年，很多重大活动都曾在这里举行。

那天晚上，市政厅的大厅内灯火辉煌，三百多名中英各界人士聚集一堂，庆祝“时代中国”开幕。英国外交大臣米利班德出席了开幕式。

米利班德是2007年6月出任英国外交大臣的，当时他只有42岁，是工党“少壮派”领军人物。那是我第一次见到他，虽然没有时间与他深谈，但能感觉到他精力充沛，思维活跃，有创新意识，对中国也比较友好。

参加开幕式的各界人士纷纷盛赞中国的发展成就，希望以“时代中国”活动为契机，扩大中英友好交流与合作。

现场气氛深深地感染了我。我在致辞中首先热烈祝贺“时代中国”活动隆重开幕，赞扬“时代中国”组委会的创意，称他们发起并主办“时代中国”是中英关系史上的创举，既沟通了两国人民的心灵，又推进了双边各领域的合作。中国政府高度重视并全力支持“时代中国”活动，愿以此为契机，进一步加深中英两国人民相互了解和友谊，使两国文化交流成为不同文化之间相互借鉴、求同存异、共同促进人类文明繁荣进步的典范。我衷心祝愿“时代中国”活动取得圆满成功。

在出席“时代中国”开幕式之前，我和布朗内阁主要成员进行了广泛接触。

布朗是英国资深政治家，与布莱尔齐名，为工党改革派核心人物。1997年，布朗担任财政大臣后，锐意改革，展现出卓越的管理才能，被英国媒体称为200年来最成功和最具权威的财政大臣。他担任财政大臣期间，英国经济保持长期增长，增速超过七国集团的其他成员。

布朗于2007年6月出任首相，2008年1月便来华访问，足以看出他对中国的重视。当我去唐宁街10号首相府拜会时，他还沉浸在对中国之行的美好回忆中，多次向我提起一个月前的访华经历，高度评价中国的发展成就，称赞中国经济的增长为世界的稳定与发展作出了突出贡献。

我向他转达了胡锦涛主席、吴邦国委员长和温家宝总理的亲切问候和良好祝愿，谈了我对中英关系的看法，介绍了我这次访英的情况，以及对下一步发展中英关系的建议。

我讲完后，布朗首相对我说，他认为英中关系正处于历史最好时期，英国将致力于深化同中国的全面战略伙伴关系。他祝愿北京奥运会取得圆满成功。

2008年2月访问英国期间，在克拉伦斯宫会见英国王储查尔斯。

通过与布朗的初步接触，我觉得他非常务实，也非常重视中国，看好中国的发展前景。

在离开英国之前，我还会晤了查尔斯王储。查尔斯王储是学历史的，对西藏很感兴趣，但对西藏的实际情况和我国的政策缺乏了解。我们以前和他接触很少，这一次是他主动要求与我见面，并且为此特地调整日程。

考虑到查尔斯的“西藏情结”，我向他详细地介绍了西藏的历史及其社会、经济、文化、宗教等方面的发展与变化，阐明了我们在涉藏问题上的立场，希望他能准确了解和把握西藏真实的情况。查尔斯王子向我介绍了他从事的主要社会公益活动，希望其指导下的基金会能与中方多开展交往，增加交流。

从1998年到2008年，整整十年过去了。十年间，中国发生了巨大变化，中英关系也发生了巨大变化。

卸下历史包袱的中英关系不断得到改善和发展，从全面伙伴关系发展为全面战略伙伴关系，确立了新的定位。我衷心希望中英关系今后能够沿着正确的方向健康、稳定地不断向前发展。

中法关系：快速发展跨世纪

我第一次踏上法兰西的土地是1998年4月，陪同朱镕基总理对法国进行正式访问。

法国是一个历史悠久的文明古国。从浩如烟海的政治、思想、社会和文学著作中，我们可以了解到一个五彩斑斓的法国社会，在心目中描绘出一个与众不同的“法兰西”。法国是英才辈出的摇篮，卢梭、孟德斯鸠、伏尔泰点燃了启蒙运动思想的火花，拉伯雷、巴尔扎克、雨果等文学巨匠留下了旷世佳作，笛卡尔、巴斯德、居里夫人为人类科学作出了卓越贡献。法国是经历血与火的洗礼、具有革命精神的国家，资产阶级大革命、巴黎公社运动激励了无数人为民族复兴奋勇献身。巴黎圣母院、卢浮宫和凡尔赛宫荟萃了人类文明的众多瑰宝。我一直期待着能亲身领略法国博大精深的人文魅力，深入了解法国的政治与社会生态。

法国也是一个在世界上有重要影响的大国，既是安理会常任理事国，又是欧盟创始国，在欧盟和国际事务中发挥着重要作用。

法国是第一个与新中国正式建交的西方大国。1964年1月27日，毛泽东主席与戴高乐将军做出两国建立大使级外交关系的历史性决策，当时被西方媒体喻为“外交核爆炸”，对世界格局产生了深远的影响。建交以来，中法关系虽然有过波折，但总体上是向前发展的。

法国在我国外交全局中占有重要位置。我非常关注对法外交，将如何搞好对法工作作为一项重要任务。

1998年4月5日至7日，在结束访问英国并出席首届中欧领导人会晤和第二届亚欧会议后，朱镕基总理对法国进行正式访问。访问期间，朱总理同希拉克总统、若斯潘总理等法国领导人进行了深入务实的会谈，会见法国参议长莫诺里，并在法国雇主协会和法中委员会联合早餐会上，就推动两国经贸合作发表了重要讲话。

4月6日上午，我陪同朱总理前往爱丽舍宫，会见法国总统希拉克。爱丽舍宫坐落于巴黎市中心最繁华的香榭丽舍大街北侧，始建于1718年，起初为一贵族府邸，1764年成为王室财产。此后多次易主，拿破仑及约瑟芬皇后均曾在此居住过。1848年开始成为总统府。

这是我第一次见到希拉克总统。希拉克总统身高1.9米多，笑声爽朗，思维敏捷，举止优雅。他对中法关系的战略思考和对中国文化的热爱和造诣，都给我留下了深刻印象。

朱镕基总理与希拉克总统进行了亲切友好的谈话。希拉克总统对朱总理说，法国重视发展与中国的关系，这不仅有政治和经济原因，还有历史和文化原因。法国愿意全面发展对华关系。他对前一年5月访华印象深刻。

朱总理表示，中国政府将继续从战略高度看待中法关系，愿在双边关系和国际问题上加强合作，共同致力于世界和平、稳定与繁荣。

中午，希拉克总统专门在总统府为朱总理举行了盛大的欢迎午宴。午宴后，朱总理前往法国总理府马提翁宫，与法国总理若斯潘举行会谈。

马提翁宫位于巴黎市中心政府机构比较集中的第七区，建于1721年，原为一位法国元帅的府邸，1935年起成为法国总理府。

在会谈中，若斯潘总理对朱总理表示，中国在国际舞台上正扮演日益重要的角色，中国正在扩大开放的基础上迎来新的经济腾飞，这些都必然会为实现国际关系的均衡提供有利的条件。法国作为中国的友好国家，关注着中国的发展。

朱总理赞赏若斯潘总理推行对华友好政策，表示中国将一如既往地重视同法国的关系，愿与法方共同努力，不断促进两国在各个领域的友好互利合作。

会谈中，朱总理邀请若斯潘总理年内对中国进行正式访问。若斯潘总理愉快地接受了邀请，并于当年9月24日至26日回访中国。

在我们赴伦敦出席亚欧会议之前，法方提出，法国外长韦德里纳希望在朱镕基总理访法期间，与陪同访问的中国新任外长举行对口会谈。当时我就任外长仅有半个多月，也想尽快地与法国同行建立起直接联系，以更好地开展工作。

4月6日，在陪同朱总理活动的间隙，我前往法国外交部与韦德里纳外长举行会谈。韦德里纳外长是资深外交官，曾长期在总统府工作。他很重视对华关系。

我与韦德里纳外长虽是首次见面，但谈得很投机，不仅就双边关系，而且就一些重大国际问题交换了意见。

韦德里纳外长说，法中关系在法对外政策中占有重要位置。与中国发展关系绝非追逐时髦。两国都希望构筑一个在平衡基础上的多极世界，法中两国可以在其中发挥重要作用。

我对他说，中方一贯从战略高度看待两国关系，认为中法两国作为世界大国和安理会常任理事国，都是负责任的重要国家。两国加强合作对整个国际形势演变将产生积极影响。我还向他建议，两国外交部、常驻联合国代表团和多边机构代表团之间应进一步加强沟通与协调。韦德里纳外长对此深表赞同。

朱镕基总理此次法国之行，是中国新一届领导集体上任后，中方对法开展的首次重要外交行动，也是中法建立面向21世纪全面伙伴关系之后第一位访法的中国领导人，访问为进入新世纪后中法关系的跨越式发展奠定了坚实基础。希拉克总统也表示，朱总理此访表明，法国奉行的与中国进行“建设性对话”政策取得了“令人欢迎的成果”。

就我个人而言，无论是法国的外交理念、对中国的态度，还是法兰西怡人的自然风光、巴黎古老建筑散发的历史感、塞纳河的旖旎多姿和法国人的热情奔放、浪漫、健谈，都给我留下了深刻而美好的印象。

此后，我于1999年、2001年和2002年三次正式访法，并多次陪同国家领导人往访，亦曾会见了许多来华访问的法国代表团，亲历了中法关系快速发展的全过程。

首次正式访法国

1999年1月15日至16日，我作为中国外长对法国进行了第一次正式访问。

我就任外长后，法方多次提出希望我尽快回访法国，以保持两国外长的定期互访。

1998年，国际形势发生很大变化，特别是伊拉克核查危机爆发，年底美国对伊拉克发动了代号为“沙漠之狐”的空中打击。

中法在伊拉克等许多国际问题上有相似或相近的看法，在联合国等多边机构也进行了良好合作。我认为双方有必要进一步密切沟通与协调。1999年初，我在访问非洲之后，对法国进行了访问。

1月15日中午抵达巴黎后，我即与法国外长韦德里纳举行了会谈。那时，我们已经多次见过面，彼此都很熟悉了。我们重点就国际形势和伊拉克问题深入交换了看法。

关于国际形势，我对他说，冷战后国际上出现了两大趋势，即多极化和经济全球化。现在这两大趋势都在加速发展。但个别国家不愿接受多极化加快发展的事实，仍然坚持冷战思维，理所当然地遭到多数国家的抵制。中国一贯主张，未来世界应是多极世界，这既是形势发展的需要，也是必然结果。

韦德里纳外长同意我的观点。他说，法国希望看到一个多极世界，而不是单极世界。各“极”之间具有平衡、稳定的关系是多极世界的前提。

我们一致认为，中法作为国际上有影响的国家，对许多重大国际问题有广泛的共识，两国要进一步加强在国际事务中的合作，为建立公正、合理的国际政治、经济新秩序作出贡献。

关于当时国际上广泛关注的伊拉克问题，我向韦德里纳外长介绍了中国的立场，并强调指出，中方一贯认为，抛开安理会授权，采取单方面军事行动，对伊问题的解决和国际形势都会带来严重的消极影响。

韦德里纳外长表示，美国对伊政策的核心是进行惩罚，法国认为应以解决问题为目的。目前在伊问题上出现了新形势，应采取新的方式，特别是要加强联合国和安理会的作用，法中双方应该就此加强协调。

第二天，希拉克总统在爱丽舍宫会见了我。这是我第一次与他面对面交谈，交谈中我感到他深具战略眼光，是位世界级的政治家，而且非常平易近人，极具亲和力。

我记得当天希拉克总统是专程缩短了在外地视察军队的时间，于傍晚时分赶回巴黎的。我们的会见安排在17点半，预定一个小时。但当天希拉克总统谈兴很浓，和我谈了将近九十分钟。

希拉克总统对我说，进一步加强同中国的合作是法国政府的既定方针，法国愿同中国一道努力，推动两国关系更快发展。

我对希拉克总统表示，法国是第一个与中国建交的西方大国，今年两国将迎来建交35周年。中国一贯重视中法关系，愿同法方加强合作，为推动两国关系向更高水平发展而共同努力。

会谈中，希拉克总统还对我说，他很喜欢中国的诗词，尤其喜欢李白和杜甫的诗。他还专门拿出江泽民主席为他手书的李白诗作《静夜思》，连声称赞江主席的书体很美，是他最喜欢的中国书法之一。

会见结束后，希拉克总统亲自把我送到总统府门口，并让记者拍照，直至我乘车离开。我知道，这是基于希拉克总统对中国的友好感情。

蓬门今始为君开

在这次访问中，希拉克总统还向我提出，希望邀请江泽民主席访问法国。

江泽民主席曾于1994年访问过法国。那是我国第三代领导集体成立后中国国家元首首次访问西方大国，开启了中欧关系的新篇章。希拉克总统也曾于1997年对中国进行了首次国事访问。访问期间，两国发表《联合声明》，决定建立面向21世纪的全面伙伴关系。此后，中法各领域合作加速发展。

在向我当面提出之前，希拉克总统曾于1998年底写信邀请江主席再次访问法国。这次向我当面提出邀请江主席来法时，他特别提出希望请江主席到他的家乡科雷兹省进行访问。在外交上，邀请外国领导人到自己家乡访问，是一种特殊礼遇。

希拉克总统在短短几个月内多次恳切邀请江主席访法，这向我们发出了一个很明确的外交信号，表明希拉克总统非常重视法中关系。他自己也多次说过，中国是未来多极世界中的重要一极，将很快成为世界强国，法中之间应该有更加密切的交流与合作。

那个时候，“元首外交”还不像现在这样频繁。按照当时的惯例，中国最高领导人在任期间，一般很少对一个国家多次进行国事访问。

不过我们面临的国际环境变化很快。冷战结束后，法国希望在外交政策上保持自己的独立性，在国际事务中发挥更多的作用。对我国而言，发展和提升对法关系，也有利于带动中欧关系，巩固和加强中国在国际上的地位和作用，推动世界多极化的发展。

外交部给中央上呈报告，建议江主席接受希拉克总统的邀请，再次对法国进行国事访问。这一建议得到了中央的批准。

法方高度重视此次访问。希拉克总统亲自过问访问日程，多次指示法国外交部等部门不要拘泥于礼宾规定与惯例，必须尽最大努力安排好江主席的访问。希拉克总统夫人还专程回家乡陪同中方先遣组实地考察，为江主席访问做了细心周到的准备。

外交上很讲究礼遇和规格，对于不同性质的访问，接待规格也很不相同。领导人访问大致分为正式、工作和私人访问。国事访问是正式访问的一种，是一国元首邀请另外一国元首访问自己国家。

通常而言，国事访问都要先在首都举行欢迎仪式和正式会谈、会见，再赴外地参观访问。但是这一次，为了给两国元首的直接交流创造条件与气氛，同时显示两国元首的亲密关系，双方商定，江主席先赴里昂以及希拉克家乡进行“私人访问”，之后再到巴黎进行正式访问。

1999年10月22日至25日，钱其琛副总理和我陪同江主席对法国进行了第二次国事访问。这次访问中，法方给予江主席的礼遇之高，两国元首在一系列重大问题上交谈之深入，都给我留下了非常深刻的印象。

22日晚，江主席夫妇乘专机抵达访问第一站里昂，法国前总理、里昂市长巴尔前往机场迎接，并在里昂市中心的市政厅为江主席举行盛大欢迎宴会。

23日中午，希拉克总统夫妇特意从巴黎赶到里昂，在一家叫“玫瑰塔”的百年老店，设宴款待江主席夫妇和我们几位主要陪同人员，请大家品尝当地风味的菜肴。

此次访问的最大亮点，是江主席应邀到希拉克总统位于家乡科雷兹省的私邸——碧蒂古堡做客。

科雷兹省位于法国中部的中央高原，面积5857平方公里，人口23万，距离巴黎四百多公里。1964年，还是蓬皮杜总理办公室专员的希拉克买下了这座有四百多年历史的碧蒂古堡。这是希拉克第一次在家中接待外国元首。

23日下午，在希拉克总统夫妇的陪同下，江主席夫妇乘希拉克总统专机抵达科雷兹省，下榻碧蒂古堡。我和其他陪同人员住在离古堡不远的乡绅饭店。江主席在科雷兹省停留了近二十个小时。

这期间，希拉克总统陪同江主席在科雷兹省的所有活动，深入交谈的时间累计长达十个小时，话题涵盖国际形势、中欧关系、中法关系，涉及西藏、台湾、人权等敏感问题及北约轰炸中国驻南联盟使馆等等，非常广泛。

在与希拉克总统的交谈中，江主席强调，世界是丰富多彩的，不能是一个单极世界，希望中法加强在各个领域的合作。

希拉克总统对此表示赞成，并说，中国毫无疑问将在50年内成为世界一流强国，是多极世界中的重要一极。法国正是基于这一考虑才认为世界终将是多极化的。

双方一致决定建立两国元首热线，开展战略对话，推动欧盟解除对华军售禁令。这是第一位欧盟国家领导人对我国表示支持欧盟解禁。

关于中欧关系，希拉克总统向江主席介绍了欧洲形势，并表示，欧盟在实现统一市场和货币后，正在努力加强共同防务政策。如果欧洲想在未来多极化世界里保持独立，就必须加强防务联合。中国和欧盟都是世界上的重要一极。欧中有必要加强对话。

江主席详细介绍了西藏历史和我们在涉藏问题上的立场。希拉克总统说，西藏问题是中国的内政，我们对西藏是中国领土的一部分毫不质疑。

在台湾问题上，希拉克总统表示，法国将坚持奉行一个中国政策，希望能以“一国两制”和平解决台湾问题。

这是第一位西方大国领导人明确表示支持“一国两制”政策。

关于人权和民主问题，江主席说，国际上某些舆论说中国没有民主，这是与事实完全相背离的。中国共产党不论在建国前还是建国后，都支持民主。但民主是相对的而非绝对的，它应当符合中国的国情。

希拉克总统表示，自从法国改变了在涉华人权问题上的做法后，这一问题取得了进展。希望中国在人权方面不断进步，但当然不能破坏稳定。

两国元首还就欧洲、亚洲形势、国际货币金融体制改革、科索沃危机、全面禁止核试验、俄罗斯和车臣、印巴局势等国际问题交换了意见，每个问题都谈得很深入。

江主席对希拉克总统说，我同许多国家的领导人见过面，但像同总统先生这样长时间地深谈，还是第一次，可以用“推心置腹、增进友谊、求同存异”来概括我们的谈话。希拉克总统对此深表赞同。

1999年10月24日下午，江主席从科雷兹机场乘希拉克总统的专机到达巴黎。希拉克总统为江主席举行了隆重的欢迎仪式。江主席开始了在法国的正式访问。

在巴黎，两国元首进行了正式会谈，并举行联合记者招待会。江主席还会见了法国总理若斯潘、国民议会议长法比尤斯、参议长蓬斯莱，并在法国雇主协会发表演讲。

江主席这次访问是世纪之交我们对欧洲采取的一次重大外交行动，在法国乃至全欧洲都产生了巨大影响。希拉克总统称“这是法中友好关系史上的一件大事，标志着两国关系进入一个新的发展阶段”。

法各界人士普遍认为此访“异乎寻常”，“十分成功”，“将对法中关系产生深远影响”。法国媒体对访问给予极大关注，报道充分，内容广泛，积极客观，称“法国在中国外交中占据着重要位置，是唯一先后两次接待江主席进行国事访问的西方国家。中国已成为法国的首选合作伙伴，法中合作应着眼未来，有利于建立多极世界”。

2000年10月希拉克总统访华，与江泽民主席就中法关系的发展达成了许多共识，如建立元首热线，开展战略对话等，需要双方协调逐一落实。

同时，2001年初，国际形势又面临新的问题和挑战。美国新总统布什上台后，对美国外交政策进行了大调整，执意推行国家导弹防御计划（NMD），并联合英国对伊拉克进行空袭。法国反对美国发

2001年4月2日，在巴黎会见法国外交部长韦德里纳。

展和部署国家反导系统，谴责美英轰炸伊拉克。中法以及其他爱好和平的国家采取了近似立场，积极磋商，共同为世界和平而努力。

在这一背景下，我接受法方邀请，于2001年3月31日至4月2日，对法国进行第二次正式访问。

在拜会希拉克总统时，我说，去年10月你访华以来，中法关系又有了新发展。你与江主席达成的共识正在得到全面落实。中法在一系列问题上有广泛的共同利益，两国加强合作不仅对两国有利，而且有利于维护世界和平与稳定。

希拉克总统对法中两国关系的发展现状表示满意，希望双方共同努力，加强对话，增进了解，推动两国在政治、经济和文化等领域的交流与合作。

在与韦德里纳外长会谈时，他主动跟我谈及对美国新政府对外政策的看法。他说，美国新政府十分看重自身实力，没有对外谈判和对话的意识，对外政策很强硬。他认为美新政府不会搞孤立主义，而会搞单边主义，我行我素。

后来美国在发动伊拉克战争等问题上的态度证明了韦德里纳外长当时的分析是符合实际的。

申博之后访法国

2002年7月初，我还对法国进行了一次特殊访问。那次访问的主要目的是为中国申办世界博览会进行陈述。中方派出了一个重量级代表团与会，由吴仪国务委员亲自挂帅，我和外经贸部、上海市及贸促会领导是代表团成员。

世界博览会，又称国际博览会或万国博览会。第一届世界博览会于1851年在英国伦敦海德公园举办，历时六个月。此后，巴黎、维也纳以及美国的费城、芝加哥等欧美大城市又举办过多届世博会。

1928年11月，来自31个经常参加世博会的国家的代表举行会议，签订《国际展览会公约》，决定成立国际展览局，总部设在巴黎，协调组织世博会的举办事项。国际展览局是国际性政府间组织，所有成员国在决定世博会承办国家时均有一票。

国展局每年举行两次大会，2002年时仅有89个成员国，现在有155个成员国，中国1993年5月正式加入国际展览局。

世界博览会分为两种，一种是综合性主题的博览会，展期通常为六个月。这种大规模的博览会每五年举办一次，2010年上海世博会就是综合性博览会；另一种是专业主题的博览会，展期通常为三个月，如1999年云南昆明世界园艺博览会。

北京已经于2001年7月13日获得第29届奥运会举办权。当时我们之所以还要申办这次世博会，主要是考虑到世博会是展示人类在经济、贸易、文化等领域的成就、增进各国了解与合作的重要场所。

中国经济已经持续23年快速发展，在各个领域都发生了翻天覆地的变化。我们可以借举办世博会之机，向世界全方位展示中国取得的辉煌成就，加强与世界各国的交流与合作。从国际上看，凡举办过世博会的国家，都把它作为拉动经济、扩大合作、提高国际地位的重要平台。

2001年5月，中国正式向国际展览局递交了上海举办2010年世博会的申请函。世博会是以国家名义申办的，因此，作为外交部长，我代表中国政府于2001年5月2日正式签署了申请函。

当时，韩国、阿根廷、墨西哥、波兰和俄罗斯等国也提出了申办请求，他们的实力都很强。中国要成功获得主办权，并不是一件容易的事，需要通过各种渠道，包括外交渠道广泛做工作。为此，我要求外交部密切配合上海市等相关单位积极做好申办工作。

国际展览局将于2002年12月确定2010年世博会的举办国。此前，国际展览局要对每个申办地进行详细的考察，并听取申办国的陈述。陈述的好坏对争取成员国的支持十分重要。

陈述安排在2002年7月2日下午两点半到五点，每个国家30分钟，中国代表团第二个上台。

陈述要用英语，不能通过翻译。为了准备这次陈述，我还真是花了不少功夫。虽然我早年曾在上海复旦大学学过三年英语，但后来改学日语，又长期从事对日工作，使用英语的机会甚少，英语已经不熟练了。因此，拿到英语陈述稿后，我认真、细致地准备了一番，并请教了外交部国际司一位擅长用英语演讲的同志，在发音、语调、节奏等方面都进行了反复练习。

在吴仪国务委员做了全面陈述后，我重点阐述了中国政府的各项具体承诺。我说，当今的中国，已是世界的中国。中国已形成全方位、多层次、宽领域的开放新格局，并致力于在平等互利的基础上与所有国家发展政治、经济、文化等各领域的友好合作关系。我们期待着与世界其他国家一道拓展合作空间，同辉煌，共发展。中国政府保证在财力上给予上海世博会充分的支持；为使世博会的参与更具普遍性，中国愿为广大发展中国家的参展提供专项基金；中国将严格执行《国际展览公约》的规定，对所有参展国家和地区的人员和货物提供一切必要的礼遇和便利。

中方代表团的陈述博得了与会代表的好评。国展局主席诺盖斯说，中国以最佳方式体现了自己的实力。

这次陈述工作非常成功，为我们几个月以后的胜利打下了很好的基础。2002年12月3日晚，在摩纳哥蒙特卡洛举行的国际展览局第132次大会上，上海终于赢得2010年世博会主办权。我们的国家又一次赢得了世界的认可和尊重，上海也迎来了又一个难得的发展机遇。

申博陈述工作结束后，我对法国进行了第三次正式访问。一个月前，法国刚刚组成新一届政府。

2002年7月4日，我与法国新任外长德维尔潘在法国外交部举行会谈，就中法关系及共同关心的许多国际问题坦诚地交换意见，谈得很深入。

我首先祝贺德维尔潘就任外长。我对他说，中法建交近四十年来，两国关系不断向前发展。1997年，两国建立了面向21世纪的全面伙伴关系，这成为两国关系史上一个新的里程碑。中国一向重视法国在世界和欧洲的重要地位，愿同法国发展长期稳定的全面伙伴关系。在当前复杂多变的国际形势下，中法应该加强合作，不断提升两国关系的水平。

德维尔潘外长表示完全赞同我对两国关系的评价。他对我说，发展对华关系是法国外交政策的重点，法国高度重视中国在国际事务中的影响和作用，希望密切与中方在联合国等国际组织中的合作与协调。法国将通过进一步扩大两国在经济、科技、教育、文化等各领域的交流与合作，实现两国伙伴关系的全面发展。

次日，拉法兰总理在马提翁宫会见了我。这是我第一次见到拉法兰。拉法兰长期在地方任职，出任总理前在法国政坛不太为人熟悉，被有些媒体称为温和的“老好人”。他给我的第一印象是开朗、温和、慎重，对中国很友好。他后来成为中法友谊积极而坚定的推

2002年11月24日，在法国斯图加特按当地传统风俗参加欢迎仪式。

动者，每当中法关系遇到困难时，他都会挺身而出。

拉法兰总理一上来就高兴地对我说，外长先生，你是我在发表施政演说后会见的第一位外国客人，这充分体现了我们两国之间的友好关系。我非常关注中国的改革开放，钦佩中国取得的成就。

我感谢拉法兰总理的会见，称赞他对中国的友好之情，并对他说，中国一贯重视同法国的关系，法国是在欧洲和世界上有影响的大国，在世界多极化和经济全球化继续发展、国际形势仍充满复杂因素的情况下，中法更应加强在双边及国际事务中的合作，造福两国人民，并为世界的持久合作与繁荣作出贡献。

我和拉法兰总理就中法关系、中欧关系、经贸、文化等各领域的合作交换了意见。

拉法兰总理说，法中经贸合作已有良好的基础，具有巨大潜力。今后双方还应加大在文化、教育等方面的合作。两国均主张世界多极化，在许多重大国际问题上有着相似或相近的看法。法方愿与中方一道努力推动法中全面伙伴关系深入发展。

会谈结束时，拉法兰总理向我表示，他以前曾经访问过中国，留下了美好、深刻的印象，希望担任总理后能够尽快访华。我当即表示欢迎。

后来，经双方商定，拉法兰总理的访问安排在第二年的4月下旬。

患难之中见真情

“天有不测风云”。在拉法兰总理访华前一个月，中国国内爆发了严重的“非典”疫情，抗击“非典”的工作非常繁重，形势十分严峻。

当时，一些国家领导人提出推迟访华。当我们和法方就拉法兰总理访华事宜进行沟通和协商时，法方表示拉法兰总理愿意如期访华。

可以想象，拉法兰总理做出这一决定很不容易。他到北京以后曾对记者表示，当时法国国内有很多人建议他推迟行程。但希拉克总统非常支持他如期访华，这更加坚定了他的决心。拉法兰总理说，在责任面前，我绝不当逃兵。这个责任，就是加强法中合作。在中国遇到困难的时候，法国应当向中国表达同情和友谊。

国内外对此访期待很高。我对外交部提出要求，接待工作不仅必须万无一失，而且要比平时更出色。

中央对此次访问非常重视。主管卫生工作的吴仪副总理亲自挂帅，各相关单位倾力合作，651位工作人员克服各种困难，加班加点，做了大量周到细致的准备工作。

2003年4月22日，吴仪副总理专门召集外交部、卫生部、北京市、协和医院、国家大剧院、钓鱼台国宾馆、人民大会堂、王府饭店、首汽国宾队等单位开会，就接待工作再次做出细致部署。

访问前夕，吴仪副总理还亲自会见法国驻华大使蓝峰，坦诚介绍国内“非典”形势和中方针对此访所做的周密卫生保障安排，赢得了法方的理解和信任，也为访问成功打下了坚实基础。

4月25日清晨7点半，一架空客A310飞机缓缓降落在首都机场南停机坪，拉法兰总理率上百人的代表团抵达北京。一下舷梯，拉法兰总理就表示，访问期间，我和代表团成员都不戴口罩，我相信中方有能力控制“非典”。

也许是被拉法兰总理的精神感染，不仅是法方代表团成员，连双方参与接待的工作人员，也自始至终没有一个人戴过口罩。

从25日早晨7点半抵京至26日中午1点离京，拉法兰总理在华日程安排得丰富而紧凑。中方给予他特殊接待规格，胡锦涛主席破例小范围宴请，温家宝总理亲自陪同参观法国建筑师设计的国家大剧院。胡主席、温总理同拉法兰总理就双边关系和重大国际问题深入交换意见，高度赞扬法国政府对中国人民的“患难真情”，双方还签署了一系列重要合作协议。

中方的热情接待使拉法兰总理的访问非常成功，这给他留下了深刻的印象。2005年他以总理身份第二次访华，成为中法关系史上唯一两次访华的法国总理。他第二次访华时，适逢中国《反分裂国家法》出台。访问期间，他多次重申坚持“一个中国”原则，对中国制定《反分裂国家法》表示理解。

卸任后，拉法兰当选参议员，继续积极致力于法中关系的发展。2005年11月，他在外交学院演讲时曾深情地说：“我有无数的理由告诉自己，你必须要成为中国的朋友！”

2008年4月，奥运火炬传递途经巴黎时，在反华势力甚嚣尘上、法政界不少人噤若寒蝉之时，拉法兰挺身而出，出席了在埃菲尔铁塔举行的火炬起跑仪式，并对新闻界发表了义正辞严的讲话。他说：“火炬传递让全世界都沐浴在奥林匹克理想的光辉下，奥运会是各国运动员促进交流、友谊的盛会。虽然我们彼此间存在异同，但奥运会能让大家求同存异。”

拉法兰一再用行动实践了自己的诺言，坚定地支持和维护中法友谊，他是中国人民的好朋友、真朋友。

成功亮相埃维昂

拉法兰总理2003年访华期间，转交了希拉克总统致胡锦涛主席的亲署信，邀请胡主席出席同年6月1日在法国埃维昂八国集团峰会期间举行的南北领导人对话会。

八国集团最初由法国总统德斯坦1975年倡议成立。随着全球化发展及新兴国家的崛起，议题由最初只讨论重大国际经济问题，逐步向国际政治领域扩展。八国的GDP总和曾占全球GDP总量60%以上，因而被媒体称为“富人俱乐部”。

举行南北领导人对话会的设想，是希拉克总统在2003年初提出的。法国作为当年的八国集团峰会主席国，非常希望能邀请中国、印度、巴西、南非等发展中大国与会，共同讨论全球化、贸易、经济增长等重大问题。希拉克总统为此两次致函胡主席，殷切之情溢于言表。

在是否与会问题上，国内最初意见并非完全一致。有些同志担心，八国集团是“富人俱乐部”，中国是发展中国家，我们同八国集团接触可能会对中国在国际上的定位造成影响。何况，当时正处于抗击“非典”的攻坚阶段，国内工作任务很重。此外，我们以前也曾多次婉拒过八国集团其他成员提出的与会邀请。

更多的同志认为，胡主席如能与会，将是我国新一届领导集体上任后首次出访，有利于向国际社会阐述我国在重大国际问题上的主张，推动我们同西方国家关系的发展，对提升我国国际地位、展示新一届领导集体的形象，具有重要的积极意义。

我同意后一种意见。除此之外，我当时考虑的重点是要兼顾国内、国际两个大局。国内抗击“非典”斗争的确牵扯领导人大量时间和精力，但是，出席此次对话会，将是我们向国际社会展示执政能力和国际形象的大好机会，而且外交工作也应该适应形势变化，敢于创新。

进入新世纪后，国际形势和中国的国际地位都发生了深刻变化。中国经济快速发展，各国在国际政治经济关系中都把中国视为一支举足轻重的力量。这次对话会的主题是南北合作，中国作为最大的发展中国家，是否与会不仅关系到中国的国际形象，也关系到建立国际政治经济新秩序等重大战略问题。

经过综合考虑和反复酝酿，外交部向中央正式建议，请胡主席接受希拉克总统的邀请，出席埃维昂南北领导人对话会。这一建议很快得到中央批准。

希拉克总统得知胡主席将出席会议后非常高兴，指示总统府与法国外交部全力做好胡主席与会的接待工作，给予中方特殊礼遇，特别安排胡主席在会上第一个发言。

每年八国集团峰会举办时，都引发世界反全球化组织的大规模抗议活动，安保工作令每个主办国都很头痛，各国挖空心思寻找“清静”之地。法国将峰会选在埃维昂举办，别有深意。

埃维昂坐落在日内瓦湖（法国称莱芒湖）南侧，与瑞士洛桑隔湖相望，风景优美，是个度假天堂。很多人是第一次听说埃维昂，但要说到“依云”矿泉水，大家可能是耳熟能详，这种享誉世界的矿泉水就产在埃维昂小镇。说它是小镇，因为这里仅有7500名居民，连接外界的只有一条高速公路，陆路安全很有保障。由于镇上旅馆不多，中国代表团和出席对话会的其他国家代表团都住在洛桑。

2003年6月1日9点45分，当我陪同胡主席乘船从洛桑抵达埃维昂湖畔时，希拉克总统早已在码头等候。胡主席是希拉克总统唯一前往迎接的与会外国元首。

希拉克总统满面春风，与胡主席亲切握手，并与我和其他陪同人员互致问候。随后，他陪同胡主席赴举办会议的皇家饭店，进行双边会见。

两国元首在轻松、友好的气氛中交谈了一个多小时，就双边关系、国际局势等问题深入交换意见。希拉克总统表示，非常高兴能邀请到胡主席与会，这对中国乃至全世界都具有重大象征意义。法国将在深化同中国双边合作的同时，继续在欧中关系方面发挥带头作用。

胡主席说，在双方共同努力下，中法全面伙伴关系不断巩固和充实。中国高度重视发展中法全面合作伙伴关系，我们对中法关系的前景充满信心。当前国际形势复杂多变，但和平与发展仍是时代的主题。从长远看，世界多极化趋势不会改变。世界上有近二百个国家，六十多亿人口，民族传统、宗教文化、经济发展水平和社会制度各式各样，不可能只采用一种文明形态、一种制度、一种发展模式。中国愿同世界上所有爱好和平的国家和人民一道努力，维护世界和平，促进共同发展。

会晤中，两国元首还就双边关系发展做出战略规划并达成重要共识，其中包括争取在2004年实现两国元首互访。

中午1点30分，胡主席出席南北领导人非正式对话会议，并第一个发言，发表了题为《推动全面合作，促进共同发展》的重要讲话。

胡主席说，经济全球化趋势加速发展已成为当今世界经济一个最显著的特征。但经济全球化既是机遇，也是挑战。人类社会应该抓住机遇，应对挑战，求同存异，扩大合作，促进经济全球化朝着实现共同发展繁荣的方向演进。

胡主席还就促进人类共同发展提出了四点建议：一是采取有力措施，促进全球经济增长；二是倡导和睦相处，维护世界多样性；三是加强多边合作，推动建立国际经济新秩序；四是加大力度，充实南北合作的实质内容。胡主席的建议受到了与会领导人的高度重视。

胡主席此次访问只有短短的35个小时，除出席会议外，与其他与会的18个国家元首或政府首脑及5个国际组织负责人进行了广泛的接触和晤谈，取得了很好的效果，推进了中国同美、法、英、日等西方大国的关系，加强了同发展中国家的团结合作。

胡主席利用各种机会宣示中国对国际形势和重大国际问题的立

场，突出阐述加强南北合作的重要性和紧迫性，积极响应发展中国家提出的合理主张和倡议，并就促进南北合作问题提出切实可行的建议，得到了与会各方的高度赞赏。

胡主席还就中国抗击“非典”问题坦诚介绍情况，赢得了广泛理解和支持。各国领导人和国际舆论普遍赞赏中国政府驾驭局势、应对突发事件、克服困难局面的能力。

以埃维昂会议为开端，中国领导人出席八国集团与发展中国家领导人对话会成为惯例。

中法友谊新高潮

2004年1月26日至29日，应希拉克总统邀请，胡锦涛主席对法国进行国事访问。这是胡主席就任国家主席后首次正式出访西方国家。访问正值中法建交40周年，又恰逢中国春节期间和中国在法国文化年的高潮之际，取得了非常好的效果。

我清楚地记得1月26日下午两点多我们乘专机抵达巴黎奥利机场时的情景。

那天气温很低，天空还飘着细雨，寒气逼人。飞机降落后，我透过舷窗向外看，年逾七旬的希拉克总统伫立雨中，他的夫人站在身旁，撑着一把雨伞。他们正在等候迎接胡主席和夫人的到来。

熟悉对法国工作的同志们都知道，希拉克总统夫妇一起到机场迎接客人，是非常特殊的礼遇。胡主席和夫人快步走下舷梯，与希拉克总统夫妇紧紧握手，互相问候，当时的场面热烈、感人。

从机场的接待就知道法方极为重视胡主席的访问。这次访问创下了好几个第一。访问期间，两国元首共同出席了九场活动，拉法兰总理还亲赴图卢兹，迎候并陪同胡主席参观欧洲空中客车公司，这都是前所未有的。

为给访问营造良好氛围，巴黎市政府还破例同意北京市和旅法华人社团在香榭丽舍大街联合举行中国春节盛装游行。这是首次在香榭丽舍大街上举办外国文化活动。著名的埃菲尔铁塔连续五个夜晚披上“中国红”（红色霓虹灯），这在法国历史上也是首次。

在巴黎的两天访问中，胡主席参加了近二十项活动，与希拉克总统举行了两场会谈，会见了参议长蓬斯莱、国民议会议长德勃雷、总理拉法兰等法国高层政要。希拉克总统、蓬斯莱议长、拉法兰总理分别为胡主席举行欢迎宴会，希拉克总统夫妇还在埃菲尔铁塔凡尔纳餐厅，特别为胡主席夫妇举行了私人宴请。此外，胡主席还应邀在法国国民议会发表演讲，会见了法国工商界人士，并出席了巴黎市的欢迎仪式。

1月27日，在中法建交40周年当天，两国元首共同发表了题为《深化中法全面战略伙伴关系，建立更加安全、更加尊重多样性和更加团结的世界》的联合声明，将中法关系由全面伙伴关系提升为全面战略伙伴关系。

在会谈、会见中，胡主席与希拉克总统等法国领导人就双边关系、中欧关系、务实合作及国际和地区热点问题等坦诚、深入地交换看法，取得了广泛共识。特别是胡主席就台湾问题深入细致地与希拉克总统交谈，取得了很好的成效。

2004年初，正是台湾陈水扁当局借“公投”之名推行“台独”企图闹得最凶的时候，两岸关系处于重要而又敏感的时期。

胡主席在与希拉克总统的会谈中，详细介绍了台海局势及中方立场，强调台湾是中国不可分割的一部分，早日解决台湾问题、实现中国的完全统一，是全体中华儿女的共同心愿。中方坚持“和平统一、一国两制”的方针，愿尽最大努力实现中国的和平统一，但我们坚决反对“台独”，绝不允许任何人以任何方式把台湾从中国分割出去。

希拉克总统当即表示，一个中国的原则是不容质疑的，这是由中国的人口、文化和历史证明的。任何人都不能怀疑台湾是中国的。一个中国的原则有利于和平，应该本着一个中国的原则，由中国人通过自己的方式逐步解决统一问题。希拉克总统明确表示，法国反对台湾“公投”。

这是当时西方国家在台湾问题上最积极的表态。

此外，希拉克总统在欢迎宴会、共同会见记者等公开场合又多次表示，采取包括“公投”在内的、任何破坏现状、导致不稳定的单方面措施，都是危险的，也是不负责任的，这将是一个严重的错误，要对地区不稳定承担重责。

上述表态不啻是对“台独”势力的沉重打击。

胡主席还在波旁宫法国国民议会发表了重要演讲。波旁宫位于巴黎塞纳河左岸、协和广场的对面，自1830年成为法国国民议会驻地以来，只有13位外国领导人在此发表过演讲，胡主席是首位登上国民议会圆形大厅讲坛的亚洲国家元首。

法国政府成员、国民议会议员及各界知名人士六百多人听取了胡主席的演讲。演讲结束后，全场起立长时间报以掌声。德勃雷议长称赞胡主席演讲内容丰富、深刻，很有说服力。多位法国议员对我说，胡主席的讲话向法国民众发出了一个明确信号，法中友好是历史的延续和必然。法中应该携手共同为创造一个更加美好、公平的世界而努力。

胡主席的访问取得了圆满成功，意义重大而深远。正如希拉克总统在会谈中所言，“胡主席将法国作为对欧洲大陆进行首次国事访问的国家，这是一个标志友谊和信任的重要信号，是两国悠久历史上的一个重要新步骤”。

胡主席访法后，两国关系展现出更为强劲的发展势头。

希翁深厚中国情

希拉克总统在中国可谓家喻户晓。我与他初识是在1998年，当时陪同朱镕基总理访问法国。此后，又有机会多次与他单独会见，纵论两国关系和国际问题。

在希拉克担任法国总统12年期间，他对中国进行了四次国事访问，两国政府发表了三份联合声明，中法关系实现了跨越式发展。希拉克被中外媒体誉为“发展对华关系最积极的西方政治家”。

我认为，在对华关系上，希拉克总统是继戴高乐将军后最具长远和战略眼光的法国领导人。他与邓小平、江泽民、胡锦涛等中国领导人都保持了良好的关系。早在20世纪70年代，希拉克就敏锐地感觉到，未来中国必将成为世界重要强国。执政后，希拉克更加认识到，中国幅员辽阔，人口众多，加上经济腾飞，在世界上越来越具有举足轻重的地位和作用，必将成为法国和欧洲在21世纪不可或缺的重要伙伴。这成为他积极发展对华关系的强大动力。2007年3月，希拉克总统在离任前夕再次就中法关系做出重要论断：“在某种意义上，法国未来的国际地位部分取决于对华关系。”

希拉克总统在涉及中国重大、核心利益问题上，给予我们宝贵的支持。执政之初，他力排众议，积极主张同中国开展建设性政治对话，加强在国际事务中的磋商。在他的指示下，法国在1996年日内瓦人权会议上率先不联署、不支持美国的涉华人权提案，并带动整个欧盟不联署、不支持美国提案。

在台湾问题上，希拉克总统一贯坚持一个中国立场，并在2004年公开宣布反对“台独”、反对“公投”，支持中国“一国两制”政策，亲自为2004年中法联合声明中的涉台内容定调。

希拉克总统非常重视两国在文化和青年领域的交流。2000年希拉克总统访问扬州时，与江泽民主席就加强两国文化交流达成重要共识，双方一致同意互办文化年。2003年至2005年，“中国文化年”和“法国文化年”先后在法国和中国隆重举行，双方共举办了六百多项活动，产生了重要而深远的影响，为中西文化交流史增添了灿烂的篇章。

2006年至2007年，两国共800名青年进行互访，有力促进了中

2009年4月29日，在外交学院与被授予名誉博士学位的希拉克合影，右一为外交学院院长、前驻法大使赵进军，左一为赵进军夫人。

法青年之间的交流，为两国人民世代友好奠定了基础。

如果说希拉克总统的战略眼光和对中国的战略定位决定了他发展对华关系的大方向，那么，他对中国文化的执著热爱和深入研究，则使他对发展两国关系充满激情。

希拉克总统熟悉并酷爱中国艺术，尤其对青铜器情有独钟，熟读各种青铜器专著，造诣堪与中国青铜器专家相媲美。他与上海博物馆馆长马承源因青铜器而结缘的故事被传为佳话。1997年访华期间，他与马承源相谈甚欢，以至于专机不得不推迟起飞。2004年10月，马承源馆长不幸逝世，正在上海访问的希拉克总统专程派人送去了花圈，致以哀思。

还有一个小插曲也给我留下很深刻的印象。2006年10月希拉克总统最后一次作为国家元首来访时，我陪同胡锦涛主席在钓鱼台养源斋为希拉克总统夫妇举行小范围晚宴。席间，希拉克总统与胡主席谈到不久前湖南出土的陶瓷上的符号。希拉克总统说，我认为这是中国早期的文字，这说明中国文字的出现比甲骨文还早。他对胡主席说，历史会证明我的看法是正确的。

可见，希拉克总统对中国文化的了解超出一般人的想象，令许多中国学者刮目相看。

从历史和现实的角度以及中法关系大局看，希拉克作为法国的一位伟大政治家，对中法关系发展作出的历史性贡献，不仅得到中法两国人民的充分肯定，更将永载史册，这将为今后的历史发展所证明。

鉴于希拉克对中国文化和历史的深刻理解和广博学识，以及对中法关系发展所作出的巨大贡献，2009年4月29日，外交学院院长、中国前驻法国大使赵进军在外交学院大礼堂主持隆重的仪式，授予希拉克外交学院名誉博士学位，并邀请希拉克向五百多名外交学院师生做了题为“金融危机与新的全球治理”的演讲。我应邀出席并与希拉克进行了晤谈，老朋友重逢，彼此格外亲切。

老友重逢话尊重

2008年3月从国务院领导岗位上退下来以后，我很少出席外事活动。

2009年初的一天，我接到外交学会和中国人民对外友好协会的邀请函，说法国前总理拉法兰将率领法中友好代表团来华出席纪念中法建交45周年研讨会，他们希望我届时也能出席研讨会。

我很想见见这位老朋友。更何况当时中法关系因为萨科齐总统坚持会见达赖出现严重波折，我一直非常关注。在这个时候，能够有机会与拉法兰及两国各界友好人士共同回顾中法关系45年走过的历程，总结经验，面向未来，具有不同寻常的意义。

2009年2月9日恰逢农历正月十五，是中国传统的元宵佳节，京城一片喜庆气氛。坐落于台基厂大街的中国对外友协大礼堂内热闹非凡，纪念中法建交45周年研讨会正在这里举行。

我在发言中回顾了中法关系自建交以来经历的风风雨雨，并且有感而发地说，45年来，中法关系经历过曲折，遭遇过困难，也有过起伏，但只要双方能够从战略高度和长远角度审视和处理两国关系，坚持相互尊重、平等相待、互不干涉内政的基本准则，尊重和照顾彼此核心利益和重大关切，妥善处理分歧，中法关系就能保持稳定、健康发展。

我的讲话得到了拉法兰和其他发言者的积极响应。拉法兰在发言中表示，法中建立全面战略伙伴关系符合两国共同利益。法方珍视法中友谊，尊重中国的主权、统一、领土完整，钦佩中国人民的勇气和智慧，愿意继续与中方开展对话与合作。

研讨会开始前，我在友协的一间会客室里，与这位多年不见的老朋友重逢了。我们愉快地回忆起曾经共事的那些岁月，都深有感慨。

我和他进行了推心置腹的交谈，对他深入地谈了我对中法关系的看法。

我说，在45年前严峻的国际形势下，毛泽东主席和戴高乐将军这两位伟人之所以能够做出中法建交的决断，最主要的一条就是，双方都能以战略眼光和长远观点，从中法两国人民的根本利益和世界发展的大势出发，做出正确决策。事实证明，中法建交不仅为两国和两国人民带来了实实在在的好处，也对中欧关系以及世界的和平、稳定与发展产生深远的影响。

中国一贯主张求同存异、和而不同、和为贵。处理国与国之间的关系，最关键的是要彼此尊重对方的核心利益和重大关切。涉藏问题和台湾问题一样，都涉及中国的核心利益。我们同达赖集团的矛盾不是民族、文化、宗教的矛盾，而是涉及分裂与统一的重大原则问题。当前中法关系处在十分关键的重要关头。希望法方积极、

2009年2月9日，出席在北京举行的纪念中法建交45周年研讨会并致辞。

正面地应对中法关系当前的困难，真正体现诚意，以切实有效的行动，为双边关系尽早回到正常轨道创造有利条件，使中法关系早日恢复正常发展，以造福于两国和两国人民。

听了我的话，拉法兰恳切地对我说，法方深信，世界的稳定需要中国。法国政府真诚希望尽快解决双方之间出现的问题，我们对两国克服当前困难、恢复正常关系充满信心。

回首往事，在过去的十年间，中法关系实现了跨越式发展，两国率先建立全面伙伴关系，继而升格为全面战略伙伴关系。法国在发展对华关系的许多方面发挥了带头作用，中方对加强中法关系的决心也很大，双方可谓一拍即合。两国最早开展战略对话，率先互办文化年和青年交流年，两国高科技领域合作深入、广泛，在能源、航空、铁路等战略性项目上合作良好。可以说，中法关系一直走在中国与西方国家关系的前列。

当然，中法之间毕竟存在许多差异，两国关系中也有分歧和问题，产生波折在所难免。只要双方不断加强政治互信，促进互利合作，相互尊重和充分照顾彼此核心利益和重大关切，妥善处理敏感问题，在国际问题上加强协调与合作，中法关系一定能够沿着健康、稳定的轨道向前发展。

中德关系：不懈努力促合作

在欧罗巴心脏地带，连绵起伏的阿尔卑斯山脉与宽广辽阔的北海和波罗的海之间，有个历史悠久、文化灿烂的国度叫德意志。它历经几百年的封建割据，直至19世纪下半叶才由“铁血宰相”俾斯麦实现了国家的统一。

在最近的100年间，它曾两度挑起世界大战，均以失败而告终。战后，德意志人民凭借顽强的毅力，创造了令世人赞叹的经济奇迹，迅速成为世界第三大经济体。1990年，分裂四十多年的东西德终以和平方式获得统一。

德意志这片土地也孕育了众多为促进人类文明作出重要贡献的思想家、文学家和科学家。康德、黑格尔、费尔巴哈、马克思、恩格斯、叔本华和尼采等哲学巨人给后人留下了宝贵的精神财富；歌德、席勒、海涅和格林兄弟创作了脍炙人口的作品；巴赫、贝多芬、舒曼、勃拉姆斯的乐章流芳百世；古腾贝格、洪堡、高斯、哥德巴赫、伦琴、爱因斯坦等一长串名字更是奠定了德国人在自然科学殿堂的地位。

1972年中国与联邦德国建交以来，双边关系一直保持良好发展势头。德国是中国在欧洲最大的贸易伙伴，也是对华提供发展援助最多的国家之一。

中德关系在我主管外交工作的这段时间中取得了很大发展，但也遇到一些波折。我们始终从战略高度和长远角度处理双边关系，高度重视做德国领导人和各界人士的工作。经过不懈努力，中德实质性合作在广度和深度上都走在了其他西方大国的前列。对德国干涉中国内政的行为，我们则进行了有理、有利、有节的斗争，维护了中国的尊严与核心利益，保证了中德关系总体上健康、顺利发展。

“红色总理”施罗德

1999年3月，第二届亚欧外长会议在柏林举行，我率中国代表团与会，那是我第一次正式访问德国。

当时，由德国社会民主党和绿党组成的新内阁刚刚上台不到半年。由于社会民主党是左翼政党，这个内阁也被称为德国历史上第一个“红绿”政府。

施罗德总理则成为统一德国首位“红色总理”。德国前总理科尔连续执政16年，曾多次访华，对中国十分了解，而新总理施罗德和副总理兼外长菲舍尔对中国的了解均远不如他。特别是高举和平环保人权大旗、意识形态色彩颇浓的绿党阁员，在人权、涉藏等问题上对中国的偏见较深。

我希望借这次机会，结识德国政府新领导人，与他们建立友谊，加强沟通，增进互信，推动中德关系继续顺利向前发展。

此次访德还有一个重要的背景，就是以美国为首的北约两天前刚刚空袭了南斯拉夫联盟的科索沃，我们对此坚决反对。德国虽然参与了北约的相关行为，但不突出，而且德国毕竟是中国在欧洲最大的经贸合作伙伴，在欧盟地位举足轻重。维护中德长期稳定的友好合作关系，既符合中国的长远和现实利益，也有利于推进世界多极化进程。

就这样，我在1999年早春展开了首次德国之行。

德方高度重视我与德国新政府领导人的首次接触，安排赫尔佐克总统、施罗德总理、福尔默副议长等与我会见，按惯例，菲舍尔副总理兼外长将与我举行会谈。

记得抵达柏林是3月26日。此时，严冬早已褪去了寒意，春天的脚步正渐渐临近。我是下午2点左右到达柏林的，坐在车里，凭窗眺望这个欧洲大都市的街景，满目皆是初春的勃勃生机，醉人的暖阳洒在脱去厚厚冬装的人们的脸上，让这座繁华但又不拥堵的城市多了些许温馨从容。

这年上半年，正好轮到德国担任欧盟主席国。施罗德总理刚刚连续36小时主持了欧盟特别首脑会议。他不顾劳累，立刻会见了中国代表团。施罗德的个头在西方人中并不算高大，但步伐矫健，精神饱满，热情洋溢，看不出连续高强度工作留下的任何痕迹。他的声音富有磁性，讲起话来抑扬顿挫，口才颇佳，具有亲和力和感染力，这或许得益于他的法律科班背景。

我首先感谢他不顾劳顿会见中方代表团，赞赏德国新政府多次表示重视发展对华关系并坚持一个中国政策。我同时对他强调，中方也高度重视德国在欧洲及国际上的重要地位和作用，愿意同德方共同努力，把长期稳定的中德关系带入21世纪。

施罗德总理对中国的政治经济发展情况兴趣浓厚。他对我说，中国改革开放取得的巨大成就令他非常钦佩，德国新政府将保持对华政策的连续性和可信性。中德和中欧关系不应局限在经济领域，政治、文化、议会及其他各领域的合作同样应得到加强。他在那次会见中告诉我，希望5月份能以德国总理和欧盟轮值主席双重身份率众多经济界巨头访华。

其实，当时国内已经考虑邀请施罗德总理访华。所以，他一提出访华愿望，我当即表示欢迎。

施罗德出身贫寒，其父在二战中阵亡。施罗德天资聪颖，勤奋好学，求学时即对政治表现出浓厚的兴趣，适应能力极强，这给他日后的从政风格打上了深刻的烙印。

这次结识施罗德，我立刻证实了这一点。他虽然身为社民党党魁，但称自己为新中间路线的代表，不拘泥于意识形态，坦诚务实，特别关注经贸合作，希望进一步加强德中友好合作关系。

我回国后，两国外交部即开始准备施罗德总理的首次中国之行，访问成果无疑将直接影响德国新政府对华政策的走向。

正当双方都在紧锣密鼓地为施罗德总理访华做准备时，1999年5月8日凌晨，中国驻南联盟大使馆遭到以美国为首的北约轰炸，中国同北约成员国关系严重受损。

作为北约成员国，德国参与了对南联盟的军事打击，德方非常担心“炸馆事件”会造成中国与西方关系的破裂，给中德关系带来极大的负面影响。施罗德总理当天即向朱镕基总理转达口信。他还亲自致函朱镕基总理，代表德国政府对中国使馆被炸表示“深切同情”，希望两国关系不要因此受到影响，他希望能够按原计划访华。10日，施罗德总理又要求北约进行深入准确调查，追究责任。考虑到中方的感受，德方还主动建议将原定的正式访问改为工作访问，时间也缩短为一天，一切礼仪从简。

经过慎重考虑，我们最终同意施罗德总理如期访华。得知这一消息后，施罗德总理在5月11日的内阁会议上表示，中国领导人在这种形势下仍然愿意接待一个北约国家的政府首脑，这本身就是一个积极姿态，德中两国在目前的困难时期进行对话，尤具建设性。

5月12日，“炸馆事件”发生后的第四天，施罗德总理如期访华，只是，原来设计为三至四天的正式访问缩短为一天的工作访问，施罗德总理甚至没有在中国过夜，成为极为特殊情况下的一次闪电式访问。

清晨，施罗德总理乘坐的专机与中方接回“炸馆事件”中牺牲的烈士遗体和受伤人员的专机几乎同时抵达。或许天亦有情，本该春光明媚的5月在这一天却反常地阴郁，仿佛是为不幸遇难的英灵哭泣志哀，两架专机的接机人员心情都格外沉重。

特意回国参加接待工作的中国驻德国大使卢秋田前往机场迎接施罗德总理，他在第一时间向我汇报了当时的情景。他说，施罗德

1999年5月12日，在北京会见德国总理施罗德。

总理一走下舷梯，就表情凝重地代表德国政府、德国人民和北约向中国政府和人民表示无条件道歉，言辞十分真切。

刚到下榻的凯宾斯基饭店，施罗德总理便提出希望能够前往医院探视轰炸中受伤的人员。考虑到他此次工作访问日程极为紧凑，只有短短的十几个小时，而且伤员也需要休息，我们婉拒了他的要求。

那时，神州大地都笼罩在悲痛与愤怒之中，施罗德总理对此也深有感触。作为北约重要成员国德国的总理，施罗德总理当时坚持访华，并公开要求北约彻查“炸馆事件”，是需要勇气的。个别德国媒体就曾将他那次中国之行称为“忏悔之旅”。

来到中国后，施罗德总理在各个不同的场合多次对“炸馆事件”表示道歉。在与江泽民主席和朱镕基总理会见、会谈时他说，他此次访问的主要目的就是向中国政府和人民表示真诚的歉意，希望有更多的中国人知道他的真诚道歉。他表示，当年晚些时候还会再来中国，进行正式访问，希望届时能多停留几天，了解中国这个伟大的国家。

我在凯宾斯基饭店会见施罗德总理时，再次领略了他的直率。特殊的形势使得我们那次谈话无法轻松。施罗德总理在谈话中出现频率最高的词汇就是遗憾、慰问、同情和歉意，这成为他此次访问的突出重点。施罗德总理还说，他并不满意北约对“炸馆事件”的解释，已经要求索拉纳秘书长进行彻底调查并明确相关人员责任，防止此类事件重演。

半年之后即当年11月，施罗德总理再度来华，进行为期四天的正式访问。这一次，他除了在北京进行政治会谈之外，还去了上海，对中国有了较为全面的直观了解。

施罗德总理上台伊始，即宣布他将每年至少访华一次。他基本兑现了这一诺言，由此成为在任期间访华次数最多的德国总理。他领导的德国政府始终坚持奉行“一个中国”政策，积极发展对华关系，拒绝向台湾出售武器。在承认中国市场经济地位和解除对华武器禁运等问题上，德国对欧盟施加了积极影响，有力地推动了中德和中欧关系的深入发展。

2002年10月，以施罗德总理和菲舍尔外长为首的“红绿联盟”蝉联执政。施罗德连任后仅一个月，我便应菲舍尔副总理兼外长的邀请二访德国，其间再次与施罗德总理会面。

光阴荏苒，此时距我上次访德已经过去了三年多，我上次见到施罗德总理是整整一年前他第三次访华的时候。

这是我们第五次见面。就双边而言，中德关系发展良好；就国际层面来说，伊拉克战争阴云正在迫近。施罗德总理在这次会见时表示，德中关系正处于历史最佳时期，两国已经建立了“心心相印”的互信关系，在国际事务中有许多共同利益，特别是在政治解决伊拉克问题上有重要共识，在合作的广度和深度上都走在欧洲的前列。此访使我深切地体会到，德国迫切希望与中国加强在国际事务中的相互协调，扩大双边经贸合作。

2002年10月访问德国时与儿童们在一起。

2003年和2004年，施罗德总理都在12月份访问了中国，进一步加深了双方的相互了解和友谊。

2005年秋天，施罗德在大选中败北。这年11月，胡锦涛主席访问德国时会见了施罗德，那时他的身份已变成看守政府总理。施罗德任总理期间，始终强调德国坚持"一个中国"政策的立场永远不会改变，一再重申德国不会做任何损害中国安全的事情。胡主席高度赞赏他这一表态，表示这构成了中德关系坚实的政治基础。胡主席还高度评价他为推动中德友好合作所做的不懈努力。胡主席非常珍视与施罗德之间深厚的个人友谊，希望他离任后经常到中国访问。

施罗德总理动情地说，胡主席是他作为德国政府首脑接待的最后一位外国元首，这是德中关系密切的一个象征。德国新政府定将一如既往地积极发展对华关系，两国关系将保持连续性，在一个中国政策的基础上不断深化。

不久，施罗德总理卸任，但他仍心系中德关系，每年都来华访问，继续为两国友好与合作发挥着建设性作用。

不忘老朋友是中国人的传统美德，我与退出政坛的施罗德仍然保持着联系。2007年11月，我在钓鱼台国宾馆养源斋会见并宴请了他。

他仍然健谈，神采奕奕，思维敏捷。或许是因为已经卸任的缘故，他显得更加轻松自如，许多话题也能放开谈了。曾经在位七年，六度访华，他对德国内政和中德关系都有很深入的了解。他侃侃而谈，纵论德国两大党——社会民主党和基督教民主联盟的政策特色，总结过去，展望未来，谈兴颇浓。

访华前一个多月，他的继任者默克尔总理在柏林总理府会见了达赖，严重影响了中德双边关系，掀起了一场风波。我们也谈到了这个问题。施罗德和默克尔分属不同政党，政见迥异，是政治对手。

他表示并不认同默克尔的做法，认为她犯了错误，并且坦率地谈了自己的看法，其中有两点给我留下很深的印象。第一，他说中国太重要了，在国际事务中的分量日增，无论哪个党在德国执政，都必定重视德中关系，默克尔政府也认同并将一如既往地坚持“一个中国”原则；第二，他认为社民党外长施泰因迈尔的对华政策基本承袭了他任总理期间的总体原则。因此，他坚信默克尔政府也将保持对华关系的连续性，德中关系继续向纵深发展的大趋势不会发生变化。

施罗德不愧为驰骋德国政坛多年的老将，能够以客观务实的方式表达自己的看法，既尊重对手，又不讳言分歧。

我认同施罗德的观点。其实早在默克尔胜选后，我们也曾做出类似的判断，后来的发展也印证了这一判断的正确性。

“绿色外长”菲舍尔

在施罗德内阁成员中，决定对华关系走向的第二位关键人物便是来自绿党的副总理兼外长菲舍尔。担任外长期间，我与这位德国同仁屡次“过招”。针对他的特点，我有意识地做了许多工作，使他对中国的态度发生了变化。

菲舍尔与施罗德总理一样出身贫寒，但他更为激进，早年参加过学生运动，被德国媒体称为“街头斗士”。与施罗德一样，他也十分钦佩中国的古老文化、经济成就和对外开放，但与施罗德的务实不同，他意识形态色彩更浓，在对华关系上更关注人权、涉藏等双方有分歧的问题。他多次表示，德中之间仅有密切的经贸关系还不够，应该就人权和法治等问题进行对话。1998年10月任外长以来，他先后会见了达赖和魏京生等人，还在日内瓦联合国人权会上对中国的人权状况评头论足。

我是在1999年首次访德时结识菲舍尔的。他身材并不魁梧，也不像他自嘲的那样“有着水桶样的身材”，略显矜持。我与他的第一次会谈持续了将近三个小时。

针对菲舍尔的特点，我主动介绍了中国的民族和宗教政策，强调发展国与国关系必须求同存异，寻求共同利益最大汇合点。我并积极评价了中德双边人权对话和司法合作。

菲舍尔首先肯定了德中关系的重要性，认为中国对世界特别是亚洲地区的和平、稳定与繁荣作出了重要贡献。之后，他话锋一转，指责中国存在人权问题，并表示对西藏局势“深感忧虑”。

中德两国在历史、文化、经济和社会制度等方面存在差异，在某些问题上有这样那样的不同看法是正常的。菲舍尔的这番表述并未出乎我的意料，但他先入为主的无端指责是不可取的，无助于消除分歧。我知道这是块难啃的骨头，在原则问题上，必须反驳他的错误言论。但应该讲究方式方法，通过沟通增进双方的了解，确保两国关系健康稳定发展。

于是，我重点阐述了中国政府对人权问题的基本立场和积极开展国际人权合作的情况，列举了中国扶贫事业和法治建设取得的巨大进展，用大量事例与数据翔实地介绍了西藏今昔，说明达赖绝不是他自己标榜的所谓宗教领袖，而是一个从事分裂祖国活动的政治和尚，并阐明了我们对达赖的一贯政策。

我对他说，西藏自然地理条件恶劣，我曾经几次去过号称“世界屋脊”的青藏高原，对那里的生存条件有切身感受。中央政府几十年来坚持用各种形式援助西藏，西藏在经济社会文化各领域取得的巨大进步有目共睹，任何尊重客观事实的人都不会对此视而不见。

我问他是否去过西藏，他说没有。我便邀请他尽早访华，他欣然接受了我的邀请。

在对外交往中，有友好也有交锋。在交锋时，强硬并不体现在语气上，而是体现在语言中。因此，我一直遵循的原则就是尽量使用平缓的语气，但言辞却毫不客气。我与菲舍尔的初次长谈，话题严肃，但气氛平静。我认为，推心置腹、以理服人的谈话方式更为有效。

2000年12月中旬，菲舍尔首次以德国副总理兼外长的身份访华，此前，他仅在1985年以联邦议员的身份来过中国。我们对他此次来访给予高规格接待，江泽民主席、朱镕基总理、钱其琛副总理和温家宝副总理分别会见，我与他进行了会谈。此外，我们还对他此次访华的日程与会见、会谈内容，做出了特殊安排与设计。

菲舍尔在华期间，中德两国共同召开了环境大会，这是他访问的一大亮点。这次大会是当时在中国召开的最高级别的双边环境合作大会，两国政府部门、议会、研究机构、企业、民间组织和新闻界共一千多名代表与会。德方代表近四百人，菲舍尔亲任团长，来自绿党的联邦议院副议长福尔默女士和环境部长特里廷先生与会并发表主旨演讲。

这其间发生了一个小小的意外。菲舍尔乘坐的专机因故在环境大会开幕后才抵达北京，令这位热衷环保的“绿色外长”深感遗憾。

不过会议还是开得很成功。两国就进一步加强环境合作发表联合声明，确定合作议题，签署了许多合作协议，双方均予以高度评价。朱镕基总理在会见菲舍尔时强调指出，中德环境合作大会很成功，是两国间的一件大事。菲舍尔则表示，会议的成功召开为两国开辟了合作的新领域，中德环保合作由此迈出了新步伐。

这次见到菲舍尔时，我注意到他比上次见面略显削瘦，但精神饱满，听说是坚持长跑的原因。据说他以健康方式成功瘦身，在德国还掀起了一股马拉松热。

在与他会谈过程中，我再次向他全面介绍了中国在涉藏问题上的原则立场和西藏在各方面取得的巨大成就。我耐心地摆事实，讲道理，让事实说话，用道理服人。

菲舍尔提到，希望中国政府同达赖的对话能取得进展。我告诉他，我们同达赖打了几十年的交道，对达赖本质的认识比你们更为深刻和全面。达赖的所作所为清楚无误地证明了他不是什么单纯的宗教领袖。试问世界上有哪个宗教领袖会成立一个组织机构健全、甚至有自己宪法的流亡政府呢？他凭借两面手法骗取了诸多好感与同情，德国更是他在欧洲长年游说的大本营之一。他访德二十余次，接受不明真相者颁发的奖项，享受各种礼遇，处处标榜自己的非政治色彩，但他分裂祖国的实质没有任何改变。

我对菲舍尔说，我们每次见面都必谈西藏，有些老生常谈的意味，但却非谈不可，因为你对西藏的实情缺乏了解，甚至有许多误解。西藏人权事业不断进步，与达赖统治时期形成鲜明对比。这一事实无人能够否认。西方人不也认为旧西藏的农奴制度比中世纪的欧洲更落后、更残酷吗？外长先生重视人权，难道人权也分等级，农奴就不配享有人权吗？

听到我这番话，他脸上出现若有所思的表情，显然是在仔细琢磨我的话。我接着对他说，德国政府坚持西藏是中国领土不可分割的一部分的立场，我们对此表示赞赏，同时也希望德方对达赖能有更深刻的认识，看透他的野心和图谋，从维护中德关系大局出发，不支持达赖的分裂活动。

这次访问虽然只有短短两天的时间，我们仍然安排他去了美丽的西子湖畔和东方明珠上海，尽可能让他多了解中国的改革开放。12月13日是南京大屠杀纪念日，菲舍尔外长访华前曾主动提出希望到南京大屠杀纪念馆参观，但因为时间太紧而未能成行，不过他的这个姿态还是给我留下了深刻的印象。

与他一起访华的福尔默副议长后来对我们表示，菲舍尔对这次访问，尤其是对同中方的会见、会谈感到非常满意，称访问的成功远远超出他的预想。可见，我们坚持多做工作终会收到实效。

2001年3月26日，我在去智利出席东亚拉美论坛外长会议途中，在法兰克福转机，停留半天。卢秋田大使从柏林赶来，听说我没去过被誉为德国最美丽的城市海德堡，便提议利用难得的一点儿空闲去看看。德国不大，海德堡离法兰克福很近，于是我们驱车前往。

当时正是初春时节，沿途风光很美，进入海德堡市区，景色更加怡人。海德堡城市不大，人口不到20万，但上苍慷慨地赋予她秀美的山川和丰厚的文化底蕴。公元前1世纪这里就是罗马帝国的边塞，闻名遐迩的城堡建于12世纪，融合了哥特、巴洛克和文艺复兴的建筑风格。

1386年创建的海德堡大学是德国第一所大学，七位诺贝尔奖得主曾在此求学，它也是著名哲学家黑格尔、前总理科尔等的母校。红屋旁，绿树边，美丽的内卡河缓缓流过，古堡、古桥和古城等凝固的音乐谱出了这座小城的古韵。

我们漫步在康德等先哲们曾经走过的哲学家大道上，边走边聊，说到了第二天菲舍尔外长将去日内瓦并在联合国人权会上发言的事情。此前，我与菲舍尔已经有过多次接触，对他有了一定了解，感觉他在人权等一些问题上的立场发生了微妙的变化。

既然已经来到德国，知道他第二天要就人权问题发表公开讲话，我必须抓住机会做工作。

我把自己的这一想法跟卢大使谈了，他也赞同。大家立刻开始商量细节。时间太过仓促，安排会面已不可能，回柏林使馆时间上又不允许，唯一可行的就是打电话，因为翻译的原因，必须找一个合适的地点，用座机和他通话。一行人立刻折返法兰克福。

那时我们还没有在法兰克福开设总领馆。为安排这次临时通话，驻德国使馆的同志们煞费苦心。几经周折后，最终，法兰克福近郊一家中餐馆的老板诚邀我们到他家里通话。我记得这位老板姓吴，祖籍上海，来德国前曾在卢森堡做过餐饮。

餐厅在一层，吴老板的私人办公室在三层，我们径直上楼，拨通了德国外交部的电话。菲舍尔听说是我想在转机的间隙与他通话，便中止了正在召开的会议，与我在电话上交谈起来。

我再次祝贺他三个月前的成功访华，接着便开门见山，主动谈及人权问题。我对他说，其实双方在人权问题上持有不同看法毫不奇怪，相互尊重，坚持对话，不搞对抗是我们的重要共识。欧盟不在日内瓦人权会上联署美国反华提案的决议值得赞赏，希望欧盟不要为美国拉票。

我说，听说你明天将在人权会上发言，我希望外长先生能多从中德关系和两国友谊的大局出发，坚持中德共识，审慎妥善处理有关问题，以免给两国关系的发展带来负面影响。最后，我欢迎他5月来北京参加亚欧外长会议，就双方感兴趣的问题继续深入交谈。

菲舍尔说，100天前他对中国的访问非常成功，中国的蓬勃发展给他留下了深刻印象，加深了他对这个伟大国家的了解。他说，原本想去中国西部看看，但因时间太紧未能如愿。

他表示，德国愿以建设性态度深化双边关系，但作为朋友也不回避双方在人权问题上的分歧，相信坦诚对话不会影响双方关系的发展。他同时承认中国在人权方面取得了巨大进步。

放下电话，我和卢大使又讨论起这次临时通话可能起到的效果。我认为，做菲舍尔外长的工作不会一蹴而就，十几分钟的通话不可能使他的立场发生根本性转变，但从他中断重要会议与我通话这一点上看，他还是愿意了解我们对这个问题的态度的。

不出所料，第二天，他虽然还是在发言中对中国的人权状况妄加评论，但比他一贯的调门显然降低多了，总体措辞也较缓和。

一个多月后，菲舍尔再次来京参加第三届亚欧外长会议，我与他共进工作早餐。这一次我感觉到他在涉藏、人权等问题上的态度又有一些变化，更趋客观积极。

菲舍尔外长对我说，德中之间的共同点和共同利益日益增加，双方应该加强对话，增进沟通与交流。他高度评价了双边关系，表示德国是中国可信赖的伙伴，德国将尽全力进一步提高两国全面合作水平。他还说，我们之间已经可以就任何问题开诚布公地交换意见，希望以后有更多的机会见面。

2002年9月，我在出席联大会议期间在联合国总部与菲舍尔外长再度举行双边会晤。当时，伊拉克战争迫在眉睫，中德两国在和平解决伊拉克问题上立场相近，都强调联合国的主导作用。

菲舍尔在会见中明确向我表示，德国绝不支持美国对伊拉克动武，希望与中国继续保持密切沟通和协调。半年后，美国发动了对伊拉克战争，中国、俄罗斯、法国和德国一致反对。这在几年前是难以想象的。

纽约会晤一个月后，菲舍尔连任施罗德内阁的副总理兼外长。新政府就职后仅一个月，2002年11月，我应菲舍尔的邀请第二次正式访问德国。

这次访问期间，我明显感觉到菲舍尔在人权、涉藏等问题上的态度有了很大变化。他在会谈中明确表示，中国在人权和法治等领域取得了巨大进步，德国在西藏问题上将继续坚持“一个中国”立场，反对分裂。从他的上述表态可以看出，他对中国的人权状况和涉藏问题有了更加客观、深入的了解，态度和立场转趋积极、明确。

在与菲舍尔的交往中，我感觉这位绿党政治家知识渊博，思维敏捷，执政风格日趋稳健务实，更加注重从维护德国的长远和现实利益出发考虑问题，也日益重视中德关系。我们通过邀请他访华，在不同场合与他多次真诚对话，进一步增进了他对中国的全面了解，使他对待中国和中德关系的态度发生了积极的变化。

总的看，在红绿联盟执政的七年间，中德友好合作关系不断向纵深发展，双方高层互访频繁，贸易屡创新高，全面合作不断深化，两国关系处于历史最好时期。

2003年，中欧建立全面战略伙伴关系。第二年5月，温家宝总理访问德国，双方决定建立“中欧战略伙伴关系框架下的中德具有全球责任的伙伴关系”，推动两国关系达到新的高度。

德国政坛“铁娘子”

2005年，为争取议会多数，加强施政能力，施罗德总理决定提前举行大选。令他意想不到的是，执政两党在这次选举中以微弱劣势输给最大的在野党联盟党，施罗德也因此失去了总理宝座。

战胜施罗德的是德国政坛久负盛名的铁娘子安格拉·默克尔，默克尔因此成为德国有史以来第一位问鼎权力顶峰的女性。11月，她领导的联盟党联手社民党组成了德国历史上第二个大联合政府[1]。

默克尔1954年出生于德国西北部的港口城市汉堡，不到一岁便随家人迁居民主德国。她成长在一个具有浓厚宗教色彩的家庭，父亲是一位牧师。她从政前是一名物理学家，理性思维突出。苏联解体、东欧剧变后，默克尔以极大的热情投身政治，很快成为德国右翼政党基民盟的一名活跃分子。

与施罗德相比，默克尔对中国了解不多，仅在1997年以环境部长的身份来过中国一次，加之她个人的背景和政治理念，有些人对她上台后的中德关系感到担忧。但我认为，鉴于中德关系的重要性，

1　在德国，大联合政府特指由联盟党（基督教民主联盟和基督教社会联盟）和社民党这两个德国政坛最大的政党联合组成的政府。第一个大联合政府在1966年至1969年执政，来自基督教民主联盟的基辛格任总理。

她还是会重视中国的，总体上会保持德国对华政策的连续性，不过在人权、涉藏、台湾等问题上恐怕会与中国产生摩擦。

为了增加她对中国的了解和认识，在她正式就任前，我们就有意识地开始与她接触和沟通。

那年10月，得知她当选后，温家宝总理即委托中国驻德国大使马灿荣向默克尔捎去口信，祝贺她当选新一任联邦总理，表示相信她领导下的德国新政府会进一步促进中德各领域的友好互利合作。

2005年11月，胡锦涛主席访问德国时，会见了候任总理默克尔，对她即将出任德国历史上第一位女总理表示祝贺，强调两国友好合作的共识自建交33年来从未改变，双方已经建立了全天候友谊。中国一直把中德关系放在对外关系的优先位置，愿同德国新政府共同努力，推动中德关系向前发展。

默克尔热烈欢迎胡主席对德国进行国事访问，表示她的政府非常重视对华关系，将继续奉行积极的对华政策，进一步加强同中方的合作。她提出希望能够尽早访华，胡主席表示欢迎。

我参加了这场活动。这是我第一次见到默克尔，第一印象是她精明干练，爽快坦率，逻辑严谨，思路清晰。这大概与她长年从事自然科学研究有关。

12月1日，温家宝总理在中南海与刚刚就任九天的默克尔总理进行热线通话。温总理祝贺默克尔出任德国历史上第一位女总理，表示中国政府将一如既往地重视发展同德国的关系，高度评价她在不同场合表示将延续德国政府积极的对华政策，邀请她在第二年双方方便的时候正式访问中国，实地感受她1997年访华以来中国发生的巨大变化。

默克尔感谢温总理的祝贺，表示德国新一届政府愿意继续发展德中之间非常密切的关系，重申她领导下的德国政府将继续坚持一个中国政策，在这一点上不会动摇。最后，她再次感谢温总理对她发出的访华邀请，表示愿意通过热线与温总理保持联系。

新政府一上台，默克尔总理和施泰因迈尔外长很快就做出了尽快访华的决定，明确表示这是为了“体现德方对德中关系的重视”。

但同时，德国新政府的对外政策还是发生了一些变化，提出所谓的价值观外交，在全球范围内加强与美国的协调与配合，强化同日本和印度的关系。在欧盟解除对华武器禁运、承认中国市场经济地位等涉华具体问题上，立场出现倒退，在知识产权保护、技术转让和环保等方面，加大对中国的批评和施压力度。

我认为，出现上述问题，既有默克尔自身的主观因素，也有一些深层次的原因，主要是随着中国综合国力增长，德国对中国产生既合作又防范的矛盾心理，担心中国会挑战它的利益。

2006年2月，施泰因迈尔外长正式访华。短短28小时内，胡锦涛主席和温家宝总理分别会见，李肇星外长在钓鱼台国宾馆与他会谈，双方确认默克尔总理将于三个月后访华，两国将建立副外长级战略对话机制。

默克尔总理于5月21日至23日如期正式访华。按原来的设想，她计划年底结合对亚洲的首次访问来华，但最终提前成行，并且只访问了中国一个国家，是上任后对欧美之外国家的首次专访，陪同访问的有6位重量级议员和40名经济界巨头，凸显对中国的重视。

我们对她这次访问同样非常重视，对访问行程进行了精心设计。为了使她更多地接触中国民众，我们专门安排了两国总理在紫禁城边菖蒲河公园一同散步。温总理还在曲径通幽的天趣园与默克尔总理共进早餐。这些独具匠心的安排拉开了这次重要访问的序幕。

早餐后，温总理与默克尔总理在人民大会堂举行会谈，纵论天下大事，议题广泛深入，气氛坦诚友好。特别值得一提的是，温总理还通过默克尔总理邀请400名德国青年访华。访问期间，默克尔总理重申她领导的德国大联合政府将继续奉行积极的对华政策，坚持一个中国原则。

在中央的高度重视下，经过充分准备，这次访问总体看是成功的。默克尔总理回国途中情绪高昂，多次对随访记者说这是她历次出访中最成功的一次，尽管只有短短38小时，但主人安排精心，内容丰富，她非常满意。她还表示希望今后能够定期访华。

一年后，默克尔总理再次访问中国，这一年恰逢中德建交35周年。访问期间，她重申坚持一个中国政策是两国关系的政治基础，将进一步扩大和加强同中国在政治、经济、文化、科技等领域的合作。默克尔总理还亲赴南京，正式启动了德国为期三年的在华系列文化活动“德中同行”，这是德国迄今在海外举办的规模最大、持续时间最长的综合性展示活动。对于这项活动，胡锦涛主席和克勒总统共同予以支持。

作为对温总理邀请400名德国青年访华的回应，默克尔总理邀请400名中国青年回访德国。

总体看，这次访问也是成功的，默克尔总理在一系列问题上的表态，也是务实和积极的。

然而，出乎意料的是，9月23日，默克尔总理在结束访华回国后仅二十多天，就不顾中方多次严正交涉，坚持在总理府会见达赖，开创了德国政府首脑会见达赖的恶劣先例，使中德关系陷入低谷。对此，我们采取了一系列措施，进行了旗帜鲜明的斗争。

多年来，达赖一直以宗教为掩护，四处窜访，试图干扰、破坏中国与西方国家的关系，从而达到破坏中国国家主权和民族团结的图谋。因此，默克尔在总理府会见达赖的影响远远超出了中德双边关系范畴。我认为，在这个问题上，我们必须着眼全局，进行坚决的斗争。

11月初，我会见了应外交学会邀请来访的德国前总理施罗德。他也指出默克尔政府在对华政策上犯了一些错误，但相信德国政府将会坚持对华政策的连续性。

我赞同他对默克尔政府对华政策的评价。几天后，“德国外长重申应改善德中关系”的消息见诸报端，印证了这一观点的正确性。

11月底，在美国出席国际会议的施泰因迈尔外长向杨洁篪外长转达默克尔总理对温家宝总理的问候及尽快与温总理就双边关系通话的愿望，并表示，他愿就改善双边关系致函杨外长。

与此同时，我也注意到德执政两党在对华政策上的矛盾公开化，一些经济界头面人物公开敦促政府尽快修补对华关系，媒体和智库对默克尔总理的批评之声也日趋增多。

这表明，我们前段时间的斗争与工作已经产生效果。我立刻指示外交部在继续保持适度压力的同时，进一步做好对德国的工作，妥善处理与欧洲主要大国关系，努力保持中德和中欧关系健康稳定向前发展。

经过中德双方多轮磋商，施泰因迈尔外长以致函杨外长的方式明确表示，德国政府高度重视发展对华关系，将继续坚定奉行一个中国政策，西藏是中国领土的一部分，德国不支持、不鼓励谋求西藏独立的任何努力。

在此基础上，中德关系于2008年初开始转圜，并逐步进入正常发展的轨道。

中欧关系再思考

建交三十多年来，中欧关系取得了很大发展。特别是最近十年来，双方关系发展尤为迅速。我们与欧盟、法国、英国分别建立了全面战略伙伴关系，与德国建立了“在中欧全面战略伙伴关系框架下具有全球责任的伙伴关系”。双方高层往来密切，领导人之间的沟通有力地增进了双方政治互信。我们与欧盟机构及英、法、德三大国建立了各个层次的政治对话，既有像战略对话这样的宏观交流，也有人权、军控等专业领域的具体磋商。

可以说，现在中欧之间什么问题都可以找到相应的对话平台。经济上，中欧利益交融、互利共赢的局面已经形成。欧盟连续多年成为中国第一大贸易伙伴、累计第一大技术供应方以及累计第四大实际投资方。从2006年起，欧盟成为中国第一大出口市场。2008年中欧贸易额达到4256亿美元，较十年前增长了近六倍。在当年国际金融危机的背景下，中欧贸易依然保持良好的发展势头，实在难能可贵。

中欧在科技、能源、交通、通信、环保、卫生、旅游、社会保障等近五十个领域的合作迅速发展，文化、人文交流方兴未艾。这些交流与合作促进了彼此相互了解，拉近了中欧民众之间的距离。

值得一提的是，我们在与欧盟机构及英、法、德等主要大国发展关系的同时，与其他欧盟国家的关系也取得了积极进展。这其中既有同中国最早建交的北欧国家，也有对华友好的南欧国家；既有原来的老欧盟成员国，也有刚刚入盟的中东欧新成员国。我们本着“相互尊重、平等相待”的原则与欧洲国家发展友好关系，在不同层次、不同领域与他们开展合作，通过推进双边关系，巩固和发展了中欧关系。

看到这十年来中欧关系获得大发展，我由衷地感到高兴，同时也有不少感悟。对于中欧关系，我思考最多的是战略性、特殊性和复杂性三个特点。

中欧关系首先是战略关系。欧盟在当今国际格局中具有独特的重要地位，其影响力正由地区向全球范围扩展，是多极化进程中的一支主要力量。特别是在国际形势复杂多变、多极化在曲折中发展、全球性挑战日益增多的背景下，中欧关系的内涵已远远超出双边范畴，具有越来越多的全球意义。因此我们要始终从战略高度和长远角度来维护中欧关系，我们的政策不应由一时一事的干扰所左右。没有这样的全局意识，中欧关系发展就会偏离方向。

发展中欧关系对我们全面建设小康社会意义重大。中国还将长期处于社会主义初级阶段，发展社会主义市场经济，提高人民生活水平，不断改善民生，是我们的长期重要任务。欧盟幅员辽阔，人口众多，经济实力、科技实力均居世界领先地位。这些年来，我们通过中欧合作，学习了欧盟国家的先进技术，吸收了许多投资，借鉴了先进的管理经验，为我们现代化建设提供了有力的支持。当然，中欧合作是互利双赢的，中国的发展也是欧盟的机遇，这一点欧盟也认识到。我们在2003年发表的对欧政策文件中讲到要“互利互惠、互鉴互荣”，就是这个意思。

中欧关系还有着特殊性和复杂性。欧盟的组成和运作非常复杂，其中既有由各国主权让渡形成的欧盟机构，又有各自独立、可以制定国别政策的成员国。由于政治体制差异大，历史、文化背景、价值观念等不同，经济发展水平有差距，因此，我们在发展对欧关系时，经常面临错综复杂的局面。欧盟对华政策的两面性，使中欧关系在不断深化的同时，矛盾、分歧也不时出现，甚至有时比较突出，在意识形态等领域的表现尤为明显。

对于中欧关系的复杂性，我们还是要用辩证的眼光来看待。至于中欧之间的分歧，在关系到我国核心利益的重大原则问题上，我们丝毫不能含糊，要有针对性地进行坚决斗争。另一方面，也要看到不少分歧往往源于缺乏了解，仍然有许多欧洲人对中国缺少全面、客观、准确的认识，存在不少误解。这就给我们的外交工作提出了重要任务，就是要不断加深双方之间的了解与理解，大力开展人文外交与公共外交，通过增加互信，巩固双方关系的政治和社会基础，努力推进中欧全面战略伙伴关系的健康稳定发展。

中欧建交三十多年了，但也只是历史长河中的一个小片断。“路漫漫其修远”，中欧之间要做的事情还很多很多。

当前双方关系恢复发展的势头很好，只要本着相互尊重、平等互利的基本原则，双方关系还会取得更大发展。中欧关系前景是广阔的，我对此充满信心。

印巴核试验

印度核试　举世震惊

1998年5月11日下午，印度总理瓦杰帕伊在新德里召开记者会，宣布印度于当地时间15点45分在拉贾斯坦邦博克兰地区成功进行了三次地下核试验，分别为裂变、低当量和热核装置。这三次核爆炸与1974年5月进行的相似。宣布完这一声明后，瓦杰帕伊便径直离开会场，没有回答记者的任何提问。

同日，印度外交部也发表声明称，核试验确认了印度有能力发展核武器，为今后设计各种类型和当量的核武器提供了宝贵数据。

拉贾斯坦邦位于印度西北部，那里有广阔的沙漠地带，20世纪70年代印度曾在那里进行过一次核装置爆炸试验，由此那块不毛之地引起了世界关注。但对这一次核试验，印度高度保密，事前没有露出任何迹象。

印度进行核试验，完全出乎各国预料。消息一经传出，举世震惊。因为这与冷战后和平与发展的国际大趋势背道而驰，也使国际军控和防止核武器扩散的努力受到沉重打击。

当时的国际形势与冷战时期已经大不相同。冷战时期，以苏联和美国为首的东西方阵营长期对峙，军备竞赛不断升级。两国都拥有庞大的核武库，核武器总数量最高曾达到七万余件。冷战结束后，国际形势大大缓和，美、俄这对昔日的冷战对手开始着手裁减各自的核武库，国际军控与防扩散进程明显加快。与此同时，世界各国更加关注发展以经济和科技为主的综合国力，和平与发展成为时代的两大主题。

20世纪60年代末，国际社会达成了《不扩散核武器条约》，并于1970年开始生效，有效期25年。1995年5月，在国际安全形势大为缓和的背景下，条约缔约国一致同意无限期延长《不扩散核武器条约》。1996年9月，联合国大会又通过了《全面禁止核试验条约》。到印度此次核试验之前，已有将近一百五十个国家签署了这一条约，各国正在为推动条约生效而努力。

正是在这样的国际背景下，印度进行了核试验，理所当然地遭到国际社会的一致谴责。

联合国秘书长安南对此“深表遗憾”。美国总统克林顿发表讲话，称印度此举犯了巨大错误，不仅威胁地区安全，也是对国际核不扩散共识的直接挑战。克林顿呼吁印度公开宣布不再进行核试验，立即无条件签署《全面禁止核试验条约》。同时，美国还对印度实施经济制裁，停止对印度提供一切经济、军事援助，中止进出口银行向印度提供信贷，并反对世界银行、国际货币基金组织对印度贷款。日本也宣布对印度进行制裁。德国、丹麦等国冻结了对印度的援助计划。加拿大、澳大利亚、荷兰和挪威等国宣布将对印度进行制裁或削减援助。国际社会各方及舆论均呼吁印度不要再进行核试验，并立即加入《全面禁止核试验条约》。

中国作为联合国安理会常任理事国，对国际核裁军等涉及国际和平与安全的问题负有重要责任。中国一贯坚持全面禁止和彻底销毁核武器，反对核军备竞赛。对于印度这种做法，我们必须表明立场。

我获悉印度核试验的消息后，立即指示外交部新闻司迅速做出反应，以最快的速度表明我们的态度。而此时，已有国内外媒体询问中方反应。

1998年5月12日一早，外交部发言人通过答记者问的形式，表明了中方的立场。中国政府对印度进行核试验表示严重关切，指出在当时核裁军进程逐步取得进展、《不扩散核武器条约》无限期延长、《全面禁止核试验条约》业已达成的形势下，印度进行核试验违背国际潮流，不利于南亚地区的和平与稳定。

遗憾的是，印度置全世界的反对于不顾，5月13日又进行了两次核试验。一时间，乌云笼罩在南亚上空。

剑指中国　荒谬无理

更为出乎意料的是，印度在冒天下之大不韪、公然进行核试验的同时，竟然把矛头对准中国，声称其进行核试验是为应对来自中国的“威胁”，这分明是试图为其核试验寻找借口。

1998年5月13日出版的美国《纽约时报》披露了一条令人吃惊的消息：在5月11日印度进行核试验当天，印度总理瓦杰帕伊致函美国总统克林顿，为印度核试验辩解，称印度进行核试验的主要原因是对不断恶化的安全环境，特别是核环境深感不安。他在信中还说，一个公开拥有核武器、1962年曾对印度发动武装侵略的国家与印度接壤，两国边界问题尚未解决。这个国家还大力帮助印度的另一邻国成为秘密拥有核武器的国家。《纽约时报》全文刊登了瓦杰帕伊的这封信。

虽然瓦杰帕伊的信中没有出现“中国”两个字，但任何稍有国际常识的人一眼便可以看出，他指的是中国。

其实，印度外交部在1998年5月11日发表的声明中已经有所暗示，声称印度核试验是出于“对印度周边核环境的严重关切”。而印度国防部长费尔南德斯在核试验前就开始制造舆论，他在5月3日接受媒体采访时公开宣称，“中国是头号威胁，来自中国的潜在威胁要大于巴基斯坦”。

印度对中国的指责完全是为了寻求借口，因为谋求拥有核武器是印度长期追求的战略目标和基本国策。

印度很早就开始实施核武器研发计划，并于1974年5月爆炸了核装置。此后，印度一直没有放弃核武器发展计划，公开指责《不扩散核武器条约》和《全面禁止核试验条约》是歧视性的、不公正的，并以此为由，拒绝加入这两个条约，显然是为发展核武器留下伏笔。作为世界上少数几个抵制上述条约的国家之一，印度一直受到国际社会广泛批评。

时隔24年，印度再度进行核试验，意图很明显。国际上普遍认为，印度急于赶在《全面禁止核试验条约》生效前尽快迈过“核门槛”，谋求获得与美国、俄罗斯、英国、法国、中国五个拥有核武器的国家平起平坐的地位。

《不扩散核武器条约》只承认1967年1月1日前制造并爆炸核武器或其他核爆炸装置[1]的国家为有核武器国家，这些国家包括美国、俄罗斯、英国、法国和中国。印度是“核门槛”国家，不是国际法承认的核武器国家，即掌握了制造核武器能力与技术，但未公开进行核试验并宣布拥有核武器的国家。

当时《全面禁止核试验条约》得到美国和俄罗斯两国政府的积极支持，生效前景乐观。条约一旦生效，印度再进行核试验将面临更大的国际压力。

至于中印关系，那时早已得到明显改善，并且发展势头良好。从1988年印度总理拉吉夫·甘地访华以来，两国高层往来频繁，各级别的交流逐渐增多，相互了解不断加深，各领域合作逐步拓宽和深化。

在这种背景下，印度把中国作为它搞核试验的理由，指责中国对印度构成威胁，显然是别有用心，根本站不住脚。

坚持原则　表明立场

针对印度核试及其后一系列做法，我几次召集外交部有关部门研究对策。大家一致认为，印度进行核试验不仅危及南亚的和平与稳定，也会对国际安全造成重大影响，对国际军控与核不扩散进程构成严重挑战，并且有可能在南亚地区引起核军备竞赛。

中国作为安理会常任理事国，对维护世界和平负有重大责任。

1　核爆炸装置这里指可以释放核能的核武器或其他爆炸装置。

我们有必要立即在双边和多边领域采取应对措施，表明立场和态度，并动员国际社会迅速采取一致行动，要求印度立即停止发展核武器。

针对印度为核试验制造借口，对中国进行无端攻击、泼脏水的做法，大家非常气愤，认为有必要做出反应。

我向中央汇报了外交部的有关看法和意见。经请示中央同意，我们采取了几项措施。

1998年5月14日，外交部就印度核试验发表了严正声明。声明指出，印度政府不顾国际社会的强烈反对，继5月11日进行核试验后，5月13日又进行两次核试验，中国政府对此深感震惊，并予以强烈谴责。印度的行径是对国际社会要求全面禁止核试验共同意愿的公然蔑视，是对国际防止核武器扩散努力的沉重打击，将给南亚地区乃至世界的和平与稳定带来严重后果。

声明还指出，印度诬蔑中国对其构成威胁，是毫无道理的，明显是为其发展核武器找借口。

同日上午，外交部部长助理王光亚紧急约见印度驻华大使南威哲，就印度核试验进行严正交涉。王光亚向南威哲宣读并正式递交了外交部声明，让他转交印度政府，并告诉他，中国外交部发表声明是多年来少有的，是一个不同寻常的行动，印方应当充分注意。

针对印度对中国的无理指责，王光亚特别指出，印方不负责任的言论，是中方不能接受的。印方这一做法损害了中印关系，给两国关系的发展蒙上了阴影。印方应对此负完全责任。中印关系发展到现今阶段是双方长期努力的结果，来之不易。中方要求印方立即停止发展核武器计划，不要将发展核计划归因于中国，印度政府及要员应立即停止对中国的诬蔑。中方将密切关注事态的发展。

南威哲态度很强硬。他说，国际核不扩散机制是歧视性的，国际社会对印度核试验的反应是不公平的，印度在核试验问题上是十分克制的，应得到赞赏。

1998年5月15日，我分别给33个国家的外长写信，呼吁国际社会采取一致立场和行动，强烈要求印度立即停止发展核武器。这些国家包括联合国安理会所有成员国和在国际事务中有重要影响、在各大洲有代表性的国家。

我在信中说，印度核试验违背了国际社会要求全面禁止核试验的共同意愿，破坏了国际社会多年来防止核武器扩散的努力，造成了有关地区国家互不信任。在国际形势总体朝着和平与稳定的方向发展的时候，印度核试验给南亚乃至世界和平与稳定带来的后果十分严重。当务之急，国际社会应迅速采取一致立场和行动，强烈要求印度政府立即停止发展核武器。

我在信中还提到，印度诬蔑中国对其构成威胁是毫无根据的，完全是为其发展核武器寻找借口。

连锁反应　难以阻挡

印度核试验后，没有哪一个国家的反应比巴基斯坦更为强烈。

印巴有复杂的领土、宗教和民族恩怨，历史上曾三度兵戎相见。巴基斯坦一直把印度视作最大的安全威胁，认为必须同印度尽可能维持战略平衡，而在常规力量方面巴基斯坦已逊色于印度，如果核力量方面再处于劣势，就更难保障自身的安全。

1974年印度爆炸核装置后，巴基斯坦总理阿里·布托就说，如果印度制造原子弹，巴基斯坦即使“吃草”也要有自己的原子弹。他还说，“在拥有可以与印度匹敌的原子弹之前，巴基斯坦永远也不会真正感到安全”。为阻止印度搞核试验，巴基斯坦曾提出建立南亚无核区的建议，但遭到印度的反对。

巴基斯坦始终将自己的核政策同印度挂钩。巴方曾多次表示可以签署《不扩散核武器条约》和《全面禁止核试验条约》，但必须同印度一起签署。印度签，巴基斯坦就签；印度不签，巴基斯坦也不签。巴基斯坦前总统哈克曾经说过，只要印度签，巴基斯坦签两遍都可以。

印度核试验使南亚的战略格局失衡，使巴基斯坦当时的谢里夫政府受到前所未有的压力。巴基斯坦国内反应非常强烈，各党派、军队和普通民众纷纷要求巴基斯坦也进行核试验。

对此，谢里夫总理向国民公开承诺，巴基斯坦完全有能力捍卫国家安全。1998年5月13日印度第二次核试验后，巴基斯坦外交部发言人表示，巴基斯坦再次重申，将根据对其安全构成的威胁和保护国家利益的需要，采取一切措施。

针对印度核试验可能造成的连锁反应，国际社会普遍关注，希望巴基斯坦保持克制。特别是美国，对巴基斯坦可能搞核试验尤为担心，认为一旦巴基斯坦掌握核武器，很可能导致包括伊朗在内的其他伊斯兰国家采取相应行动，造成严重后果。

因此，美国想方设法劝阻巴基斯坦。克林顿总统给谢里夫总理打电话，要求巴方保持克制，放弃进行核试验的选择。克林顿还为此专门派副国务卿塔尔博特去了一趟巴基斯坦。美国甚至提出，可以向巴基斯坦提供安全保障、常规武器及经济援助，作为交换条件。

中国作为与巴基斯坦关系最为紧密的友好邻邦，自然也成为美国做工作的对象。美方不断通过各种渠道表示，希望中方帮助说服巴基斯坦保持克制。

1998年5月13日晚，美国国务卿奥尔布赖特打电话给我，希望中国和美国一道向巴基斯坦施压。奥尔布赖特说，美方对印度进行核试验深感沮丧，担心这将导致南亚地区核与导弹竞赛的升级，破坏该地区的稳定。美方当前最担心的问题是，巴基斯坦政府受到强大压力后，可能通过核爆炸或导弹试验，对印度的行动做出反应。奥尔布赖特说，克林顿总统已要求她派副国务卿赴巴基斯坦，敦促巴方避免采取任何火上浇油的行动。美方希望中方也对巴基斯坦做出类似表示，敦促巴方体现政治家风度，从而让印度自食恶果。如果巴基斯坦也搞核试验，将受到美国同样的制裁。

2000年6月22日，与美国国务卿奥尔布赖特在北京钓鱼台国宾馆举行会谈。

我向她明确阐述了中国对印度核试验的原则立场，并坦率地指出，出现目前这样的局面，同美国在南亚推行不平衡政策是分不开的，与美国在防扩散领域搞双重标准也不无关系。国际社会当务之急是一致向印度施加压力，使其改弦更张。美国有责任这么做，只要美国愿意，是能够做到的。

奥尔布赖特完全同意我关于国际社会应保持一致的看法。她说美国并不认同印度所谓搞核试验是为应对中国威胁的说法，相信印度核试验完全是出于其国内原因。当然，她对我有关美国在南亚推行不平衡政策和搞双重标准的说法感到不快。

奥尔布赖特作为美国历史上第一位女国务卿，曾任驻联合国大使，深谙国际事务，思维敏捷，应变能力强，深得克林顿总统的信赖。当时她在国际上享有“铁娘子”之称，爱穿一身醒目的红色套裙，说话坦白率直，坚持主见，姿态强硬，不像大多数外交官那样委婉。

此后，国际社会一直在对巴基斯坦做工作，但在是否进行核试验问题上，谢里夫总理始终没有明确表态。

1998年5月25日，江泽民主席应约与克林顿总统通电话。

克林顿总统首先表示，印度进行核试验是犯了重大错误，美国已经对印度实施了严厉制裁。

但他很快将话题转到巴基斯坦上来。克林顿总统说，他已经同谢里夫总理通过三次电话，相信谢本人不想搞核试验，但国内压力巨大。他说，他已告诉巴方，如果美国帮助巴基斯坦改善常规军备，增进其安全，并改善巴经济状况，巴基斯坦不进行核试验而从邻国和世界其他国家所获得的支持，将远远大于选择核试验所带来的短期效益。

克林顿总统最后明确提出，希望江主席能够亲自做谢里夫总理工作，劝说巴基斯坦不要进行核试验。

江主席首先对克林顿总统阐明了中国在印度核试验问题上的立场。他说，作为南亚的近邻，中国对南亚地区形势深感不安。印度不顾国际社会的强烈反对，连续进行两轮核试验，破坏了国际社会防止核武器扩散的努力，损害了南亚乃至世界和平、安全与稳定，后果严重。

江主席说，当务之急，国际社会应做两件事：一是要求印度立即放弃发展核武器，无条件加入《不扩散核武器条约》和《全面禁止核试验条约》；二是切实考虑并解决巴基斯坦的正当安全关切，一味要求巴基斯坦采取克制态度是不够的。在这方面，中美双方可以共同努力。

事情的发展正如人们所料，尽管面临来自外部的强大压力，巴基斯坦最终还是于1998年5月28日在俾路支省查盖山区进行了五次核试验，此后又于30日进行了一次核试验。巴方宣布已基本完成了从核装置到核武器的研制试验过程。

巴基斯坦核试验后，联合国秘书长安南表示痛惜，呼吁印、巴保持克制。美国、英国、法国、俄罗斯等国表示谴责，敦促巴基斯坦立即停止核试验。我们也通过外交部发言人发表谈话，对此深表遗憾，并呼吁南亚有关国家保持最大限度克制，立即放弃核武器发展计划。

国际关注　大国协调

如何处理印、巴核试验问题成为当时国际社会关注的焦点。有些国家主张召开联合国大会进行审议，有些国家主张在联合国安理会进行讨论，还有些国家主张由某些集团性机制介入。

巴基斯坦进行核试验后第二天，即5月29日下午，奥尔布赖特国务卿又给我打来电话，商量中美如何采取下一步行动。

奥尔布赖特一上来就说，她已经就印巴核试验及其对南亚局势的影响与英国、法国、俄罗斯外长交换了意见。四国考虑两周后在伦敦召开安理会五个常任理事国与“八国集团”[1]的外长会议，讨论防止核武器扩散、南亚安全形势以及印巴克什米尔争端问题，此后再吸收印度、巴基斯坦以及其他一些国家参加。她希望得到中国的支持和参与。

我告诉奥尔布赖特，中方对印巴核试验深表遗憾，但南亚出现目前这样的局势，始作俑者是印度。中美作为两个大国，在处理印巴核试验问题上要主持公道，对印度和巴基斯坦要区别对待。

对于安理会常任理事国加“八国集团”外长会议一事，我明确表示，印巴相继进行核试验，南亚出现核军备竞赛，是一个事关国际和地区和平与安全的问题，在联合国安理会讨论最为合适，五大国作为常任理事国负有特殊责任，将这一问题拿到“‘五常’加‘八国’”框架内去谈不合适。

1　八国集团包括美国、英国、法国、德国、加拿大、意大利、日本、俄罗斯。

奥尔布赖特于是建议先召开安理会“五常”外长会议，届时再考虑吸收其他国家参加的问题。她向我解释说，召开“‘五常’加‘八国’”外长会是克林顿总统的想法。美方的考虑是，将德国与日本这两个无核武器的重要国家包括在内，主要是希望借此向印度表明，印度想通过拥有核武器来获得大国地位的想法是错误的。美方担心，安理会难以深入讨论、迅速处理南亚安全问题，特别是克什米尔问题。安理会即使通过决议或发表声明，为照顾各方不同立场，内容也将被弱化。

美国的担心不是没有道理的。长期以来，安理会成员之间，在许多重大问题上都存在分歧。自新中国成立以来，还没有过“五常”外长共同出席安理会会议，讨论涉及国际和平与安全重大问题的记录。但即便如此，将印巴核试验这一涉及南亚和平、安全与稳定的重要议题拿到“八国集团”外长会上去谈，也是不合适的，会削弱安理会的地位和作用。

我告诉奥尔布赖特，关心印巴核试验和南亚安全的不仅是“八国集团”或“五常”，这已经是一个重要的国际安全问题了。如果召开“‘五常’加‘八国’”外长会议，一方面可能形成马拉松会议，劳而无功；另一方面也可能转移国际社会对安理会作用的注意和期待，使事态更加复杂化，不利于问题的真正解决。至于召开什么形式的会议，需要进一步研究。

通话结束后，我们立即对美方建议进行了分析研究。大家认为，印巴核试验实际上宣告了美国对南亚核不扩散政策的失败。美国还担心印巴核试验在国际上引发连锁反应，而少数西方国家的制裁措施又难以奏效，有可能导致美国苦心经营的全球核不扩散机制瓦解。美国甚至担心，印巴核试验造成的紧张，可能引发两国在克什米尔地区发生大规模武装冲突，导致南亚局势失控，危及美国在南亚乃至中亚、中东地区战略安全利益。

我从奥尔布赖特的话中感觉到，美国力求抓住处理印巴核试验问题的主导权，但美国同时也意识到孤掌难鸣，必须借助其他大国，尤其是中国的力量，才有可能妥善处理这一问题。中美统一认识，协调行动，是解决问题的关键。应该说，这为中美加强合作提供了机遇。

我们对美方的建议进行了深入的研究之后，确定还是以召开安理会“五常”外长会最为稳妥。如果美方坚持，我们也可以考虑召开安理会外长会或在此基础上吸收其他国家参加，具体与会国名单由“五常”商定。我把这一工作考虑向钱其琛副总理做了汇报，得到他的赞同。

当晚，我再次与奥尔布赖特通话，向美方提出尽快召开安理会“五常”外长会的建议。我对她说，会上可以主要讨论制止南亚地区的核军备竞赛，防止核武器扩散和维护南亚地区和平与稳定等重大问题。会议可发表一个联合公报，交安理会认可。此后，会议还可讨论克什米尔问题。

奥尔布赖特当即表示这是个好主意，希望通过“五常”外长会，在“五常”内部形成协调一致的立场，为国际社会处理印巴核试验问题指明方向。她还建议以此为出发点，视情扩大与会国范围，让其他一些感兴趣的国家也参加。她甚至主动提出由她本人同英、法、俄三国外长联系，争取在当天夜里答复中方。

考虑到日内瓦是裁军谈判会议所在地，我们两人一致同意，将会议的地点定在日内瓦。

1998年5月30日凌晨1点30分，美国助理国务卿帮办谢淑丽（Susan Shirk）打电话通知王光亚部长助理，奥尔布赖特已经和英、法两国外长取得联系，两国都同意中方建议。虽然还没有来得及与俄罗斯外长普里马科夫联系，但奥尔布赖特对劝说他与会持乐观态度。谢淑丽在电话中表示，奥尔布赖特再次感谢中方提出的好建议。

5月31日晚，奥尔布赖特再次打电话给我，先和我就会议的设想初步交换意见。奥尔布赖特说，美方建议会上讨论三部分内容。首先应该采取措施，要求印、巴保持克制，防止南亚紧张局势升级。

第二，促进两国解决主要政治分歧，包括最终讨论克什米尔问题。第三，讨论会议的后续行动，包括今后邀请印、巴及其他国家参加，在南亚建立起某种安全机制。

我也对她讲了中方的想法。我说，中方认为会议可以设两大议题，一是核问题，二是南亚安全问题。克什米尔问题可以放在南亚安全议题下讨论。

我接着说，会议的目标应该十分明确，即首先应是五国在政治上和法律上不承认印、巴的核武器国家地位，同时就制止南亚核军备竞赛及如何在全球防止核扩散提出共同立场。南亚安全问题的核心是印巴克什米尔问题。在这个问题上，关键要敦促两国采取克制态度，保持现状，恢复磋商与接触，避免诉诸武力或以武力相威胁。

我还说，中方建议会议发表一份政治性声明，向印巴两国和国际社会发出明确而强烈的信息。

我还提醒她，集中精力把“五常”外长会开好非常重要。中美两国在防止核武器扩散与恢复南亚稳定方面，有着广泛的共同利益，两国应加强协调合作。

奥尔布赖特听后表示，中美双方很多想法非常相近。她建议，为确保外长会成功，五国应在会前派防扩散和南亚问题专家到日内瓦，就外长会拟通过的联合公报进行磋商。在此之前，中美两国专家可以提前抵达日内瓦，进行预备磋商。

在中美就召开安理会“五常”外长会达成基本共识后，下一步工作就是着手落实。

根据惯例，安理会五个常任理事国中，每月都有一个国家作为协调员，负责在“五常”之间联络协调。那年6月份，恰逢中国轮值安理会“五常”协调员，应由中国出面就“五常”外长会相关事宜与其他四国协调。

6月1日，王光亚部长助理紧急约见美、俄、英、法驻华使节，正式通知四国，经过非正式协商，安理会“五常”外长会议定于6月

4日在日内瓦召开，中国外长唐家璇邀请四国外长出席。会前，6月3日在中国驻日内瓦代表团驻地举行五国专家级磋商。

“五常”聚首 统一立场

当时俄罗斯外长是普里马科夫，他是俄罗斯一位资深政治家，我对他很尊重。1998年6月2日，我主动给普里马科夫写了一封信，介绍中国对“五常”外长会的想法，希望中俄双方采取一致立场。

为在会前与俄罗斯进行充分沟通，我还主动邀请普里马科夫外长于6月4日在中国驻日内瓦代表团共进早餐。普里马科夫欣然接受，并为此特意调整行期，提前一天来到日内瓦。

我邀普里马科夫外长共进早餐，实际上是举行了一次工作会谈。一开场我就尊称他为前辈，说我有事情向你请教。接下来，我与他围绕印、巴核试验及“五常”外长会有关问题，深谈将近两个

1998年7月22日，在北京会见俄罗斯外长普里马科夫。

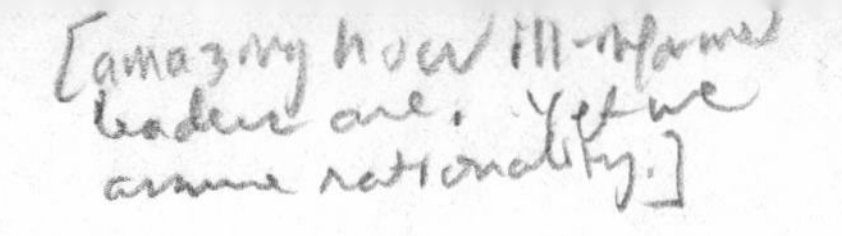

小时，气氛十分亲切而友好。我强调，“五常”是解决国际和平与安全问题的核心。他离开时向我表示，俄罗斯完全赞同中方看法，并同样重视这个问题，会全力配合中方工作。

我抵达日内瓦后，奥尔布赖特就提出，希望同我在“五常”外长会正式开始前碰碰头，通通气。6月4日上午，我送走普里马科夫后，奥尔布赖特就来到中国驻日内瓦代表团。

奥尔布赖特一坐下来就对我说，中国与印、巴的关系对解决南亚问题十分重要。印度核试验以对中国的安全关切为借口，这既不合适也不正确。美方理解中方的感受，但希望中印双方采取措施，解决分歧。

奥尔布赖特还说，中国对巴基斯坦有重要影响，希望中方在“五常”外长会后向巴方通报有关情况，劝巴方避免采取挑衅行动。

看来，她担心中国在处理印巴核试验问题上的立场，会受到中印双边因素的影响，甚至担心中国会偏袒巴基斯坦。

对此，我明确指出，印度核试验问题是一个关系到国际和平与安全以及国际防扩散机制的大问题，中方始终站在战略的高度看待这一问题。正因如此，中方对印度核试验进行了强烈谴责。另一方面，印度为了给核试验找借口，无端指责中国，中方对此不得不予以必要的回应，以正视听。

我还表示，中巴保持着传统友好关系，但在核试验问题上，中方是讲原则的，无意偏袒巴方。不过，客观地说，印度是南亚核军备竞赛的始作俑者。“五常”应该主持公道，分清主次，区别对待。

下午5点半，“五常”外长会在日内瓦万国宫理事会厅正式召开。

万国宫是联合国日内瓦办事机构的驻地。按照传统，此间召开的涉及国际安全重大问题或紧急的会议都在万国宫理事会厅举行。这是万国宫内最富丽堂皇的会议厅，天花板上五只巨手紧紧握在一起，象征着世界五大洲人民的团结与合作。

联合国成立以后的几十年来，很多重要的国际会议都在此召开。1954年，周恩来总理兼外长曾率团在这里参加关于朝鲜问题和印度支那问题的日内瓦会议。当我走进理事会厅时，一种历史责任感和使命感油然而生。

“五常”外长会议在历史上还是第一次，而这有史以来的首次“五常”外长会是由中国外长主持的。会场的布置与纽约联合国总部安理会会议的布置不同，主持人坐在主席台上主持会议，其他四国外长及工作人员在台下并排就座。

在主席台就座后，我宣布会议开始。我在开场白中指出，根据《联合国宪章》，安理会常任理事国对维护世界和平安全与稳定负有特殊责任。这次会议的目的，是希望通过大家的共同努力，制止南亚地区的核军备竞赛，恢复这一地区的和平与稳定。

会议首先进行正式磋商，我请美、俄、法、英四国外长先后发言。美国务卿奥尔布赖特表示，目前南亚局势不稳，印、巴两国均未承诺停止核试验。五国在南亚问题上应抛弃私利，采取共同立场。

俄罗斯外长普里马科夫表示，印、巴核试验是冷战后国际社会遇到的最大挑战，国际防扩散机制面临严重危机，印、巴负有同等责任。

法国外长韦德里纳表示，此次会议不仅是安理会“五常”外长会，也是五个核大国外长会，应寻求解决当前危机的前瞻性办法。在讨论印、巴核问题的同时，也不应忽略常规武器问题，如果印、巴之间爆发冲突，更有可能发生的还是常规武器冲突。

英国外交大臣库克说，印、巴核试验是对南亚与世界和平的严重挑战，国际社会如不迅速做出反应，将对国际防扩散体系造成沉重打击，国际社会应促使印、巴放弃核武器发展计划。

我以中国代表团团长身份也做了发言，阐明了中国政府对印巴核试验和当前南亚局势的基本看法，以及中方立场与主张。我强调指出，印、巴相继进行核试验，使南亚地区陷入一场危险的核军备竞赛之中，也使防止核武器扩散的国际努力受到沉重打击。当前最紧迫的是采取措施，敦促印、巴立即停止核试验，承诺不将其核装置武器化，不部署核武器，承诺立即无条件加入《全面禁止核试验条约》和《不扩散核武器条约》，并最终放弃核武器发展计划。五国应明确表示，不给予印、巴合法核武器国家的地位。

我还表示，中国历来奉行睦邻友好政策，作为南亚的近邻，中国衷心希望南亚地区紧张局势得到缓和，尽快恢复稳定，并愿继续为此发挥积极、公正和建设性作用。

随后，会议转入非正式磋商。参照国际多边会议的惯例，我请奥尔布赖特主持非正式磋商，她对此感到十分高兴，会后表示这是她担任国务卿以来参加的最成功的一次会议。

非正式磋商结束后，我主持审议并通过了“五常”外长会议联合公报。公报指出，五国谴责印、巴核试验，认为应尽快缓和由于核试验而引发的南亚地区紧张局势，要求印、巴两国立即停止核试验，立即无条件签署《全面禁止核试验条约》，放弃发展和部署核武器，敦促印、巴加入《不扩散核武器条约》，强调不承认印、巴的核武器国家地位。

公报并呼吁印、巴通过对话建立信任，和平解决克什米尔问题。五国将继续关注南亚事态的发展，推动印、巴和平解决分歧。五国还将密切合作，防止南亚地区军备竞赛升级，加强国际核不扩散机制。

会议开了大约三个小时，于晚上8点半结束。晚9点，我在理事会厅主持了五国外长联合记者招待会。我居中，右侧是奥尔布赖特和普里马科夫，左侧是英国外交大臣库克和法国外长韦德里纳。

我向记者们介绍了“五常”外长会议的主要情况，并表示，南亚地区的和平与稳定正受到严重威胁，当务之急是印、巴双方保持冷静与克制，立即恢复对话，寻求改善关系的途径。作为本月联合国安理会的协调员国，中国在其他常任理事国的大力支持和协助下，主持召开了这次外长会议，各方对会议的结果均感到满意。中国将

1998年6月4日，日内瓦安理会五常任理事国外长会议后举行联合记者招待会。

继续按照独立自主的和平外交政策，为维护和平、促进发展作出应有的贡献。

联合记者招待会结束后，我又举行了单独的记者招待会，并向国内记者吹风。

当我和代表团所有同志结束一天的活动，回到驻地用晚餐时，已经是晚上10点半了。

这次会议开得很成功，五国在这次会议上表现了空前的一致，向国际社会发出了强烈信号，为下一步处理印巴核试验问题定下了基调。

两天后，联合国安理会一致通过了第1172号决议，决议认可了“五常”外长会通过的联合公报，谴责印、巴两国进行核试验，认为印、巴核试验对全球核不扩散和核裁军努力构成严重威胁，要求印、巴两国不再进行核试验，立即停止核武器发展计划，鼓励各国不向印、巴两国出口有助于其核武器或弹道导弹计划的设备、材料及技术。这一决议反映了国际社会对印、巴核试验问题的共同意志。

实践证明，这次“五常”外长会议是国际社会妥善应对和处理印巴核问题的关键环节，中国为会议成功发挥了重要作用。

因势利导　关系转圜

印度悍然进行核试验，并对中国进行无理指责，使不断改善和发展中的中印关系遭遇严重挫折。那段时期，中印之间的高层交往、军事等领域的交流与合作受到很大影响，两国国民之间的感情严重下滑。

印度在国际上陷入孤立。在强大的国际舆论压力下，面对中方做出的强烈反应，印度逐渐认识到无理指责中国的错误做法给印中关系带来严重伤害，不符合印度自身的利益。印度高层和社会各界开始反思，官方讲话明显调整了调门。

印度总统纳拉亚南在公开讲话中表示，在印中关系出现波折的情况下，当务之急是恢复对话，增进了解，尽快使两国关系走上健康发展的道路。

印方还通过学者、前驻华外交官、外交部等不同渠道，向我们驻印度使馆传递信息，希望同中方进行高级别接触。

印度国内舆论指责中国的声音也明显减弱。

第五届东盟地区论坛外长会议定于1998年7月在菲律宾首都马尼拉举行。按惯例，我将应东道国外长邀请出席会议。

会前，印度驻华使馆向中方提出，印度国家计划委员会副主席贾斯旺特·辛格将作为印方代表出席东盟地区论坛外长会议，希望在会议期间与中国外长会见。

辛格属于印度人民党温和派，深受总理瓦杰帕伊的信任和赏识。他被称为解决棘手问题的能手，曾帮助印度人民党成功解决组阁难题。印度进行核试验后，辛格作为印度政府特使，与美国副国务卿塔尔博特就核问题进行了七轮会谈，事实上承担了外长的职责。

此时，距印度进行核试验刚刚两个多月，国际社会以及中国国内民众对印度的不满情绪还很强烈，是否会见辛格，我与外交部的同事们专门进行了研究。

当时开展双边交往的时机虽尚未成熟，但我认为，利用多边场合与印方进行一次接触，有利于我们面对面地阐明中方立场，对印方晓以利害，敦促其在核问题上改弦更张，在中印关系上采取正确的态度，也可为今后关系转圜留下空间。因此，我同意了印方的请求。

1998年7月27日，我在下榻的马尼拉饭店会见了辛格。

辛格身材修长，眉毛浓黑，身着印度民族服装。在整个会见过程中，他始终端坐着纹丝不动，腰板直挺，表情平静，不动声色。后来我们相处熟了，聊天时我曾经问过他为什么总是保持这个姿态，他笑着说年轻时当过骑兵，已经养成习惯了。

双方落座后，彼此都没有太多的寒暄，直接进入正题。

我首先回顾了中印关系的发展历程，表示中印是世界上两个人口最多的发展中国家，都有悠久的历史和古老的文明。中印两国领导人共同倡导的和平共处五项原则成为指导国际关系的基本准则。中国历来重视在和平共处五项原则基础上，发展同印度的睦邻友好合作关系，并为此做出了不懈的努力。

我指出，令人遗憾的是，印方为给核试验制造借口，竟然完全置中印关系大局于不顾，无端指责中国对印度构成威胁，这是中方绝对不能接受的。印方这一做法，干扰了中印关系的正常发展。

我强调，“解铃还须系铃人”，希望印方能从两国关系的挫折中汲取教训，本着负责任的态度，采取实际行动，以利于两国关系回到正常发展轨道。

辛格对印度进行核试验没有进行过多的辩解，着重围绕中印双边关系讲了一番话。

辛格说，印度核试验并不针对任何具体国家。最近几个月来，印中之间出现了分歧，这是很不幸的。印方希望双方能够将分歧放到一边，本着向前看的态度，推动两国关系继续向前发展。

辛格还说，印方愿意在友好互利的基础上继续发展同中国的关系，扩大双边接触和交往。印方重申对和平共处五项原则的承诺，希望同中方通过友好协商，解决两国间存在的问题。

从这次与辛格的会见中，我感觉到，印方为缓解国际压力，希望与中方改善关系，尽早摆脱孤立。但在影响双边关系的核心问题上，态度还不够明确，没有迈出应有的步伐。

在此情况下，我们总体上继续在多边和双边领域对印度适当保持了压力，同时也有针对性地开展工作，取得一系列成效。印方通过不同渠道，多次表达了改善和发展印中关系的愿望。

那年12月，辛格被正式任命为印度外长。辛格担任外长后，公开表示，改善同中国的关系是印度外交的首要任务。

1999年1月，中国前驻印度大使程瑞声率领中国学者代表团赴印度出席中印学者第二次对话。印方对代表团给予了破格礼遇，印度总统纳拉亚南、总理瓦杰帕伊、国防部长费尔南德斯分别会见代表团一行。

纳拉亚南在会见时表示，中国对印度不构成威胁，印度对中国也不构成威胁。这是印度领导人首次做出这样的表态。纳拉亚南还表示，希望能够尽早访华。

印度总理首席秘书米什拉提出，希望中方在7月前邀请辛格外长访华。

1999年2月，根据印方提议，中印两国在北京举行了两国外交部官员会晤，两国外交部主管亚洲事务的司长就中印关系面临的问题，深入交换了意见。此次会晤中，印方确认，印度领导人关于印中互不构成威胁、互不为敌的谈话代表了印度政府的对华政策和态度。

印方的这一明确表态，成为双边关系全面改善的政治基础，为实现中印关系转圜创造了条件。中方对印方发出的积极信息，做出

2002年3月29日，在北京会见印度外长辛格。

了正面回应。

考虑到印度方面表态出现积极变化，双方在二轨和工作层接触也取得了积极进展，我们决定因势利导，同意辛格来访。

1999年6月14日至16日，辛格外长访华。

我在外交部同辛格外长举行了正式会谈，就中印双边关系和印度核试验等问题广泛、深入地交换了意见，特别是就如何解决中印关系面临的问题达成了重要共识。会谈原定45分钟，结果持续了2小时15分钟。

关于中印关系，我重点谈了四点看法。第一，发展中印关系的前提是互不视对方为威胁，基础是和平共处五项原则。第二，中印作为世界上两个最大的发展中国家，有着相似的历史经历，又都面临着发展经济、消除贫困和提高人民生活水平的艰巨任务。两国的共同点远远大于存在的分歧。第三，中国面临的最突出任务是发展经济，提高综合国力。这就需要一个良好的周边环境。印度是中国的重要邻国，中国需要同印度搞好关系。第四，中印在一些问题上存在不同看法，两国关系中有一些悬而未决的问题，但这不应成为两国关系发展的障碍。

辛格外长完全赞同我的看法，并重申，印度不对中国构成威胁，中国也不对印度构成威胁。两国需要稳定发展双边关系，需要对话，而不是对抗，应在各层次保持经常性对话。辛格外长还说，印方视此次访问为印中关系恢复和发展的一个转折点。

辛格外长访华期间，朱镕基总理在中南海紫光阁会见了他。朱总理说，由于众所周知的原因，中印关系去年受到了严重伤害。现在两国关系开始步入改善和发展的进程，希望双方加强交流与往来，不断缩小分歧，扩大共识，增进友谊。

辛格外长表示，印度政府高度重视发展对华睦邻友好关系，愿在和平共处五项原则基础上，积极推动双边关系的继续恢复和改善。

辛格外长访华后，逐步恢复两国在各领域的接触，中印关系全面实现正常化的条件已基本成熟。

2000年适逢中印建交50周年。随着中印关系的不断改善，印度方面希望以此为契机，把双边关系向前再推进一步。1999年底，印方提出纳拉亚南总统希望对中国进行国事访问。

纳拉亚南曾于1976年出任中印恢复外交关系后印度首任驻华大使，对中国一向怀有友好感情。担任驻华大使期间，他为中印关系的不断改善和发展做了很多有益的工作。

纳拉亚南生于印度喀拉拉邦的一个穷苦家庭，但他天资聪颖，勤奋好学，因成绩优异被推荐到英国伦敦经济学院学习。纳拉亚南1949年开始外交生涯，退休后从政，曾担任过副总统，1997年当选为总统。

2000年5月28日至6月3日，纳拉亚南总统对中国进行了国事访问。这是印度核试验后中印之间的第一起高层访问，引起各方高度关注。

中印双方对此次访问都十分重视，对日程安排进行了周密筹划。访问期间，江泽民主席在人民大会堂东门外广场为纳拉亚南总统举行欢迎仪式，并同他举行会谈。李鹏委员长、朱镕基总理和全国政协主席李瑞环也分别会见。李岚清副总理和夫人章素贞同志陪同纳拉亚南总统和夫人，在中山公园音乐堂观看了中印音乐家联合演出。文化部孙家正部长出席了纳拉亚南总统夫人的诗集《甜与酸》中文版首发式。纳拉亚南总统还在北京大学发表了演讲。

我参加了江泽民主席与纳拉亚南总统在人民大会堂的会谈，会谈很成功，气氛也很友好。

江主席首先表示，中印是近邻，两国人民之间的传统友谊源远流长。20世纪50年代中印建交之初，周恩来总理同尼赫鲁总理共同倡导了和平共处五项原则。此后中印关系经历了一些曲折，但睦邻友好是50年中印关系发展的主流。事实表明，稳定、健康、正常的中印关系符合两国人民的共同愿望和根本利益，也有利于本地区的和平与稳定。

接着，江主席指出，在世纪之交，两国领导人应从战略高度把握两国关系的发展方向，妥善处理分歧，继续深化中印建设性合作伙伴关系。只要双方都站得更高些，看得更远些，并本着积极的态度，中印关系一定会有一个美好前景，我们两个大国就一定能为亚洲及世界的和平与发展作出应有的贡献。

纳拉亚南总统完全赞同江主席的意见，他说，印中在众多领域有共同利益。无论从哪个方面看，印中都是朋友，不是对手或敌手。我们需要进一步加强两国业已存在的友好关系。印中加强合作，而不是相互敌对甚至对抗，将极大地巩固世界和平与发展的基础。印度所有领导人都希望大力发展印中友好，期待着通过这次访问，谱写印中关系的新篇章。

纳拉亚南总统还访问了大连和昆明。访问大连期间，他说，印中开展经贸合作的前景十分广阔，希望通过他的访问，推动两国地方建立更为密切的关系，促进印中友好交往与合作的进一步发展。他还会见了印度援华医疗队柯棣华大夫的遗孀郭庆兰女士。

纳拉亚南总统访华标志着中印关系走出了印度核试验后的阴影，重新回到正常发展的轨道。

印度是中国的重要邻国，两国之间的友好交往有着悠久的历史。新中国成立后，印度成为第一个同中国建交的非社会主义国家。建交后，中印关系虽然经历了重大的曲折和起伏，但总体上是不断向前发展的。

中印两国都是在亚洲乃至世界有着重要影响的国家。和中国一样，印度也是正在快速发展的新兴大国。邓小平同志曾经说过："中印两国不发展起来就不是亚洲世纪。"[1]

发展同印度的睦邻友好关系是中国周边外交的重要一环。中国一贯致力于在和平共处五项原则基础上，同印度开展友好合作。尽管两国之间还存在历史遗留问题，但这不应该成为发展两国关系的障碍。中国和印度不应该成为竞争对手，而应该是合作伙伴。

在十年前的那场外交斗争中，我们立场鲜明地反对印度进行核试验，并针对印度无端攻击中国的做法做出必要和适度反应，目的是为了使中印关系能够更好地向前发展，能够有利于南亚地区的和平与稳定，有利于巩固和加强国际核不扩散机制。

2005年，温家宝总理访问印度期间，中印建立了面向和平与繁荣的战略合作伙伴关系，两国关系由此进入了健康发展的快车道。

---

1 见《邓小平文选》第三卷，"以和平共处五项原则为准则建立国际新秩序"（1988年12月21日），人民出版社1993年版。

中非合作论坛北京峰会

中非协奏曲

随着中非合作论坛北京峰会的临近，从2006年10月下旬开始，首都北京出现“非洲热”。主要街道随处可见非洲风情的大型展板、横幅、刀旗，连远郊区县也能不时看到长颈鹿在非洲大草原上悠然漫步的宣传招贴画。书店里有关非洲政治、经济、文化、历史的书籍十分畅销，各大影院和电视台都在上映或热播以非洲为主题的影视作品。

天安门广场、王府井大街等繁华地带布置得像过节一样。天安门广场上花团锦簇，巨大的中非合作论坛会徽矗立在花坛中央。会徽形似“合抱之手”，寓意中非团结与合作，在蓝天白云下格外醒目。

王府井大街举办的非洲风情节，除图片展览外，还搭起了舞台，

2006年10月下旬开始，天安门广场上花团锦簇，巨大的中非合作论坛会徽矗立在花坛中央。

2006年10月31日，非洲留学生在王府井步行街表演非洲舞蹈。

非洲留学生连续几天在那里表演“鼓舞”。热情奔放的非洲土著舞蹈，令众多游人驻足观看，流连忘返。一些游客还在演员邀请下勇敢登台，与之互动共舞，现场充满了和谐欢快的气氛。

北京、中国乃至全世界的主要媒体一连多日都在报道着这件大事：近五十个非洲国家的领导人将聚首北京，出席中非合作论坛北京峰会，共商中非发展大计。

有朋自远方来，不亦乐乎！整个北京市都行动起来。据媒体报道，为保证交通畅通，25万车友承诺峰会期间不开车出行；交通民警专门请来了非洲在华留学生，向他们学习非洲的风俗和礼仪；总统套房内，饭店精心准备了绣有领导人夫妇名字的浴袍和拖鞋；社区也动员起来，为欢迎远道而来的非洲朋友做着精心准备。

2006年11月4日至5日，中非合作论坛北京峰会在北京人民大会堂隆重召开。

这是新中国外交史上迄今规模最大、级别最高、出席国家领导人最多的一次盛会，举世瞩目。

中非合作论坛创立于2000年，是中国与非洲国家之间一种新型的集体对话与合作机制。论坛已经分别于2000年和2003年召开过两次部长级会议，为中非合作搭建了新的平台。此次北京峰会的召开更是将中非关系推向了新高潮。

这是中非关系史和新中国外交史上的一件大事，也是我外交生涯中印象深刻的重大事件之一。

我长期从事亚洲外交，与非洲结缘是在我担任外长以后。在十年时间里，我曾十次到过非洲，其中六次是正式访问，共到过三十多个非洲国家，还亲历了中非合作论坛倡议、创立和发展的全过程，对这个美丽而遥远的大陆有着特殊的亲近之感。

非洲初结缘

我于1998年3月出任外交部长后，继承了时任国务院副总理钱其琛同志在担任外长期间的优良传统，即每年首次出访必去非洲。

那一年，我虽然于4月份访问了印尼，但只是一次短暂的工作访问。我特意将担任外长后的首次正式出访留给非洲。就职后不久，我就请时任非洲司司长刘贵今同志给我推荐几个国家，并着手相关准备。

刘司长是“老非洲”，足迹遍及非洲大陆，对非洲有着深厚的感情。2007年他从驻南非大使的岗位上退下来后，又被任命为中国政府非洲事务特别代表，目前主要处理苏丹达尔富尔问题，又被称做中国政府达尔富尔问题特别代表。

刘司长建议我去趟西非，因为我们国内去西非访问的团组比较少，需要通过访问，增进相互了解。我当即表示同意。后来，非洲司选择了几内亚、科特迪瓦、加纳、多哥和贝宁这五个西非国家作为我首次非洲之行的目的地。

这是我第一次踏上非洲的土地。

由于没有直航飞机，我取道布鲁塞尔飞往几内亚首都科纳克里。在飞机上，我再一次拿出非洲司给我准备的有关材料仔细阅读，除政治经济情况外，非洲司还为我详细准备了非洲历史、地理和风土人情等方面的资料。我一边阅读，一边想象着即将访问的这几个非洲国家。

此行的第一站是几内亚。这是撒哈拉以南原法属非洲最早独立的国家。

谈到几内亚国名，还有一段故事。据说当年葡萄牙一个殖民者闯进几内亚，被那里的秀丽风光所吸引，便上岸用葡语问当地的一位姑娘："这是什么地方？"姑娘不懂葡语，就用当地土语回答："几内。"在当地苏苏族语中，"几内"是女人的意思。葡萄牙人误把姑娘的回答当做了地名，于是，这片土地从此便被叫做"几内"了。法国人后

1998年6月10日访问几内亚，跳草裙舞的欢迎队伍。

来将此地命名为Guinée（发音为“几内”），汉语译为“几内亚”。

1998年6月10日晚上，我抵达科纳克里国际机场。一出舱门，和煦的暖风迎面扑来，让我心中顿感温暖。

几内亚人非常热情好客，外长卡马拉亲自前来机场迎接我。他热烈地拥抱我，并把我引领到载歌载舞的欢迎队伍前。

那是我第一次在当地亲眼目睹热情奔放的非洲歌舞，他们打着手鼓，随着鲜明的节奏，舞动着腰间的草裙，妇女们用高亢的声音发出阵阵欢呼声，表达着对中国客人的欢迎。

卡马拉外长一直陪同我到下榻的独立饭店，并且将我送到房间。

饭店坐落在大西洋海滨。白天从房间的窗户向远处眺望，大海和天空连成一片，美不胜收。第二天早餐前，我外出散步，看到周围的房子虽然旧了些，但街道干净整洁，两旁长满了高大的芒果树，满目葱郁，鸟语花香。大街上，穿着色彩鲜艳的非洲式裙装的妇女们，头顶装满蔬菜、水果或日用品的盆、盘、篮、筐等缓缓前行，别有一番情趣。

访问期间，我除与卡马拉外长会谈外，还会见了孔戴总统以及总理、议长等领导人。几内亚是撒哈拉以南非洲地区第一个与新中国建交的国家，两国关系十分友好。孔戴总统是老一辈非洲领导人，对中国感情深厚。他在会见时强调，几中关系是几内亚外交优先发展的重点。中国是世界上受人尊重的大国，拥有这样的朋友是几内亚的幸运。

当时，我们正在为几内亚援建新的总统府。我与孔戴的会见是在老总统府进行的。对话中，孔戴还专门询问新总统府建设的进展情况。我告诉他，中国公司正在全力以赴，争取年底前完成主体工程，明年总统阁下就可以启用新总统府了。孔戴听了很高兴。

11日晚上，卡马拉外长为我举行了欢迎晚宴，用烤全羊来款待。由于几内亚绝大多数居民是穆斯林，烤全羊是当地待客最名贵的菜肴。

在几内亚短短三十多个小时的访问，给我留下了对非洲的美好印象。

离开几内亚，我开始了对科特迪瓦的访问。“科特迪瓦”在法语里是“象牙海岸”的意思。据史料记载，1447年葡萄牙人到此，见沿岸象牙贸易兴盛，一位名叫费尔南麦斯的殖民者便为其取名为“象牙海岸”。此后，象牙海岸又成为法国的殖民地。

1998年6月12日我抵达科特迪瓦经济首都阿比让。这里曾是科特迪瓦的首都，也是西非最大的天然良港，非洲大陆最大的集装箱港口之一，经济较发达，城市繁华。1983年科特迪瓦迁都亚穆苏克罗，阿比让便被称为“经济首都”。

我抵达那天正值下午，但天气并不像我想象的那样炎热难耐。阿比让街道宽阔，路旁高大的树木排列整齐，高楼林立。我下榻的象牙饭店高达30层，号称非洲当时最大的饭店，相当气派，门口耸立着标志性的巨大象牙雕塑。不过，这么好的一个国家，后来爆发了内战，失去了往日的风采。

访问期间，我分别会见了科特迪瓦总统贝迪埃、总理敦坎，并与埃西外长进行了会谈。我们就国际、非洲形势交换了意见，重点讨论了中科关系。就是在这次访问中，我与科方商定，为进一步推进中科政治、经贸合作，决定设立两个机制，一是两国外交部间的定期磋商机制，二是双边经贸混委会。后来，这两个机制为双边关系的发展发挥了重要作用。

加纳是我此访的第三站。殖民时期，加纳因盛产黄金而被称为“黄金海岸”。在著名民族解放领袖恩克鲁玛领导下，加纳于1957年3月宣布独立，成为撒哈拉以南非洲地区第一个获得独立的国家。恩克鲁玛大力倡导非洲统一，奠定了“泛非主义”思想的基础。他对中国非常友好，几次访华，与周恩来总理结下了深厚的友情。

访问期间，我专门抽出时间，于6月15日拜谒了位于加纳首都阿克拉市中心的恩克鲁玛陵园并敬献花圈。陵园占地面积约五公顷，园内绿树掩映，草坪如茵，矗立着恩克鲁玛的全身铜像。他身着民族长袍，头颅高昂，目光坚定，手指前方，英气勃然，生动地展现了他当年率领加纳人民争取民族独立的风采。

从加纳到多哥和贝宁的陆路交通比空中交通更为便捷。于是，我决定乘坐汽车从加纳前往多哥首都洛美。沿途风景秀丽，山峦起伏。路边不时看到突起的一座座大大小小的土丘，小的有篮球大小，大的有四五米高。当时，陪同前往的驻加纳大使李祖沛告诉我，这就是非洲著名的蚂蚁山，是白蚁的蚁穴。

路上还看到许多形状奇特的大树，树干粗大，像一个大肚子啤酒桶，又像一个“倒栽的大萝卜”。使馆同志介绍说，这种树叫波巴布树，也叫“猴面包树”，因为猴子非常喜欢吃它的果实。这种树木质又轻又软，作为木材完全没有利用价值，但非洲人对它情有独钟。在雨季时，它利用自己粗大的身躯和松软的木质吸收和贮存水分，旱季时，就成为理想的水源。

沿途景象令我感叹不已，生物的多样性，大自然的神奇，在非洲得到了完美的体现！

我抵达多哥边境时，多哥外长帕努率车队前来迎接。

访问期间，正值埃亚德马总统在其家乡进行竞选活动。多哥官员告诉我，尽管首都洛美离埃亚德马的家乡较远，但总统对中国怀有深厚的感情，中国外长来了，他一定会见的。果然，6月17日，埃亚德马临时中断原定日程，专程赶回洛美，在总统府会见了我。

埃亚德马是一位具有传奇色彩的军人政治家，通过政变上台，多次躲过暗杀，从1967年成为国家元首，直到2005年去世，共执政38年，成为非洲当政时间最长的领导人之一。

会见时，埃亚德马专门与我谈了人权问题。他说，人权应为国家发展服务，并符合各国的具体国情。他强调，多哥反对西方国家以人权为由，动辄干涉别国内政，表示支持中国在人权问题上的立场。埃亚德马在人权问题上的主张，令我印象深刻。

17日傍晚，我结束了对多哥的访问，在驻多哥大使江康的陪同下，乘汽车前往贝宁。

在这次访问中，贝宁总统克雷库给我留下的印象尤为深刻。

克雷库军人出身，1972年政变上台后，廉政亲民，在百姓中颇受欢迎。1990年贝宁在西方民主化浪潮压力下被迫改行多党制，克雷库大选落败后和平交权。1996年在大选中东山再起，这在非洲是不多见的。

克雷库对中国感情笃深，十分敬仰毛泽东主席，将毛主席著作《论人民民主专政》、《关于正确处理人民内部矛盾的问题》列为贝宁各级培训班的必读书籍，在公开讲话中还经常引用毛主席语录。

克雷库会见我时，主动讲起亚洲金融危机问题。他认为亚洲金融危机实际上是西方发动的一场金融战，与其在非洲推行的新殖民主义政策异曲同工，目的在于削弱并按西方意志改造发展中国家。

克雷库还说，中国保持经济稳定，维护人民币汇率不变不仅对亚洲经济至关重要，对广大发展中国家也是重要的精神支柱。

我听后，深感他毕竟是非洲老一辈政治家，对国际政治、经济形势相当了解，且颇有见地。

那次非洲之行虽然时间不长，但感想良多。

客观地说，除个别国家外，非洲整体情况还是艰苦的，经济社会发展落后，面临许多困难。我去的这五个国家，包括条件相对好一些的科特迪瓦，都炎热潮湿，疟疾流行。百姓的日子过得艰难。

但非洲也有另一面，那就是自然资源丰富，风光奇特壮丽，民风淳朴，人民开朗乐观，热情友好。

访问中，我深感非洲是个发展潜力巨大的大陆。尽管在前进的道路上还面临着许多压力和挑战，甚至时有冲突和局部战乱发生，但非洲总体上正朝着和平与发展的方向迈进，并在地区和国际事务中发挥着日益重要的作用。

这是一个大有希望、大有前途的大陆。

在非洲青年中。

在我第一次非洲访问期间，许多非洲朋友高度评价中非友好合作关系，感谢中国长期以来对非洲提供的无私帮助。他们不仅希望加强双方在国际事务中的协调与合作，共同维护发展中国家的团结和利益，也迫切希望进一步加强中非在政治、经济、科技和文化等领域的合作。

非洲是发展中国家最集中的大陆，是实现世界和平与发展的一支重要力量。在中国的外交总体布局中，非洲占有重要位置。

从非洲回来后，我一直在思考，新形势下我们有必要找到新的途径和方法，巩固中非友好，并推动中非关系更好、更快地向前发展。

再叙中非情

1999年新年伊始，1月3日至16日，我再次访问非洲。此次先后访问了埃及、肯尼亚、乌干达、坦桑尼亚和赞比亚五国。

这次非洲之行，我印象最深的是在乌干达和坦桑尼亚的访问。

1月8日至10日，我访问乌干达期间，会见了乌干达总统穆塞韦尼。他是一个颇具传奇色彩的人物。穆塞韦尼20世纪80年代中期上台执政，此前曾以游击战方式长期开展武装斗争，十分崇敬毛泽东主席，悉心研究毛泽东思想，尤其熟悉毛主席关于游击战争的理论，经常在公开场合引用毛主席语录。

在建设国家过程中，他还仔细研读《邓小平文选》。1989年3月23日他访华时，曾就非洲发展道路问题当面向邓小平同志请教。他是邓小平同志正式会见的最后一位外国领导人。

会见时，邓小平说："经过多年奋斗，现在国际形势趋向缓和，世界大战可以避免，非洲国家要利用这一有利的和平国际环境来发展自己。要根据本国的条件制定发展战略和政策，搞好民族团结，通过全体人民的共同努力，使经济得到发展。我很赞成你们在革命胜利后，不是一下子就搞社会主义。我和许多非洲朋友谈到不要急于搞社会主义，也不要搞封闭政策，那样搞不会获得发展。在这方面，你们做对了。"[1]邓小平的思想，对乌干达选择符合本国国情的发展道路产生了重要影响。多年来，乌干达一直保持政治稳定和经济发展。

1997年，邓小平逝世后，穆塞韦尼总统打破从不到外国驻乌使馆参加活动的外交惯例，亲自到中国大使馆吊唁。同年，乌干达邮政公司为纪念邓小平发行一套纪念邮票，上印邓小平半身像和中文"悼念中国改革开放的总设计师邓小平"字样，英文写着："CHINESE PARAMOUNT LEADER DENG XIAOPING（1904—1997）"（中国卓越的领导人邓小平）。下方分别用中英文写着："根据邓的建议，中国于1984年5月开放沿海14个城市。先使一部分地区富起来的政策，重新释放了中国人的生产力和企业精神。"

2000年7月，时任中共中央政治局委员和中共北京市委书记的贾

1 见《邓小平文选》第三卷，人民出版社1993年版，第289—290页。

1999年1月10日，会见穆塞韦尼总统。

庆林同志访乌时，穆塞韦尼总统再次索要英文版《邓小平文选》，贾庆林同志热情地答应送他几套。他还向穆介绍，小平同志1989年3月23日在北京会见穆的讲话，已被收集到《邓小平文选》第三卷。穆听了十分高兴，兴奋地回忆了当时会见的情况，并盼望得到这本书。

穆塞韦尼总统在收到中国驻乌干达使馆转交的《邓小平文选》后，在"全国运动"（执政党）代表大会上特别提到，"我最近读了中国朋友送来的《邓小平文选》，邓小平的很多论述对我很有启发和教益，希望'全国运动'的领导干部都能读一读这部书"。

为了使执政官员"不忘本"，"全国运动"每逢成立五或十周年的纪念日前后，穆塞韦尼总统都要抽出一段时间带领主要阁员到边远地区访贫问苦，他将此举称为"长征"。尽管我没有当面向他求证过为什么这样称谓，但我想，这可能与他多年学《毛泽东选集》有关。

我访问乌干达期间，正值穆塞韦尼总统在边境地区进行"长征”。由于“长征”地点远离首都，乌方一直不能确认他能否会见我。当时我已经会见了副总统、第一副总理兼外长等乌方主要官员，本着客随主便的原则，我想既然穆塞韦尼总统在外地，如果对方有困难，安排不了会见，也是可以理解的。不过，想到穆塞韦尼一生充满传奇色彩，我也确实想与他见上一面。

直到1999年1月9日晚上，即离开乌干达的前一天，乌干达官员一直未确认我与穆塞韦尼总统会见的事。我想，看来这次是见不成了。第二天一清早，我们按原定计划去了恩德培国际机场，准备飞赴下一站坦桑尼亚。出乎我意料的是，在机场贵宾室，乌方人员告诉我，穆塞韦尼总统马上就要抵达机场。原来，他为了见我，临时中断“长征”，凌晨乘直升机专程赶回来。

乌方人员话音刚落，贵宾室的门就被打开了。只见一位身材魁梧、身着迷彩服、脚登长筒靴的中年男子大步流星地走了进来。我想，这一定就是穆塞韦尼总统了。我于是上前几步，同他伸出的手紧紧握在一起。

穆塞韦尼总统一见面就深情地回忆起他与中国的交往，谈起一件件往事如数家珍。他说，乌干达从中国革命史，特别是毛泽东思想中获得启示，为自由而战并获得胜利。1965年周恩来总理访问坦桑尼亚时，他作为一名学生始终关注着那次访问。他谈到他对中国第一代领导人充满敬仰，与中国第二代和第三代领导人都有着深厚友谊。他对与邓小平同志的交往，至今记忆犹新。1996年，他又与江泽民主席会晤。

会见中，我们还就非洲形势、非洲经济建设、非洲发展道路等问题交换了看法，谈得非常投机。

离开乌干达，我访问了坦桑尼亚。坦桑尼亚也是非洲最早获得民族独立的国家之一，独立后，长期保持民族团结和政治稳定。坦桑首都达累斯萨拉姆素有“和平之港”的美誉。

访问期间，坦桑外交和国际合作部长基奎特（现坦桑尼亚总统）

1999年1月10日访问坦桑尼亚，与基奎特外长在宴会上祝酒。

突破了一般的礼宾规格，自始至终陪同我，每次活动前都亲自到饭店房间接我出门，令我十分感动。

中坦友谊十分深厚。20世纪60年代以来，中国先后向坦桑派出专家几万人次，为坦桑经济建设做出了无私的奉献。其中，有69位同胞献出了他们宝贵的生命，被安葬在首都达累斯萨拉姆市西南郊的一座墓地，永远长眠在那里。这69位同胞，有帮助坦桑人民建设煤矿的，有帮助发展农业的，也有帮助兴修水利的，但绝大多数是为建造坦赞铁路而捐躯的。

我一到坦桑，就问张宏喜大使中国援坦专家陵园远不远，我想去凭吊扫墓。张大使解释说，远倒是不远，但考虑到访问日程太紧，所以没有安排。

我对张大使说，我既然已经到了，就要去看看他们，不妨少睡点觉，起个大早。这不仅是一场对外活动，也是我们代表团在这里上的一堂党课。

使馆连夜进行安排。1999年1月12日上午，我率二百多名驻坦人员代表，来到陵园敬献花圈，表达祖国人民对为铸造中坦友谊献身的英烈们的哀悼和思念。我在讲话中说，你们用汗水和生命修建了一条连接中国与坦桑、中国与非洲的友谊桥梁，用满腔热血铸就了一座丰碑。祖国从来没有忘记你们。我们决心继承你们的遗志，将对非工作做得更好。后来，张宏喜大使亲自执笔将我们祭奠英烈们的情景写成一篇报道，在《人民日报》上发表。

在赴陵园前，我还参观了位于达累斯萨拉姆市区的坦赞铁路车站。

坦赞铁路举世闻名，这是中国对非洲经济援助的最大项目。20世纪60年代初，坦桑尼亚、赞比亚为发展经济以及支持南部非洲国家的民族解放事业，迫切希望修建连接两国的铁路。

1965年，坦桑总统尼雷尔访华时，向我国正式提出援建坦赞铁路的请求，1967年赞比亚总统卡翁达访华时也提出同样请求。尽管当时我们自己经济也很困难，但毛泽东主席、周恩来总理等老一代

1999年1月12日，在中国援坦专家陵园凭吊。

1999年1月12日，在坦桑尼亚首都达累斯萨拉姆参观坦赞铁路车站。

领导人以巨大的魄力和高瞻远瞩的眼光，从外交全局和中非友谊出发，做出了具有战略意义的决策，决定援建坦赞铁路。从此，这条铁路不仅成为中非友谊的象征，也成为南南合作的典范。

坦赞铁路1970年开工，1976年全线正式运营，全长1860.5公里，至今仍在发挥着重要作用，被誉为中非友谊的纪念碑。

我参观的这个车站是坦赞铁路的起点，由此向西延伸，就是非洲朋友所称的“友谊之路”。

我抵达车站时，站内外挤满了欢迎的群众，他们载歌载舞，用汉语高呼“中国”、“谢谢”，真诚地抒发着对中国的感激之情。这个场面令我十分感动，留下了终生难忘的记忆。

值得一提的是，2008年北京奥运圣火境外传递期间，坦桑尼亚是非洲传递的唯一一站。奥运圣火在一些西方国家传递时，曾发生过干扰破坏传递活动的恶劣事件。坦桑政府官员对我们说，请中国朋友一百个放心，不愉快的事情绝不会在坦桑发生。

圣火传递的起点就是达累斯萨拉姆市火车站，终点则是坦桑国家体育场。这个体育场也是中国援建的，可以容纳6万人，是中坦友谊的又一象征。

圣火传递那天，我在北京观看了现场直播。得知坦桑方面有六位内阁部长担任火炬手，其重视程度不言而喻。我从画面上看到，从火车站到体育场，人山人海，许多群众挥舞着中国国旗，追随着圣火一路奔跑，还边跑边欢呼。我当时听不清他们在喊什么。过了一会儿，现场直播的中国记者解释说，当地群众是用汉语在喊“中国加油”，这是他们刚刚学会的一句中文。

我看到，在现场直播的那位中国记者被这个场面深深地感动了，他动情地说，“在坦桑尼亚，人人都是火炬手”！

的确，这不仅是在传递圣火，更是在传递友谊!

两次非洲之行，我深深地感受到了中非关系之密切，友谊之深厚。

中非友谊是中非几代领导人亲手缔造和培育的。从毛泽东主席、周恩来总理的时代起，我们就一直高度重视发展与广大发展中国家的关系，特别是与非洲国家的关系。自20世纪50年代以来，中国大力支持非洲国家的民族解放运动和经济建设事业，为其提供了大量人力、物力、财力及道义上的支持，并帮助非洲民族解放组织培训了大批活动家。正是中国老一辈领导人的正确决策和身体力行，为中非关系奠定了深厚、坚实的基础。此后，我国历届领导集体都坚持这一正确方向，从而开创了外交上的新局面。

从1963年至1965年，周恩来总理三访非洲，其中1963年12月至1964年2月，一次便接连访问了十个非洲国家。这是中国领导人首次对非洲国家进行的正式友好访问，堪称新中国外交史上建立中非新型关系的“开山之旅”。访问期间，周总理提出中国同阿拉伯国家和非洲国家关系的五项原则、中国对外援助的八项原则，对加强中国与发展中国家的关系和维护世界和平、促进共同发展发挥了重大作用。

中非友谊是“患难之交”，经历了风雨考验。非洲国家成为中国的“全天候朋友”。1971年第26届联大讨论恢复中华人民共和国在联合国的合法席位时，在25个提案国当中就有11个非洲国家；在投赞成票的78个国家中，非洲国家又占了26个。当提案通过时，坦桑尼亚常驻联合国代表萨利姆兴奋至极，当时就在现场跳起舞来。萨利姆后来担任了坦桑尼亚外长、总理和非洲统一组织秘书长。

毛主席获悉有关情况后曾说，是非洲朋友把我们抬进联合国的。这句既形象、生动又贴切、深刻的话语长期以来远播于世，它已成为反映中非友谊的经典名言，将永留史册。

邓小平同志也一贯重视对非工作，他关于非洲发展道路的论述受到许多非洲国家领导人的重视。

1996年，江泽民主席对非洲六国进行国事访问，这是中国国家元首首次访非。江主席在非洲统一组织总部发表了题为《为中非友好创立新的历史丰碑》的主旨演讲，提出建立面向21世纪长期稳定、全面合作的中非关系五项原则，成为我们在新时期开展对非工作的指导原则。

两次非洲之行，我也切实感到在新的形势下，中非关系面临新的发展机遇。

世界在变。在经济全球化背景下，西方大国从各自利益出发，加紧角逐非洲的资源和市场。但与此同时，广大非洲国家在全球化浪潮中出现了被边缘化的迹象。

非洲在变。20世纪80年代末90年代初，西方国家在非洲强行推进多党制，“民主化”浪潮席卷非洲。非洲国家内外政策日趋务实、多元，为防止非洲被边缘化，非洲各国联合自强，彼此合作加强，非洲一体化进程稳步向前推进，他们更多地以一个声音和集体的力量，积极参与国际事务。

中国在变。改革开放以来，中国实力不断上升，影响日益扩大。中国致力于同世界各国，特别是同发展中国家发展以互利互惠为原则的经贸合作。

新形势下，为了实现共同发展，中国更需要非洲的合作与支持；非洲要保持政治稳定，谋求国家发展，也更需要中国的帮助和支持。

当时，我们与非洲国家的合作更多的是在双边领域内进行，与非洲国家集体合作尚未展开。面对新的形势，我深感对非工作需要创新，有必要建立一个集体对话与合作机制。

中国和非洲建立一个集体磋商、合作机制，定期或根据需要进行接触，有利于双方加深了解、巩固友谊、扩大共识、促进合作，也有利于共同维护中国和非洲国家的合法权益，促进世界和平、稳定与发展，符合双方利益。

论坛初创立

就在我不断深入思考这个问题时，1999年5月，马达加斯加女外长拉齐凡德里亚马纳纳来华访问。

这位才华横溢的女外长出身文学世家，学识渊博，视野开阔，对华友好，重视中非关系。

她在与我会谈时恳切地说，当前国际形势发生很大变化，非洲国家迫切希望同中国建立伙伴关系，就共同关心的和平与发展问题进行磋商。她建议成立一个“中国—非洲论坛”。

她的建议与我的想法不谋而合。

送走拉齐凡德里亚马纳纳外长后，我就请当时负责非洲事务的吉佩定副部长和刘贵今司长立即研究马达加斯加外长的建议。

据刘司长后来告诉我，当时非洲司有关同志在讨论此事时曾发生过激烈的争论，有人觉得可以搞，有人感到没把握。不过，大家经过充分讨论，最后的结论认为应该积极进取，开拓创新，并建议召开“中非合作论坛—北京2000年部长级会议”。

后来，有外电报道称，论坛会议完全是中国倡议召开的，这是一种主观臆测。恰恰相反，这一倡议首先来自非洲朋友。

经请示中央同意，我们决定在北京召开“中非合作论坛—北京2000年部长级会议”，邀请与我国有外交关系的非洲国家外长和负责经济合作事务的部长出席。

那次会议设定了两个议题：一是面向21世纪应如何推动建立国际政治经济新秩序；二是如何在新形势下进一步加强中非经贸合作。

1999年10月，江泽民主席致函与中国有外交关系的所有非洲国家元首及非洲统一组织秘书长，介绍会议背景、宗旨和议题，请他们派有关部长参加。江主席还邀请非洲统一组织前任主席阿尔及利亚总统布特弗利卡、时任主席多哥总统埃亚德马、候任主席赞比亚总统奇卢巴以及非统秘书长萨利姆作为特邀嘉宾，出席会议开幕式和闭幕式并讲话。

次年2月，我和当时的外经贸部部长石广生又联名致函非洲国家有关部长，邀请他们出席会议。

非洲各国反应热烈，高度评价中方这一举措，踊跃报名。坦桑尼亚总统姆卡帕还主动表示要亲自来北京出席会议。

作为会议前准备工作的一环，2000年初，我第三次访问非洲，行程包括尼日利亚、纳米比亚、津巴布韦、莫桑比克、塞舌尔五国。

这次访问，我的目的很明确，即重点就中非合作论坛会议听取非方意见。大多数非洲朋友在积极评价召开论坛倡议的同时，着重提出，中非论坛应该办出特色，希望有更多务实的合作内容，希望中国帮助非洲国家实现发展。有鉴于此，我请外交部的同志在设计会议内容时重视非洲国家朋友的愿望，注意政经兼顾。

2000年10月10日至12日，中非合作论坛—北京2000年部长级会议在人民大会堂召开。

44个同中国有外交关系的非洲国家都派代表与会，其中包括79位外长和负责经济合作事务的部长，就连陷入内战多年的索马里也派来了政府代表。非洲统一组织、联合国开发计划署、联合国非洲经济委员会等17个国际和地区组织代表作为特邀嘉宾出席会议。

根据一些非洲国家的建议，我们还邀请同中国没有外交关系的非洲国家以观察员身份与会，马拉维和利比里亚派来了观察员。

我主持并宣布大会开幕。

江泽民主席、非洲统一组织“三驾马车”布特弗利卡、埃亚德马、奇卢巴以及坦桑尼亚总统姆卡帕在开幕式上讲话，大家表达的共同愿望就是要切实加强新形势下的中非合作。

会议持续了三天，通过了《中非合作论坛北京宣言》和《中非经济和社会发展合作纲领》两个文件。这两个文件构筑了中非关系发展的新框架，为新世纪中非在各领域的合作勾画出一幅蓝图，得到非方和其他国家的高度评价。

非方认为此次会议开启了中非关系的新篇章，“具有划时代意义”，堪称亚非两大洲团结与合作的新起点，是新形势下的“万隆会议”。

万事开头难。这是中国第一次和非洲进行集体对话，我们没有经验，但我们全力以赴，会议开得很成功。

会议结束那天，我的心情久久不能平静。我们终于有了与非洲集体对话的平台。

根据轮流办会的原则，埃塞俄比亚很早就提出愿承办第二次部长级会议。

谈到中非双方共同办会的问题，这里面也有一些曲折。由于非洲国家举行大型会议的条件有限，加上各自工作、办事习惯不同，有时会出现一些沟通、协调上的问题。有人提出，会议地点固定在北京，这样可以省些事。

针对这种想法，我的态度是明确的。论坛是中非双方的事务，非洲国家希望通过共同办会，增加参与感。每次都在北京开，非洲国家的参与感与拥有感就相对少了。因此，我认为还是要双方轮流办会。

2003年12月15日至16日，位于埃塞俄比亚首都亚的斯亚贝巴的非盟总部会议中心热闹非凡，中非合作论坛第二届部长级会议在这里举行。

温家宝总理、埃塞俄比亚总理梅莱斯等13位非洲国家领导人、非洲联盟委员会[1]主席科纳雷、联合国秘书长代表出席开幕式并发表讲话，44个非洲国家负责外交、国际经济合作的70名部长及国际和非洲地区组织的代表与会。与中国未建交的马拉维和斯威士兰派代表以观察员身份列席会议。

温总理在开幕式讲话中，全面阐述了我国对非政策方针，提出进一步加强中非友好合作的四点建议：相互支持，推动传统友好关系继续发展；加强磋商，促进国际关系民主化；协调立场，共同应对全球化挑战；深化合作，开创中非友好关系新局面。这些建议言简意赅，针对性强，得到非洲方面的热烈赞赏和响应。

会议的召开有力地推动了中非友好合作的全面发展和中非合作论坛机制的建设。在会议间隙，温总理和参会的非洲领导人广泛交流，举行了15场双边会谈或会见。如此密集的领导人外交在中非关系史上尚属首次。

第二届部长级会议同样受到好评。非洲国家普遍认为这是一次高效、务实的会议。温总理与会充分展现了中国新一届政府自信和务实的作风。

论坛后续行动得到了有效落实。中国在中非合作论坛框架内采取了一系列实质性措施，如加大对非援助，减免非洲重债穷国和最不发达国家债务，拓展和加强在旅游、科技、文化、教育、医疗卫生等领域的合作等。这些具体措施有力地推动了中非关系的发展。

两届中非合作论坛部长级会议后，论坛机制也日臻完善，已名副其实地成为中非双方集体对话的重要平台和务实合作的有效机制。

1　2002年7月，非洲统一组织终止，非洲联盟成立。

50周年庆

根据论坛后续机制程序，第三届部长级会议将于2006年在北京举行。

2006年对于中非关系来说是一个值得纪念的年份。这一年是新中国同非洲国家开启外交关系50周年。1956年5月30日，埃及顶住西方大国的巨大压力，在非洲和阿拉伯国家中率先同新中国建立大使级外交关系，开启了新中国与非洲国家建交的先河。50年后，53个非洲国家中已有48个与中国建交。到2007年底，中国与马拉维建交，非洲与中国建交国总数达到49个。

2003年，我担任国务委员后，外交部向我汇报说，非洲国家对中非合作论坛寄予厚望，迫切希望加强论坛机制，提高合作水平，普遍要求扩大同中国的高层往来，许多领导人访华愿望强烈。一些非洲国家领导人提出将论坛升格为首脑级。

我请外交部认真积极地考虑这个问题。

外交部经过研究，认为举行中非领导人峰会既可满足非洲国家希望提升论坛规格的愿望，又可以体现中国对非洲的重视，有利于宣介中国对非合作新举措，同时还便于与非洲国家领导人直接沟通。于是，外交部建议将中非合作论坛第三届部长级会议作为特例，同时召开中非领导人峰会。

中央同意此项建议，并决定以胡锦涛主席的名义邀请非洲与中国建交国的领导人出席北京峰会。

2005年8月，胡锦涛主席在分别会见来访的非洲联盟委员会主席科纳雷和肯尼亚总统齐贝吉时，向他们通报了举办中非合作论坛北京峰会的设想，得到两位领导人的积极响应。这是中方首次对外披露这一设想。

非洲国家领导人对召开中非领导人峰会感到非常高兴，认为这不仅将大大增强中非合作论坛的活力，而且有助于中非友好关系进一步发展。他们纷纷表示届时将与会，有的国家领导人还表示愿协助中方做工作，推动其他非洲国家领导人与会，确保会议取得成功。

为纪念中非关系50周年，也为配合峰会的召开，我们于2006年1月发表了《中国对非洲政策文件》。

当时我们已经有了一份对欧盟政策文件。2003年10月《中国对欧盟政策文件》发表后，国内外反应都很好。国际社会对中国对欧盟政策有了更全面、更深刻的了解和认识。

随着国际形势变化和中非关系深入发展，国际上一些别有用心的人开始对中非关系说三道四，认为中国发展对非关系是出于对非洲能源的需求，甚至有人妄称中国在非洲推行“新殖民主义”，并散布“中国对非洲威胁”等论调。在这种情况下，我们有必要制定一份较为全面的对非政策文件，向国际社会宣示中国真诚发展中非友好和互利合作的主张和规划。

这份文件在2005年时已制定完毕。考虑到2006年是新中国与非洲国家开启外交关系50周年，中非合作论坛北京峰会也将在这一年举行，我们决定在2006年1月正式发表。

中非关系日益受到重视，这是一个事实。但各方对这份文件的关注程度之高，还是有些出乎我的意料。

除了在北京发表这份政策文件外，我们也在几个非洲国家同时召开新闻发布会。

南非是地区大国，新闻媒体十分发达，辐射面广，影响力大，网络传媒在非洲更是首屈一指。2006年1月12日，中国驻南非大使馆按50人的规模，在首都比勒陀利亚的喜来登饭店召开发布会。出乎意料的是，人越来越多，南非主要电视台、电台、各大报刊及外国媒体驻南非机构都派了记者，有些学者来了，政府官员也来了。最后，居然有一百五十多人出席，使馆不得不紧急与饭店联系，临时调换了一个更大的场地。

有记者在报道中专门描述了发布会上“人头攒动”的情景，感叹只有中国的对非政策文件才能具有如此之大的吸引力，受到非洲人的热烈欢迎，将对今后中非关系的发展起到重要作用。

2006年实际上是一个“非洲年”。年初发表《中国对非洲政策文件》后，胡锦涛主席于4月访问摩洛哥、尼日利亚和肯尼亚等非洲三国，温家宝总理也于6月访问了埃及、加纳、刚果（布）、安哥拉、南非、坦桑尼亚和乌干达等非洲七国。中央的高度重视和采取的一系列重大对非外交行动，使从事对非工作的同志深受鼓舞。大家期待着11月召开的中非合作论坛北京峰会将中非友好合作关系推向新的高潮。

峰会勤筹备

2006年2月，胡锦涛主席向非洲国家领导人发出了中非合作论坛北京峰会邀请函。

召开中非合作论坛北京峰会，是新形势下中央加强对非工作的重大战略决策，也是当年我国的一项重大外交行动。中央对此高度重视，制定了明确、具体的办会方针。胡主席多次就峰会做出重要指示并亲自过问筹备情况，温家宝总理指示有关部门要围绕成功举办峰会来开展下一阶段的对非工作。

在我多年的外交生涯中，深感外交工作离不开各方面的支持与配合。任何一项重大的外交行动都是在各方相互配合、通力合作下才圆满完成的。这一点在中非合作论坛的各项工作中得到充分体现。

前两次部长级会议就是多方协作共同完成的一项系统工程。这次北京峰会更需要各部门的大力协作。考虑到论坛不仅涉及中非政治关系，而且涉及大量项目合作问题，借鉴前两次部长级会议的做法，中央决定由外交部和商务部共同牵头落实相关准备工作。

就在胡主席向非洲国家领导人发出峰会邀请函不久，筹备工作正式启动。

2006年3月9日，外交部和商务部的同志来到我的办公室，系统地汇报了峰会筹备工作的初步设想。我总体予以肯定，同时请他们再从宏观角度加以统筹谋划。我特别强调，拟在峰会上出台的新举措将是此次峰会的一大亮点，但由于内容很丰富，涉及国内部门和机构众多，协调难度势必很大。我请他们早启动，锲而不舍地多做工作，积极促成。

自中央决定召开峰会起，我就不断地思考着有关峰会筹备工作的方方面面。

北京峰会将是中非领导人之间举行的级别最高、规模最大的集体对话，也是新中国外交史上出席国家最多、领导人最多的一次峰会。要筹办好这样一个空前盛会，绝非易事。所以，我多次提醒外交部和商务部同志，在峰会筹备工作启动之初，必须全面部署各项工作，要明确分工，确定进度，提出要求，使峰会筹备工作高效、有序展开。必要时可成立一个由各单位组成的峰会筹备委员会。

外交部和商务部同志立即会同各有关部委积极投入到各项准备工作中去。准备工作的进展情况他们都及时、详细地向我做了汇报。我感到准备工作总体顺利，但由于牵涉部门众多，仅由外交部和商务部出面协调还是有不少难度。

为使各项筹备工作进展顺利，确保峰会成功举办，2006年7月中旬，中央批准成立了中非合作论坛北京峰会暨第三届部长级会议筹备委员会。由我本人担任筹委会主任，李肇星外长和商务部部长薄熙来担任副主任，中共中央办公厅、外交部、商务部、财政部、公安部、文化部、贸促会和北京市政府等单位主管领导同志任委员。筹委会下设秘书处，并分工作组，分别从政治、经贸、会务、礼宾等方面落实峰会筹备工作。

2006年7月24日，我主持召开了筹委会第一次全体会议，传达胡锦涛主席和温家宝总理关于要求办好北京峰会的重要指示精神，对峰会筹备进行总动员。

会议通过了有关峰会筹备工作的文件草案，并听取了各单位关于筹备工作进展情况的汇报。

根据总体方案，拟将峰会主题确定为“友谊、和平、合作、发展”，并通过《中非合作论坛北京峰会宣言》和《中非合作论坛—北京行动计划（2007—2009）》两项文件。

会议拟分三个阶段，2006年11月1日至2日先召开高官级会议，3日召开部长级会议，4日至5日召开峰会。此外，还将召开与峰会平行的中非领导人与工商界代表高层对话会暨第二届中非企业家大会。

鉴于这是筹委会第一次会议，同时考虑到峰会筹备工作时间紧，任务重，难度大，我在会上有针对性地对各单位提出了一些具体和明确的要求。

我叮嘱大家，从某种意义上讲，北京峰会也是2008年北京奥运会的一场预演，必须办好。

第一次筹委会全体会议之后，筹备工作进一步深入展开。

9月中旬，离峰会召开还有一个多月的时间，筹备工作进入攻坚阶段。

从非方对此次峰会的反馈情况看，比我们预想的还要好。48个与我建交的非洲国家都已报名与会，二十多个国际组织也已确认将应邀派高级别代表作为观察员与会，非方报名出席峰会、部长会和高官会的人数共达1600人，这一数字还不包括出席企业家大会的工商界人士。申请采访峰会的中外记者也达到一千余人。

非洲方面对峰会的参与热情和国内外媒体对峰会的高度关注，既令人高兴和兴奋，同时客观上也对峰会筹备工作提出了更高的要求。

为了全面、深入掌握筹备工作的进展情况，我决定专门安排时间分别听取各筹备小组的工作汇报，及时研究解决问题，进一步推动筹备工作。

我从各小组的汇报中感到，峰会各项筹备工作进展总体顺利，存在的问题主要集中在两个方面。一是部门协调难度大。筹备任务艰巨又无先例可循，涉及经济、安全、教育等广泛领域，需要协调的国内部门多达数十个。二是礼宾接待难度大。峰会出席人员级别高，人数多，活动多，会中套会，衔接不易。三是非方对会议期待较高。

对此，我请同志们进一步增加责任感，扎实工作，既要有如履薄冰之感和忧患意识，更要有坚定的信心和决心，全力以赴打好峰会这场重大战役。

我特别请有关部门的同志注意做好以下几方面工作：

一是要注意细节。要充分考虑到非洲朋友的特点和可能出现的各种问题，把工作做在前面，加强各环节的协作、协调，确保各环节衔接顺畅。

二是要设计好对非务实合作举措。非洲国家对开展中非经贸合作期待甚高，我们在经济领域出台务实举措对会议的成功至关重要。考虑到非洲的特殊性，适当加大对非洲各种形式的投入是必要的，要利用峰会出台实实在在的举措。《行动计划》必须要有实质内容，不能流于空泛。

三是要防患于未然。对有可能干扰峰会的各种因素一定要认真梳理，早谋预案，及时化解。

对这次中非合作论坛北京峰会，中央始终高度重视。

2006年9月28日，胡锦涛总书记主持召开政治局常委会，听取了北京峰会筹备工作汇报，并就办好峰会和进一步加强对非工作做了重要指示。他特别指出，此次峰会影响重大，意义深远，我们务必精心准备，大力协作，确保成功。

胡总书记特别提醒我们，峰会接待工作要体现平等相待，热情友好，确保安全，讲求实效，一视同仁，尽量满足非洲领导人的愿望。

令我非常感动的是，胡总书记还说，为真正体现国家不分大小、贫富、强弱，一律平等的精神，只要是非洲国家元首或政府首脑来参会，不论国家大小，只要时间允许，他都会予以会见。

胡总书记还就峰会的安全和中非经贸合作措施等问题做了明确指示。

温家宝总理也就中非经贸合作、对非政府援助、援助项目的运营和管理、提供优惠贷款等问题发表了重要意见。

次日，我立即主持召开了筹委会第二次全体会议，传达胡总书记、温总理及中央、国务院领导同志的有关指示精神，使大家进一步明确了工作任务和目标要求。

细节求完美

北京峰会筹备的全过程，特别是在一些具体安排和细节方面的准备工作使我感触至深。

这的确是一场需要各部门协同作战的重大战役。除了政治和经贸方面的实质性准备外，会务组担负起数千名与会中外方代表的住房、用车、注册及会议礼品、纪念品准备等繁杂工作；礼宾部门安排落实了规模和难度空前的大型活动和双边、多边会见等活动，并带领数百名联络员和志愿者共同完成接待任务；新闻部门制定并落实了峰会前后及期间的一系列新闻宣传和报道安排，向国内民众和国际社会及时、准确地传递峰会的信息。

商务部、公安部、文化部、卫生部等部门的同志夜以继日，全身心地投入有关准备工作。行政财务后勤部门为峰会顺利召开提供了强有力的保障。人民大会堂、钓鱼台国宾馆以及各大饭店也做了精心安排，全力搞好接待。

北京市积极配合各部门工作，以高度的责任感和饱满的工作热情，全力以赴做好接待保障工作。据不完全统计，峰会期间北京有关部门共投入38.49万人次的警力，治安空前良好。2006年11月1日至5日，共接报刑事类警情122件，同比下降70%。4日，仅接报警15件。这在一个近两千万人口的大城市，报警率如此之低，实属罕见。据说，110报警台的民警同志曾开玩笑说，峰会期间，我们都快要失业了。

在前期筹备和整个办会过程中，中共中央办公厅的有关领导和同志给予了悉心指导和大力支持，他们认真、细致、热情、负责、一丝不苟的工作作风成为大家学习的榜样。

为确保峰会成功，接待效果圆满，同志们在每个环节上都一丝不苟，精益求精，力求完美极致。这里列举几个具体事例，就可见一斑。

近五十位国家领导人在一起开会，用什么样的桌子好，这里面很有讲究。

一开始，礼宾工作组设计了几种方案，都不太满意。为了体现大小国家一律平等，特别是突出中非之间是一个团结、和睦大家庭的理念，最后，我们决定使用圆桌。这么大的圆桌没有现成的，便紧急订制了一个。桌子做成后，直径达20米，周长62米，堪称巨大。为便于相互识别，特地在每个元首座位前放置了非常醒目的印有国名的桌签牌。

会议结束后，许多非洲国家领导人对这个巨大的圆桌啧啧称奇，都说从未见过这么大的桌子。2008年10月亚欧会议在北京举行期间，这个巨大的圆桌又派上了用场。

除大圆桌外，宴会厅的巨型地毯也值得一说。人民大会堂大宴会厅可以说是世界上最大的宴会厅之一，东西长102米，南北宽76米，面积达七千多平方米。地毯为鲜艳的“中国红”，上绘暗纹中国传统“吉祥卷草”图案。人民大会堂自20世纪50年代建成以来，宴会厅一直使用的木地板显得有些陈旧。为了解决这一问题，我们决定紧急订制一块地毯。要想在短时间内织成这样一块巨型地毯，难度可想而知。在中办领导的亲自过问下，峰会召开之前，一块满铺面积达6800平方米、重达9吨的地毯终于制作完成，铺进人民大会堂大宴会厅。地毯铺好后，本来就金碧辉煌的大宴会厅看起来更加气派，得到大家的一致赞赏。

经过近一年的筹备，期盼已久的峰会终于要召开了。安排好众多来宾的抵达活动，将是检验峰会筹备工作的第一道关。

五十多位领导人将在两天左右时间内集中抵达北京，其中绝大部分是国家元首或政府首脑。按照外交礼仪，东道国都要为来访的外国元首和政府首脑安排一个欢迎仪式。考虑到人数众多、抵达时间集中，在人民大会堂东门外广场举行欢迎仪式显然是不现实的。

为此，我们设计了在机场举行迎送仪式的方案，决定在首都机场新专机楼为非洲国家领导人举行迎接仪式。仪式简单而隆重，挂欢迎横幅，铺红地毯，挂两国国旗，奏两国国歌，检阅仪仗队，使非方领导人一下飞机就能感受到东道国的友好和热情。18位部委负责人作为中国政府代表，在机场为与会非洲国家领导人举行迎接仪式和送行。

峰会期间共安排了42场机场迎接仪式，其中有34场集中在领导人抵达最密集的11月2日、3日两天，还出现过多个代表团乘坐同一个航班抵达的情况。

中国人民解放军军乐团连续四个昼夜驻守首都国际机场，在最忙的两天里，从清晨5时开始，一直工作到晚上8时，甚至没有时间吃饭。他们不顾疲劳，以高水准的演奏，在第一时间向远道而来的非洲贵宾表达了中国人民的盛情。

第一个抵达北京也是第一个使用首都机场新专机楼的非洲国家领导人是利比里亚总统瑟利夫女士。她是非洲历史上第一位女总统。

瑟利夫是2006年10月28日抵达北京的，下榻钓鱼台国宾馆。29日正好是她的生日。令她意想不到的是，那天当她步入餐厅的时候，餐厅内突然响起了“Happy Birthday To You”（祝你生日快乐）的音乐，国宾馆的服务人员伴着音乐为她唱起了生日歌，并送上了制作精美的蛋糕。

瑟利夫总统显然为这个意外的惊喜所打动，她双眼湿润，激动地说，“这个生日令我终生难忘”。

筹委会秘书处还举行过两次大规模综合演练。为了尽可能减少对市内交通的影响，两次演练都是选择在午夜时段进行的。我们还安排了外交部一些工作人员，模拟各国领导人和夫人，使演练具有实战效果。

第一次演练时，总体效果非常好，同时也发现了一些有待改进和完善的地方。比如，在外国领导人抵达人民大会堂出席峰会开幕式这个环节上，根据大型国际会议经验，我们原本设计每一分钟抵达一位，但近五十位领导人，仅抵达就需近一个小时。这样花的时间太长，我们决定压缩为每半分钟抵达一位。

第二次演练时，我带领筹委会全体委员都参加了。这次是实战模拟，内容包括车队抵达、欢迎仪式、欢迎宴会、文艺晚会、圆桌会议、午宴、领导人宣读峰会宣言、合影等活动的全过程。整个演练基本按实景布置，由记者拍摄各个环节，以根据实际效果做进一步调整。

由于有了第一次演练的经验，在第二次演练时，各方面都很圆满。在北京市公安交通部门的大力支持与配合下，在领导人抵达环节上，时间缩短到每25秒一位，整个抵达仪式共用了30分钟。

在2006年11月4日开幕式当天，由于有位非洲领导人因故抵达略晚了一些，实际抵达仪式用了31分钟。尽管比设想的多了一分钟，但这么一个大型活动，能做到这一点已经是很不容易了。

为增进国内外公众对中非关系和北京峰会的理解和支持，我于10月23日峰会召开前夕接受了新华社记者的书面采访。

我从中非传统友好谈到当前双方全面合作的伙伴关系，并针对

2006年11月3日，出席中非合作论坛6周年成果展。

某些西方学者鼓噪一时的“中国对非洲威胁论”，阐述中方的立场。我指出，中非经贸合作是互利共赢的，中国的发展为非洲提供了更多发展机遇。这些人散布的言论既不符合历史事实，也不符合中非关系现状。

当然，我也没有回避中非合作不断扩大中出现的新问题，如与部分非洲国家长期存在的贸易逆差、中国有些商品冲击非洲市场以及中国企业与当地居民因各种原因产生的一些摩擦等。我强调这些是发展过程中出现的问题，中方正在采取积极措施，同非洲朋友一道，努力寻求解决办法。这些问题完全可以本着平等协商、互谅互让的原则，通过合作与协商予以妥善解决。

我还明确指出，中非合作是透明、开放和包容的，不会影响中非各自国家与第三方的合作，更不会损害第三方的利益。相反，中非加强合作、共同发展将会为世界各国提供难得的机遇。

为烘托峰会气氛，展示中非合作成果，峰会期间还分别举行了非洲艺术精品展、钱币和邮票展及中非合作论坛6周年成果展，还发行了纪念邮票。

2006年11月3日至4日在人民大会堂中央大厅举办的“中非合作论坛6周年成果展”共展出249幅图片，生动地展示了中非合作论坛成立六年来，中非领导人亲切交往、中非人民携手努力、中非合作蓬勃发展的情景。

图片展开幕式举行时恰逢论坛第三届部长级会议召开，我出席了3日下午的开幕式，为图片展剪彩并致辞。与会的中非各国部长和代表们参观了展览。我与他们共同回顾了中非关系和中非合作论坛的发展历程，展望中非关系的美好未来。

群贤聚北京

2006年11月4日上午9时许，人民大会堂北大厅灯火辉煌，湛蓝色背景板上“合抱之手”的图案分外醒目。

胡锦涛主席准时来到红地毯中央，迎候出席中非合作论坛北京峰会的非洲各国代表团团长。按国家英文字母顺序，阿尔及利亚总统布特弗利卡第一个步入大厅。这位出席过第一届部长级会议的总统抑制不住自己内心的激动，张开双臂热情地拥抱了胡主席。

紧接着，安哥拉总理费尔南多、贝宁总统亚伊等非洲国家领导人陆续步入大厅，胡主席与他们一一握手问候。

前来报道欢迎仪式的三百多名各国记者争分夺秒地用照相机、摄影机记录下这历史性的一幕。

利比里亚总统瑟利夫是参加峰会的唯一一位女元首，她身着艳丽的利比里亚民族服装，一进场就成为新闻记者镜头的焦点。

随后，各位非洲贵宾相继进入台湾厅，分别在中非合作论坛北京峰会纪念邮封上签名留念。纪念封的主图案由红色的中国地图、绿色的非洲地图和四只展翅高飞的白鸽组成，右上方是印有本次峰会“合抱之手”会徽的纪念邮票。

最后一位抵达的是峰会共同主席国埃塞俄比亚总理梅莱斯。胡主席和梅莱斯总理并肩步入台湾厅，也分别在纪念邮封上签名。

根据大会安排，各国领导人签名后即步入会场并到主席台就座。领导人一进入会场，就发现在主席台侧的地板上贴着一个个醒目的“大脚印”。原来，为了使各国领导人走上主席台时井然有序，便于引领，外交部礼宾司特意按照领导人在主席台上的座次设计了这组站位标识。“大脚印”图案呈长方形，底色为棕色，上方写有国家的名字，中间是一个白色的大脚印，风格活泼，十分醒目。由于大脚印的排位与主席台上的座位一致，各位领导人走上主席台后很快便找到了自己的座位。

人民大会堂万人大礼堂内，暖意融融，气氛热烈。

主席台上，中国和48个非洲国家的国旗整齐排列，背后巨大的湛蓝色背景板上用英、法文写着“中非合作论坛北京峰会”，二楼眺台高悬着用中、英、法三种文字书写的横幅：友谊、和平、合作、发展。

48个非洲国家代表齐聚人民大会堂，包括35位国家元首，6位政府首脑，1位副总统，6位高级别代表以及非洲联盟委员会主席，史无前例。南非总统姆贝基感叹说，有些非洲领导人多年都不参加非洲联盟的首脑会议，这次却到北京来了，比我们非洲联盟自己开会来得都齐。

此外，联合国环境规划署、世界粮食计划署、国际货币基金组织及非洲开发银行、非洲发展新伙伴计划秘书处、南部非洲发展共同体等24个国际和地区组织亦派观察员列席峰会开幕式并参加有关活动。

当胡锦涛主席和非洲国家领导人共同走上主席台就座时，全场三千多人起立，热烈鼓掌。

10时整，我作为峰会开幕式主持人郑重宣布，中非合作论坛北京峰会开幕。

这是一个令人激动的时刻！

胡主席在峰会开幕式上发表了主旨讲话。在向各位来宾亲切致意后，他讲的第一句话便是，“今天是值得历史记住的日子”。

话音未落，全场掌声雷动。

胡主席积极评价中非合作论坛为推动中非友好合作关系不断拓展和深化所发挥的重要作用，盛赞中非开启外交关系50年来取得的丰硕成果。

在讲话最后部分，胡主席宣布了中国政府加强对非务实合作的八项政策措施，包括扩大对非洲援助规模，设立中非发展基金，免债，进一步向非洲开放市场，在非洲国家建立境外经济贸易合作区，进行人力资源培训，派遣高级农业技术专家，建立农业技术示范中心，援建医院、疟疾防治中心和学校，派遣青年志愿者，增加向非洲留学生提供中国政府奖学金名额，等等。

胡主席话音刚落，全场又响起长时间雷鸣般的掌声。

从现场的掌声我深切地感受到，胡主席的讲话和中国政府的措施深得人心，非洲朋友感受到了中国人民对他们的真挚情意，真心相信中国永远是非洲的好朋友、好伙伴、好兄弟。

论坛会议共同主席国、埃塞俄比亚总理梅莱斯和非洲联盟轮值主席、刚果（布）总统萨苏也分别在会上致辞。他们对中方为峰会所做的出色安排表示感谢，特别感谢胡主席提出的八项政策措施，认为这体现了中方进一步发展中非合作的诚意。

我特别注意到，萨苏在讲话时打破礼宾惯例，未使用“尊敬的主席阁下”等外交场合惯用的称谓，而是两次对胡主席使用了“我们亲爱的朋友”或“亲爱的朋友”这样的称呼，让人倍感亲切、友好和真诚。正如一位记者在新闻报道中所述，作为非洲联盟轮值主席，萨苏所表达的既是他个人对胡主席的友情，更是广大非洲国家和人民对胡主席、对全体中国兄弟的深情厚谊。

当晚，胡主席在人民大会堂设宴款待各国元首。在京的中央政治局常委和国务院有关领导都出席了，这在我们接待外国来宾访问中是罕见的。之所以做出这样的破格安排，主要是考虑到这是中非领导人之间规模最大、级别最高的一次集体聚会，在礼宾上应高于一般接待规格。

宴会用菜并不复杂，用料也不铺张，但做得十分精细，色香味俱全。宴会菜单设计得也十分精美，堪称一件艺术品。各国领导人不但对菜肴赞不绝口，对菜单亦是爱不释手。宴会结束时，他们不约而同地都把菜单收了起来，表示要带回去收藏。其实，不仅外国朋友，就连许多参加宴会的中方人员也将菜单带回家珍藏。因此，到了最后，宴会桌上几乎所有的菜单都“不翼而飞”了。

宴会期间还发生了一件小插曲。埃及总统穆巴拉克请胡主席在菜单上签名留念。但当宴会结束时，穆巴拉克匆忙中将菜单忘在宴会桌上。回到饭店后想起这件事，立刻吩咐手下人专程回来寻找。幸运的是，人民大会堂的工作人员收拾餐桌时，发现有一份胡主席亲笔签名的菜单，便交给了外交部礼宾司的官员。埃方人员在拿到这份失而复得的菜单后，连声道谢，说穆巴拉克总统十分珍视这份菜单，特意交待一定要找到。这下他们终于放心了。

宴会结束后，胡锦涛主席和与会的非洲国家元首、政府首脑等共同观看了文艺晚会。这台名为《友谊颂》的晚会，由“喜迎”、“欢聚”、“向往”三部分组成，中国和来自非洲国家的近四百名演员同台演出。

中国京剧、非洲原生态和现代艺术轮番上场，异彩纷呈。不同的文化在同一个舞台上和谐演绎，交融互动。

“相知无远近，万里尚为邻”。这句古诗是对晚会主题的最好诠释。

演出结束后，许多非洲国家领导人表示，中非演员同台献艺，配合得如此默契，台下的切磋功夫和“师徒”之情可想而知。看到

2006年11月5日，召开中非合作论坛北京峰会圆桌会议。

如此精彩的演出，印象太深刻了。

第二天召开了峰会圆桌会议。

会上，中非领导人围绕“友谊、和平、合作、发展”的主题，就发展中非新型战略伙伴关系、加强中非务实合作以及共同关心的重大国际和地区问题充分交换了意见。会议通过了《中非合作论坛北京峰会宣言》和《中非合作论坛—北京行动计划（2007—2009）》两个成果文件，一致同意建立和发展政治上平等互信、经济上合作共赢、文化上交流互鉴的中非新型战略伙伴关系，并对会后三年中非互利合作进行了全面规划。

圆桌会议结束后，非洲领导人纷纷向胡主席表示祝贺。他们高度赞扬胡主席宣布的八项政策措施内容充实，目标具体，切合实际，认为这将有助于帮助非洲实现经济一体化和自主发展，称赞中国是非洲真正的朋友。

科摩罗总统桑比盛赞“中非合作堪称典范”。埃及外长盖特预测说，不仅是过去50年，在未来的500年中，中非都会保持和平友好关系。

峰会期间，温家宝总理同33位非洲国家领导人共同出席“中非领导人与工商界代表高层对话会暨第二届中非企业家大会”开幕式，温总理发表了重要讲话。他对如何落实胡主席宣布的对非务实合作八项政策措施、全面提高中非合作水平提出了五点建议：扩大中非贸易规模；加强中非投资合作；提高对非援助水平；促进中非企业合作；增加对非人才培养。在中非企业家大会上，双方企业共签署了15项合作协议，总金额达19亿美元。双方还正式宣布成立“中国—非洲联合工商会”。

峰会的召开为中非领导人加强沟通和交流、增进了解和友谊提供了平台。胡锦涛主席、温家宝总理等中央和国务院领导同志不辞辛劳，与非洲国家领导人共举行了70场双边会见。峰会前后，我们共安排了6起国事访问，19起工作访问，最大限度地满足了非洲领导人访华和会见中国领导人的强烈愿望，进一步增进了我国领导人与非洲新一代领导人的相互了解和信任。

中非关系也成为我国社会各界热议的话题。峰会唤起了人们对中非传统友谊美好的回忆。峰会即将结束时，许多网友发出同样的帖子：

非洲朋友，别走！

非洲领导人在出席峰会期间及峰会前后访华过程中，还有许多有意思的小故事。其中，姆贝基总统买书的故事令我十分感慨。

南非总统姆贝基是峰会后对中国进行正式访问的非洲国家领导人之一。

他是非洲新一代领导人的代表，积极倡导非洲复兴，在非洲国家享有很高声望，1999年就任南非总统，是南非首任黑人总统曼德拉亲自选定的接班人。他酷爱读书，是有名的“学者型”总统。我多次见过姆贝基，他性格内敛，很有绅士风度，对中国充满感情，十分渴望了解中国，学习中国。

在华期间，姆贝基总统提出，希望到北京的一家书店，选购一些介绍中国改革开放和经济建设的书籍。在新中国外交史上，这大概是首位提出要逛书店的外国元首。出于安全等方面的考虑，在接待外国元首来访时，一般情况下我们不临时增加活动日程，况且是在峰会期间，各项安排都很紧凑。一开始，我们建议可以根据姆贝基总统的要求，由中方相关部门准备一批书，送到他下榻的饭店，任他挑选。但姆贝基总统还是坚持要亲自到书店去看看。

在这种情况下，我们满足了他的愿望，并由时任驻南非大使刘贵今陪他去了王府井新华书店。

姆贝基总统兴致勃勃，向书店工作人员和刘贵今大使询问，有哪些是近期出版的有关中国经济和社会建设经验的书。他仔细挑选，最后买了十几本，其中包括中国改革开放文件集、有关农村改革实践和教育改革等内容的英文版书籍。

有意思的是，他还买了一本《儒林外史》。《儒林外史》的英文译名为“The Scholars”（意为“学者们”）。想到姆贝基本人是位学者，人们不难理解他为什么会对中国学者的故事感兴趣。

从书店出来，姆贝基直接去出席南中企业家午餐会，并做主旨演讲。他在演讲中即兴加了一段话。他说，我们都在讲要学习中国，学习中国首先要了解中国，不知在座的诸位是否了解中国。我们的驻华大使了解一些，因为他在中国工作。我也了解一些，因为我正在研读中国出版的书。平时我们都是从报纸杂志上了解中国，不是很全面。我建议大家读一些中国自己出版的书籍。

姆贝基买书的故事，是刘贵今大使后来讲给我听的，我听后十分感慨。从非洲老一代领导人读《毛泽东选集》，到新一代领导人逛书店，这不是偶然的。这说明新形势下，非洲对中国的兴趣有增无减。这是中非友谊延续和发展的体现，也说明长期以来我们对非洲的交往与合作卓有成效。

峰会反响强

此次峰会工作千头万绪，工程浩大，在新中国外交史上堪称史无前例。由于中央领导高度重视，各部门配合默契，参与各项工作的同志无私奉献、辛勤工作，峰会各项工作顺利圆满，效果几近完美，得到了非洲朋友的好评。我2007年初随胡锦涛主席再次访问非洲时，许多非洲朋友同我一见面便首先提起峰会，纷纷表示，“印象太深刻了，这是一次终生难忘的盛会”。

这次盛会是中非关系史上的重要里程碑，对于深化和发展中非传统友谊、提升中非合作水平、树立中国负责任大国形象、扩大中国国际影响，具有重大而深远的意义。

峰会的召开在国际上引起巨大反响。国外媒体认为，峰会成功显示了中国的软实力，没有一个国家能像中国这样把几乎所有非洲国家的领导人聚集在一起。

非洲国家政府和新闻媒体将胡锦涛主席在峰会上宣布的八项政策措施亲切地称为“胡锦涛计划”，普遍认为峰会给中非关系注入了新活力，中非合作将成为南南合作的典范。

印度、马来西亚、乌克兰等发展中国家积极评价中非合作八项举措，认为中非加强合作符合双方利益。

西方国家也密切关注峰会，主要西方媒体惊叹中国对非洲具有强大的影响力。美国《国际先驱论坛报》称，本次会议体现了中国发展模式的魅力。英国《卫报》则认为，这仅仅是北京令世界惊叹的开始。

不过，西方媒体也有对中非加强合作说三道四、指手画脚的，这并不奇怪。

北京峰会产生了广泛的刺激效应，在世界范围内出现了“非洲热”。北京峰会召开后，因种种原因中断七年的欧非峰会于2007年底召开。韩国、印度、日本和拉美国家也先后召开了韩非论坛、印非峰会、第四届非洲开发会议和拉美—非洲峰会。

在这一点上，非洲国家对我们十分感激，认为是中非合作论坛北京峰会的召开，使国际社会特别是大国更加关注非洲，非洲的地位得到了提高。也正因为如此，我国与非洲及西方大国关系互动增强，中非双方在国际事务中的合作空间不断扩大。

后续落实处

北京峰会不仅是中非关系史上的创举，也是新中国外交史上的创举。

峰会结束后，2006年11月7日下午，胡锦涛主席在人民大会堂亲切接见中非合作论坛北京峰会工作人员代表，向大家表示衷心感谢和亲切慰问。胡主席说，峰会的成功举行标志着中非关系进入新的发展阶段，下一步要将工作重点转到落实峰会成果上来。

为了以实际行动将中非合作论坛北京峰会的成果及时送到非洲人民手中，向非洲和国际社会表明我国同非洲国家开展合作的真诚愿望，2007年1月30日至2月11日，胡主席对喀麦隆、利比里亚、苏丹、赞比亚、纳米比亚、南非、莫桑比克、塞舌尔八国进行了国事访问，我全程陪同。

此访距胡主席上次访非仅有九个月时间，距北京峰会结束也不到三个月。这是胡主席往访国家最多的一次出访，足迹遍及全非，兼顾了大小、贫富国家及地域平衡。除南非和纳米比亚外，其他六国都是中国国家元首首次往访。

非洲八国高度重视胡主席的访问，给予最高规格的隆重接待。喀麦隆、利比里亚、苏丹、赞比亚、纳米比亚、莫桑比克和塞舌尔七国总统亲自到机场迎送并陪同胡主席出席主要活动。塞舌尔总统米歇尔激动地对胡主席说，胡主席是塞舌尔23年来接待的第一位外国元首。

非洲各国人民热烈欢迎胡主席到访，成千上万民众自发地夹道欢迎，载歌载舞，雀跃欢呼，场面十分感人。热情的苏丹民众在胡主席车队经过的公路两旁宰杀骆驼，据说这是当地待客的最高礼仪。

访问期间，胡主席同东道国元首和其他领导人就双边关系，特别是落实北京峰会成果及共同关心的重大问题交换意见，达成广泛共识。

胡主席此行很务实，每到一个国家，都根据当地实际情况，将八项政策措施落实为看得见、摸得着的具体合作项目，受到了热烈欢迎。

在南非比勒陀利亚大学，胡主席发表重要演讲，再次全面阐述中国对非政策，提出新形势下加强中非团结合作、推动建设和谐世界的主张。

胡主席还广泛接触非洲工商、文教、卫生、青年等各界人士，做了大量友好工作，并出席了我国在八项政策措施项下援建的第一所疟疾防治中心、第一所农业技术示范中心及第一个境外经贸合作区的揭牌仪式。

这次访问全面启动了我国加强对非务实合作八项政策措施的落实工作，深化了中非传统友谊，巩固并加强了中非友好的社会和民意基础，进一步密切了中国同非洲国家的真挚感情，展示中国“言必信、行必果”的良好形象，堪称一次友谊之旅、合作之旅。

2007年11月4日，在中非合作论坛北京峰会召开一周年之际，我邀请中央和国务院有关部委负责人及非洲驻华使节等，出席在钓鱼台国宾馆举行的“中非合作论坛北京峰会一周年纪念招待会”。

2007年11月4日，出席中非合作论坛北京峰会一周年纪念招待会。

我在招待会上发表讲话，回顾了一年来中非关系呈现的新气象，强调巩固和发展同非洲国家的团结与合作，是中国长期的战略选择，也是中国对非政策的基本立足点。中国将继续坚定不移地与非洲国家共同携手，秉承峰会精神，做到坚持平等相待，深化传统友好；坚持互利共赢，促进共同发展；坚持开放包容，推动文明交流；坚持团结协作，密切相互支持。中方将以落实中非合作论坛北京峰会成果为契机，不断将中非合作提高到新的水平。

非洲驻华外交使团团长、在中国生活了近二十年的喀麦隆大使埃蒂安代表非洲驻华使节发表了热情洋溢的讲话。他高度评价北京峰会，特别赞赏中方在落实后续行动上采取的措施，认为峰会是一次创新的会议，为中国与非洲友好国家的合作奠定了新的基础，而一年来，中国政府积极履行承诺，更使中非合作结出了丰硕成果。

2009年2月，胡锦涛主席再次访问非洲，行程包括马里、塞内加尔、坦桑尼亚、毛里求斯。这是胡主席第四次访非。

此时，我已经从国务院领导岗位上退了下来。从新闻报道中，我看到热情好客的非洲人民，再次以最隆重的民族礼仪，热烈欢迎胡主席到来。

这次访问，实际上也是对峰会成果的一次检阅。胡主席在访问中，不但就峰会成果落实情况与到访国领导人交换意见，还参观了一些代表性项目。可以说，峰会后续行动的落实工作进展顺利，八项举措的每一项都得到了实实在在的落实。

胡主席此次访非，正值全球金融危机不断蔓延、世界经济面临严峻挑战之时。访问期间，胡主席对非洲国家郑重表示，尽管中国经济发展也面临一些困难，但作为非洲的真诚朋友，中方将继续按时、保质落实好北京峰会确定的各项援非举措，决不会减少对非援助，并将在力所能及的范围内继续增加对非援助，减免非洲国家债务，扩大对非贸易和投资，加强中非务实合作。

非洲国家对中方积极落实峰会成果高度赞赏，深表感激，认为中国一贯真心诚意帮助非洲发展，是重信守诺的负责任大国。

那些动辄对中非合作说三道四的西方媒体在事实面前也不得不承认，胡主席此访表明中国是一个言行一致的国家。英、法、德等国的主流媒体在报道中还特别提到，胡主席此次访问的四个国家，都不是能源、资源富集国，中国对非洲国家是一视同仁的。

事实让所谓的“中国对非洲新殖民主义论”不攻自破。

和谐中非情

六百多年前，中国著名航海家郑和七下西洋，其中四次到达东非沿岸，带去了中国的丝绸锦缎与瓷器，弘扬了中华民族“协和万邦”的人文精神，为人类和谐相处提供了宝贵的历史经验。

曾饱受殖民主义之苦的非洲朋友，提起郑和抵达非洲的这段历史，无不交口称赞。

历史最大的特点就在于它的传承性。

进入近现代时期，相似的历史遭遇，共同的目标追求，使中非人民的命运紧紧相连，使中非关系经受住了时间和国际风云变幻的考验。

中非之间不仅仅是一般的战略伙伴关系。正如胡主席所说，中国人民始终视非洲人民为全天候朋友，同非洲人民永做好兄弟、好伙伴。朋友、兄弟、伙伴，这才是中非关系的实质。这也使中非关系的基础无比深厚，具有无穷的发展潜力。

回顾历史，对中非关系可以用两个字做出最准确的概括：和谐。

和谐中非的建设，已成为我国和谐世界理论与实践的重要组成部分。

回首北京峰会，我认为可以自豪地说，这是中非间一次和谐的盛会，是构建和谐世界的一次成功实践。峰会的成功举办顺应了中非双方共同的战略需求，全面指导和引领着中非关系的不断向前发展。

海内存知己，天涯若比邻。我坚信，在双方的共同努力下，中非关系的和谐主旋律，将不断谱写出更加优美的新乐章。

后 记

《劲雨煦风》历时半年多，终于付梓。

搁笔回顾历史，我再次感受到十年间中国综合国力的迅速上升和国际地位的显著提高，感受到无论国际风云如何变幻，中国外交始终乘风破浪，扬帆前进，不断化挑战为机遇，不断开拓进取，不断取得丰硕成果。

在重大关头和关键时刻，中央始终冷静、准确地判断形势，果断地做出正确决策，为外交工作指明方向、确定原则，这是外交工作的制胜法宝。

国家的发展和强大，是外交工作的坚强后盾。国家和人民的利益，是外交工作的力量源泉和维护目标。一支具有高水平职业素养的外交队伍，是外交政策贯彻落实的有力保障。周恩来总理曾经讲过，外交官是文装的解放军。在国际风云的洗礼和外交实践的磨练中，我们的外交人员用自己的汗水、心血甚至生命捍卫着祖国和人民的利益。

念及此，我对中国外交的未来充满信心。

本书的写作得到了许多同志的大力协助。书成之时，首先感谢戴秉国国务委员以及杨洁篪、王光亚等外交部领导同志的热情关心和鼎力支持，感谢外交部政策规划司等部门主管及有关同志的无私协助和大力配合。赵进军、关呈远、卢树民、周刚、宁赋魁、孙延珩、赵希迪、潘占林、李长和、陆树林、齐建国、刘志刚等前驻外大使、总领事分别以不同方式参与了书稿内容的讨论或编写。我的老同事王泰平同志负责全书的文字统稿，欧渤芊同志承担书稿编写的组织和协调工作并参与核改，还有袁路明责任编辑，张金萍、刘思攀两位年轻同志以及我的秘书肖千同志，他们对书稿负责任地进行核校，付出了辛勤的劳动，提出很多宝贵意见和建议。正是在上述同志的热情帮助下，本书才得以顺利完成。在此，我谨表示衷心的感谢。

对本书中的不当之处，诚恳地欢迎广大读者批评指正。

唐家璇

2009年10月17日

图书在版编目(CIP)数据

劲雨煦风 / 唐家璇著. —北京：世界知识出版社，2009.9
ISBN 978-7-5012-3624-4

Ⅰ.劲… Ⅱ.唐… Ⅲ.外交史—大事记—中国—1998~2008
Ⅳ.D829

中国版本图书馆CIP数据核字（2009）第150265号

责任编辑 袁路明
责任出版 刘林琦 赵 玥
责任校对 马莉娜
封面设计 多笔视觉 方志文
书名题字 方志文

书　　名 **劲雨煦风**
Jin Yu Xu Feng

作　　者 唐家璇
图片提供 唐家璇 外交部 新华社 中国新闻社

出版发行 世界知识出版社
地址邮编 北京市东城区干面胡同51号（100010）
网　　址 www.wap1934.com
印　　刷 河北新华印刷一厂
经　　销 新华书店
开本印张 980×680毫米 1/16 29½印张 4插页
字　　数 350千字 100幅图片
版次印次 2009年12月第一版 2009年12月第二次印刷
标准书号 ISBN 978-7-5012-3624-4
定　　价 58.00元（平装）

下榻

参拜靖国神社
靖

时任 then in office [illegible]